응용 왕수학

왕수학연구소
박 명 전

3 학년

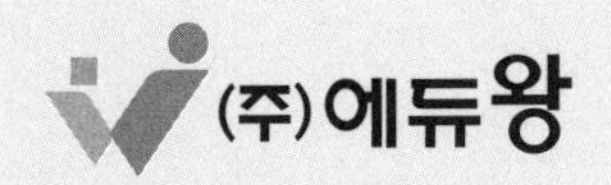

APPLICATION

수학 왕을 꿈꾸는 어린이들에게

수학자 가우스가 초등 학교에 다니던 때 하루는 선생님께서 학생들에게 1부터 100까지 자연수를 모두 더하는 문제를 내셨습니다. 모든 학생들이 끙끙대며 1부터 더하기를 해나가고 있는데 가우스만이 문제를 받자마자 아무런 풀이 과정 없이 정답이 5050이라고 제출해 선생님을 깜짝 놀라게 했다고 합니다.

가우스는 $1+2+3+\cdots+98+99+100$을 단지 $100+1=101$, $99+2=101$, $98+3=101$ 등으로 계산하면 50개의 쌍이 나오므로 답은 50×101, 즉 5050이라고 암산하였던 것이지요.
이 일화는 가우스의 천재적인 계산 능력을 보여 줄 뿐만 아니라 수학을 대하는 우리들의 자세를 일깨어 주고 있습니다.

수학은 단순히 공식을 암기하거나 사칙연산만을 다루는 학문이 아닙니다. 오히려 여러 가지 방법으로 문제를 분석하고 해석하여 새로운 풀이에 접근해 보는 보다 활동적인 학문임을 염두해 두어야 합니다. 난이도가 높은 문제일수록 더더욱 이러한 창의적인 사고력과 문제해결력을 보다 요구하게 되지요. 응용왕수학은 바로 이러한 요구에 발맞추고자 노력하여 맺은 열매입니다.

이 책에는 제가 20여년 동안 교육 일선에서 수학경시반을 이끌어 오면서 11년 연속으로 수학왕을 지도, 배출한 노하우가 고스란히 담겨져 있습니다.
난이도 높은 문제를 보다 다양하고 쉬운 방법으로 해결해 나가는 획기적인 과정을 다루어 수학에 대한 흥미를 유발하게 하였습니다. 또 다양한 문제를 실어 어린이들이 폭넓고 깊이 있는 해결능력을 배양하는 데 보탬이 되고자 하였습니다.

수학의 영재를 꿈꾸는 어린이들이 이 책을 통해 꿈에 가까이 다가갈 수 있기를 바라는 마음뿐입니다.

응 용 왕 수 학

이 책의 특징과 구성

1. 교육과정 개정에 따라 학년별 교과 내용을 영역으로 나누어 문제를 편성, 수록하였습니다.
2. 교과서의 수준을 뛰어 넘는 난이도 높은 문제들을 수록하여 전국경시대회, 과학고, 영재고 등과 같은 시험에 대비하는 데 부족함이 없도록 준비하였습니다.
3. 해결 방법을 쉽게 이해할 수 있도록 체계적이고 논리적인 해설을 자세히 실었습니다.

핵심내용

교과 내용 중 핵심적인 내용이 정리되어 있습니다. 공부할 내용을 미리 알고 요점을 정리해 놓으면 문제 해결에 많은 도움이 될 것입니다.

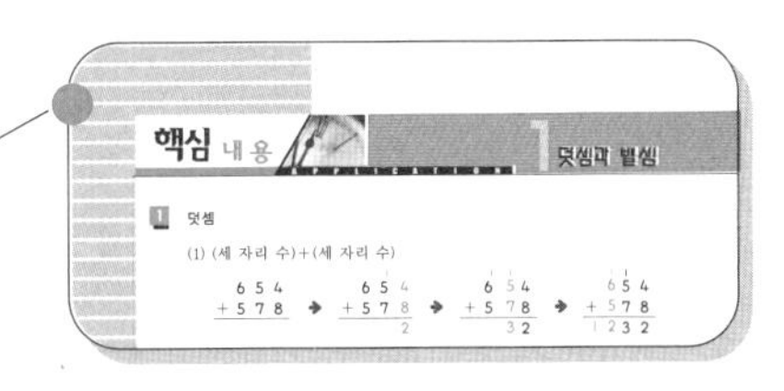

탐구

단원에 관련된 문제를 유형별로 간추려 그 해법을 따라가 보았습니다. 유형을 익혀 놓으면 뒤의 왕문제, 왕중왕문제를 풀 때 보다 쉽게 접근할 수 있을 것입니다.

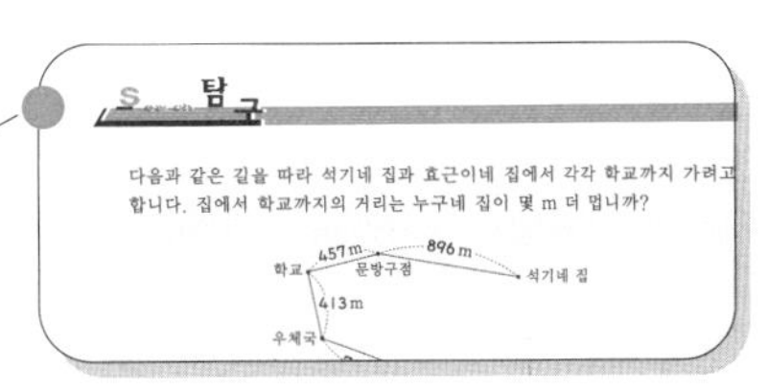

연습문제

탐구에서 찾아낸 해결 방법을 연습함으로써 어려운 문제의 해결 방안을 익힐 수 있게 하였습니다.

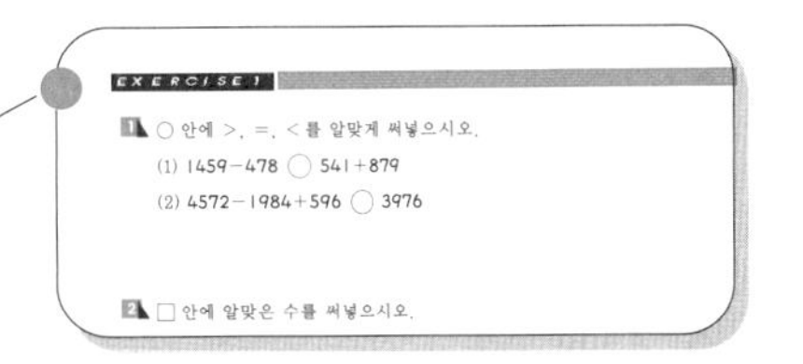

왕문제

본격적으로 적절한 해결 방법을 생각해 문제를 풀어 봄으로써 응용력과 문제해결력을 키워 나가는 단계입니다. 각각의 문제를 최선을 다하여 풀다 보면 사고력과 응용력이 높아질 것입니다.

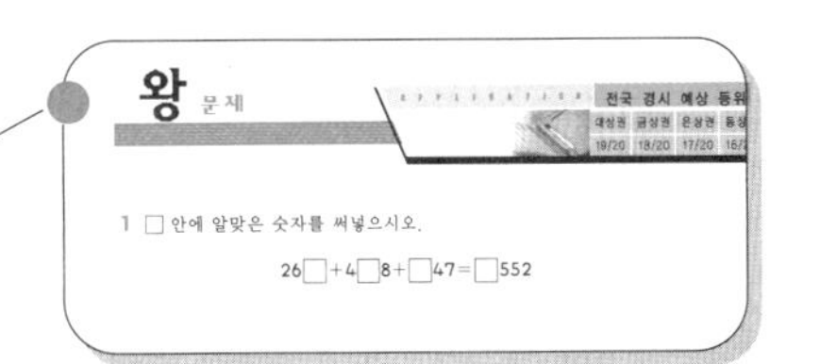

왕중왕문제

전국경시대회, 영재 교육원, 특목고를 대비할 수 있는 문제들을 수록하였습니다. 꾸준히 도전하면 중, 고등 과정과도 접목할 수 있는 풍부한 실력을 갖출 수 있게 될 것입니다.

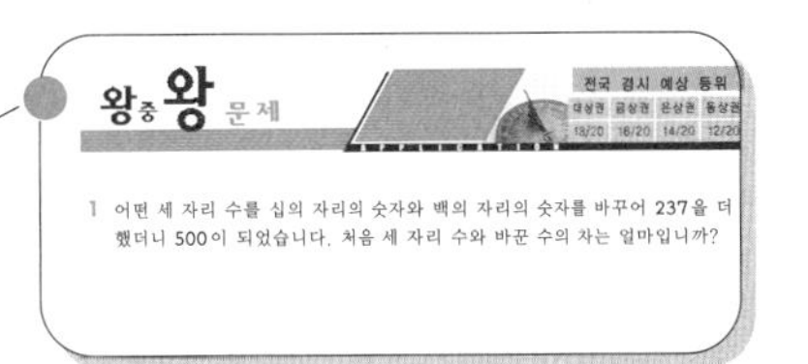

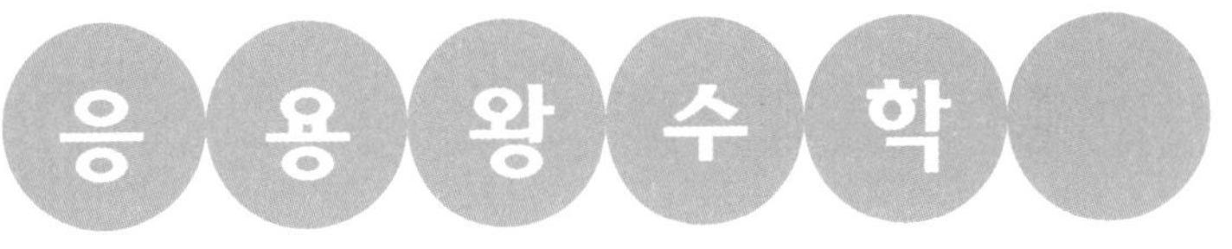

APPLICATION

CONTENTS

차례

3학년

I 수와 연산

1. 덧셈과 뺄셈
2. 곱셈
3. 나눗셈
4. 분수와 소수
5. 여러 가지 분수

APPLICATION

응용왕수학

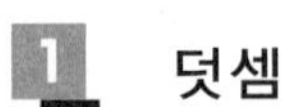

APPLICATION

1 덧셈

(1) (세 자리 수)+(세 자리 수)

$$\begin{array}{ccccc} & & 6 & 5 & 4 \\ + & & 5 & 7 & 8 \\ \hline & & & & \end{array} \rightarrow \begin{array}{ccccc} & & & 1 & \\ & & 6 & 5 & 4 \\ + & & 5 & 7 & 8 \\ \hline & & & & 2 \end{array} \rightarrow \begin{array}{ccccc} & & 1 & 1 & \\ & & 6 & 5 & 4 \\ + & & 5 & 7 & 8 \\ \hline & & & 3 & 2 \end{array} \rightarrow \begin{array}{ccccc} & & 1 & 1 & \\ & & 6 & 5 & 4 \\ + & & 5 & 7 & 8 \\ \hline & 1 & 2 & 3 & 2 \end{array}$$

(2) (네 자리 수)+(네 자리 수)

$$\begin{array}{ccccc} & 4 & 5 & 3 & 9 \\ + & 2 & 7 & 4 & 3 \\ \hline & & & & \end{array} \rightarrow \begin{array}{ccccc} & & & 1 & \\ & 4 & 5 & 3 & 9 \\ + & 2 & 7 & 4 & 3 \\ \hline & & & & 2 \end{array} \rightarrow \begin{array}{ccccc} & & & 1 & \\ & 4 & 5 & 3 & 9 \\ + & 2 & 7 & 4 & 3 \\ \hline & & & 8 & 2 \end{array} \rightarrow \begin{array}{ccccc} & & 1 & 1 & \\ & 4 & 5 & 3 & 9 \\ + & 2 & 7 & 4 & 3 \\ \hline & & 2 & 8 & 2 \end{array} \rightarrow \begin{array}{ccccc} & 1 & & 1 & \\ & 4 & 5 & 3 & 9 \\ + & 2 & 7 & 4 & 3 \\ \hline & 7 & 2 & 8 & 2 \end{array}$$

2 뺄셈

(1) (세 자리 수)−(세 자리 수)

$$\begin{array}{cccc} & 5 & 2 & 3 \\ - & 3 & 5 & 7 \\ \hline & & & \end{array} \rightarrow \begin{array}{cccc} & & 1 & 10 \\ & 5 & \not{2} & 3 \\ - & 3 & 5 & 7 \\ \hline & & & 6 \end{array} \rightarrow \begin{array}{cccc} & 4 & 11 & 10 \\ & \not{5} & \not{2} & 3 \\ - & 3 & 5 & 7 \\ \hline & & 6 & 6 \end{array} \rightarrow \begin{array}{cccc} & 4 & 11 & 10 \\ & \not{5} & \not{2} & 3 \\ - & 3 & 5 & 7 \\ \hline & 1 & 6 & 6 \end{array}$$

(2) (네 자리 수)−(네 자리 수)

$$\begin{array}{ccccc} & 4 & 2 & 1 & 4 \\ - & 1 & 8 & 5 & 7 \\ \hline & & & & \end{array} \rightarrow \begin{array}{ccccc} & & & 0 & 10 \\ & 4 & 2 & \not{1} & 4 \\ - & 1 & 8 & 5 & 7 \\ \hline & & & & 7 \end{array} \rightarrow \begin{array}{ccccc} & & 1 & 10 & 10 \\ & 4 & \not{2} & \not{1} & 4 \\ - & 1 & 8 & 5 & 7 \\ \hline & & & 5 & 7 \end{array} \rightarrow \begin{array}{ccccc} & 3 & 11 & 10 & 10 \\ & \not{4} & \not{2} & \not{1} & 4 \\ - & 1 & 8 & 5 & 7 \\ \hline & & 3 & 5 & 7 \end{array} \rightarrow \begin{array}{ccccc} & 3 & 11 & 10 & 10 \\ & \not{4} & \not{2} & \not{1} & 4 \\ - & 1 & 8 & 5 & 7 \\ \hline & 2 & 3 & 5 & 7 \end{array}$$

3 세 수의 혼합 계산

$1437+2765-1587=\boxed{2615}$

$$\begin{array}{r} 1437 \\ +2765 \\ \hline \boxed{4202} \end{array} \rightarrow \begin{array}{r} \boxed{4202} \\ -1587 \\ \hline \boxed{2615} \end{array}$$

세 수의 혼합 계산은 앞에서부터 순서대로 계산합니다.

Search 탐구

다음은 각 마을의 초등학교 학생 수를 조사한 것입니다. 물음에 답하시오.

성별 \ 마을	가마을	나마을	다마을	라마을
남학생(명)	204	334	427	549
여학생(명)	468	516	458	239

(1) 각 마을별 학생 수는 어느 마을이 가장 많습니까?

(2) 네 마을의 남학생 수와 여학생 수의 차는 몇 명입니까?

풀이

(1) 각 마을의 학생 수의 합을 구합니다.

• 가마을 : 204+468=□(명) • 나마을 : 334+516=□(명)

• 다마을 : 427+458=□(명) • 라마을 : 549+239=□(명)

따라서 □ 마을의 학생 수가 가장 많습니다.

(2) 남학생 수의 합을 구하면 204+334+427+549=□(명)

여학생 수의 합을 구하면 468+516+458+239=□(명)

따라서 여학생 수가 □−□=□(명) 더 많습니다.

답 (1) □ 마을 (2) □명

EXERCISE 1

1 다음 중 계산 결과가 800이 되는 것은 어느 것입니까?

① 540+360 ② 514+276 ③ 242+458

④ 936−136 ⑤ 954−145

2 □ 안에 알맞은 숫자를 써넣으시오.

(1)
```
   □ 3 □
 + 4 □ 6
 -------
   7 2 4
```

(2)
```
   9 2 □
 − 5 □ 3
 -------
   □ 3 3
```

Search 탐구

다음과 같은 길을 따라 석기네 집과 효근이네 집에서 각각 학교까지 가려고 합니다. 집에서 학교까지의 거리는 누구네 집이 몇 m 더 먼니까?

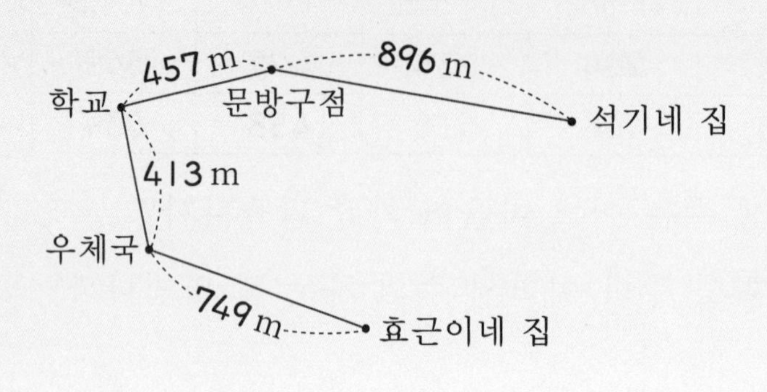

풀이

(석기네 집에서 학교까지의 거리)=896+457=□(m)

(효근이네 집에서 학교까지의 거리)=749+413=□(m)

따라서 집에서 학교까지의 거리는 석기네 집이 □−□=□(m) 더 멉니다.

답 □ 집, □ m

EXERCISE 2

1 ○ 안에 >, =, < 를 알맞게 써넣으시오.

(1) 1459−478 ○ 541+879

(2) 4572−1984+596 ○ 3976

2 □ 안에 알맞은 수를 써넣으시오.

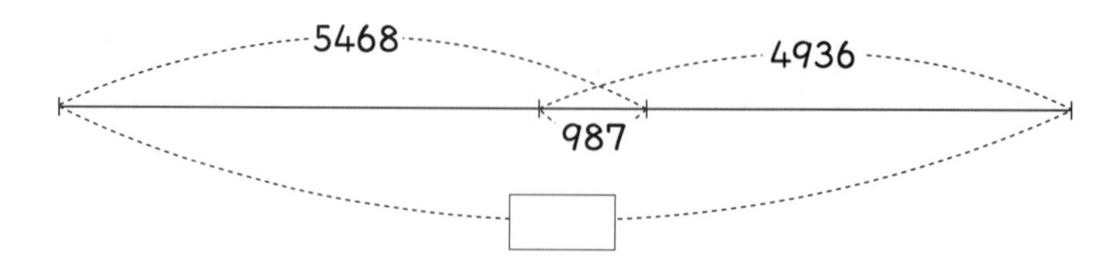

왕 문제

1 □ 안에 알맞은 숫자를 써넣으시오.

$$26\square+4\square8+\square47=\square552$$

2 숫자 카드 [2], [3], [5]를 한 번씩만 사용하여 만든 세 자리 수 중 가장 큰 수와 숫자 카드 [4], [0], [6]을 한 번씩만 사용하여 만든 세 자리 수 중 가장 작은 수의 차는 얼마입니까?

3 ㉮와 ㉯에 들어갈 수의 합은 얼마입니까?

4 □ 안에 들어갈 수 있는 숫자를 모두 구하시오.

$$3404+27\square8 < 6153$$

5 어떤 수에 273을 더해야 할 것을 잘못하여 빼었더니 477이 되었습니다. 바르게 계산하면 얼마입니까?

6 ㉮와 ㉯에 알맞은 수를 구하시오.

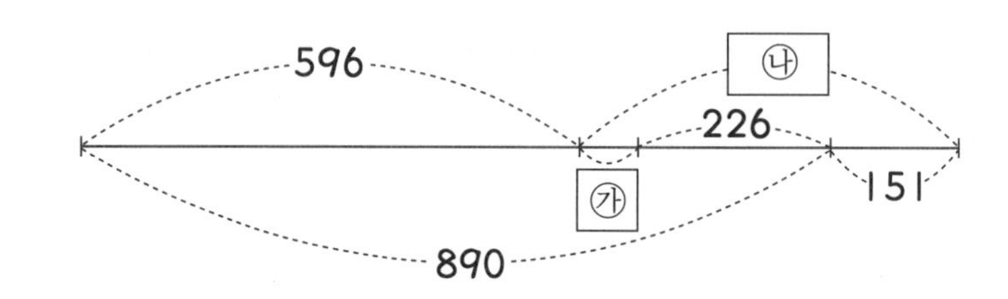

7 오른쪽과 같은 세 자리 수의 뺄셈에서 ㉠, ㉡, ㉢은 서로 다른 숫자이고, 각각 2, 0, 9 중 하나를 나타냅니다. 계산 결과가 가장 큰 값이 나올 때, ㉠, ㉡, ㉢은 각각 어떤 숫자입니까?

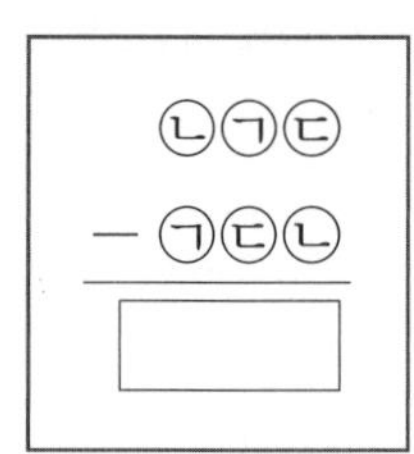

8 한솔이는 기차를 타고 부산에 가고 있습니다. 도중에 승객 263명이 내리고, 419명이 탔습니다. 목적지인 부산에 도착하여 내리는 승객을 세어 보니 725명이었습니다. 처음에 기차에 타고 있던 승객은 몇 명이었습니까?

9 길이가 217 cm인 테이프 3개를 다음 그림과 같이 겹쳐지는 부분을 같게 하여 길게 이었습니다. 이은 테이프의 길이가 627 cm이면, 테이프의 겹쳐지는 부분의 한 개의 길이는 몇 cm입니까?

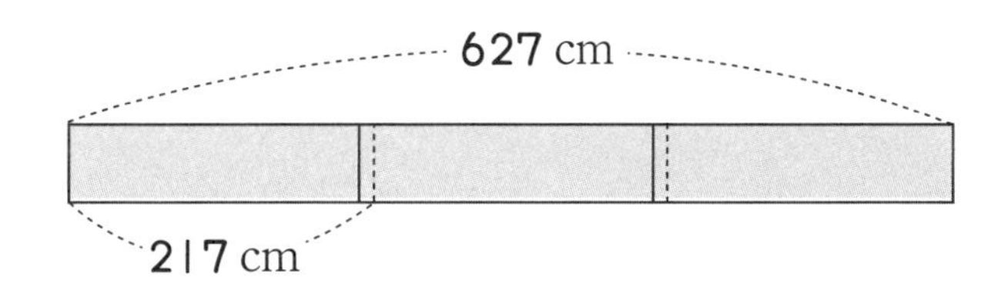

10 어떤 두 수의 합은 726이고, 차는 318이라고 합니다. 두 수는 각각 어떤 수입니까?

11 놀이 공원에 입장한 사람 중 여자는 1518명이고, 이 중에서 초등학생은 536명이었습니다. 남자는 여자보다 525명이 더 많았고, 이 중에서 초등학생이 아닌 사람은 1257명이었습니다. 놀이 공원에 입장한 초등학생은 모두 몇 명입니까?

12 과일 가게에 사과가 1238개, 배는 사과보다 374개 더 많이 있었습니다. 이 중에서 사과 몇 개가 팔리고, 배 276개를 사들였더니 사과와 배를 합하여 2527개가 되었습니다. 팔린 사과는 몇 개입니까?

13 어떤 수에 0에서 4까지의 5장의 숫자 카드 중 한 번씩만 사용하여 만들 수 있는 수 중에서 두 번째로 큰 세 자리 수를 더해야 하는데 잘못하여 가장 작은 네 자리 수를 빼었더니 4617이 되었습니다. 바르게 계산하면 얼마입니까?

14 다음은 지혜가 은행에서 예금한 돈과 찾은 돈을 나타낸 표입니다. 25일 통장에 남은 돈은 얼마입니까?

날짜	예금한 돈	찾은 돈	통장에 남은 돈
3일	3240원	•	5850원
12일	2950원	•	
17일	•	5260원	
25일	3190원	•	

15 용희와 동생은 9000원을 나누어 가졌습니다. 용희는 3200원, 동생은 1200원을 사용했더니 두 사람이 가진 돈이 같아졌습니다. 두 사람이 처음에 나누어 가졌던 돈은 각각 얼마입니까?

16 한 원 안에 있는 수의 합이 930이 되도록 ㉠, ㉡, ㉢에 알맞은 수를 구하시오.

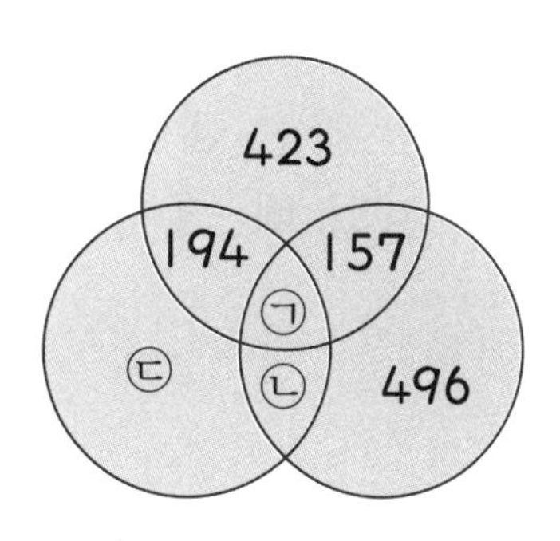

17 어떤 세 자리 수가 있습니다. 이 수의 백의 자리의 숫자와 일의 자리의 숫자를 바꾼 수에 356을 더했더니 723이 되었습니다. 처음 세 자리 수는 얼마입니까?

18 석기는 가진 돈의 절반으로 학용품을 사고, 남은 돈의 절반으로 과자를 샀습니다. 남은 돈이 1250원이었다면, 처음에 석기가 가지고 있었던 돈은 얼마입니까?

19 길이가 다른 3개의 막대가 있습니다. 가장 긴 막대는 중간 막대의 길이보다 125 cm 더 길고, 중간 막대는 가장 짧은 막대보다 98 cm 더 깁니다. 3개의 막대의 길이의 합이 771cm일 때, 3개의 막대의 길이를 각각 구하시오.

20 석기네 마을 학생은 2417명입니다. 이 중에서 수학을 좋아하는 학생은 1089명, 국어를 좋아하는 학생은 945명, 수학과 국어를 모두 싫어하는 학생은 897명입니다. 수학과 국어를 모두 좋아하는 학생은 몇 명입니까?

전국 경시 예상 등위			
대상권	금상권	은상권	동상권
18/20	16/20	14/20	12/20

1 어떤 세 자리 수를 십의 자리의 숫자와 백의 자리의 숫자를 바꾸어 237을 더했더니 500이 되었습니다. 처음 세 자리 수와 바꾼 수의 차는 얼마입니까?

2 어느 초등학교의 3학년 학생 수는 217명, 4학년 학생 수는 196명입니다. 3학년과 5학년을 합한 학생 수와 4학년과 6학년을 합한 학생 수가 같을 때, 5학년과 6학년 학생 수의 차는 몇 명입니까?

3 2, 4, 6, 8, 10, …은 연속된 짝수들입니다. 연속된 짝수 3개의 합이 1194일 때, 가장 작은 짝수는 얼마입니까?

4 한 원 안에 있는 수들의 합이 모두 850으로 같을 때, ★에 알맞은 수를 구하시오.

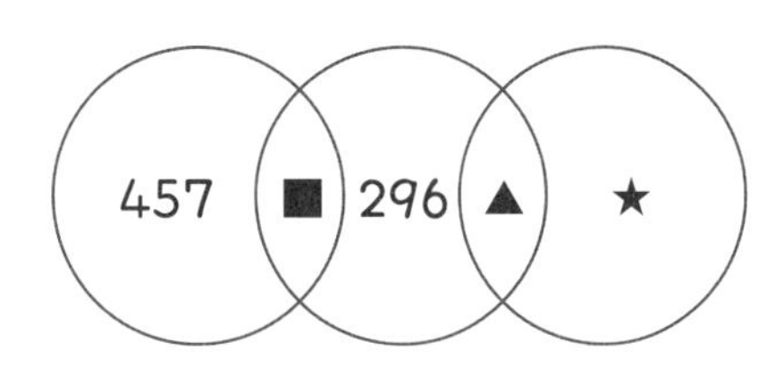

5 가로, 세로, 대각선에 놓인 세 수의 합이 모두 같도록 □ 안에 알맞은 숫자를 써넣으시오. (단, □ 안에 들어가는 숫자의 합은 26 입니다.)

26□	269	26□
263	26□	26□
26□	261	266

6 □ 안의 수는 십의 자리와 일의 자리의 숫자가 같은 세 자리 수입니다. 다음 식에서 세 수의 합이 1200 에 가장 가까운 수가 되도록 할 때, □ 안에 알맞은 수는 얼마입니까?

287+□+584

7 어떤 두 자리 수의 오른쪽에 숫자 5를 놓아 세 자리 수를 만들었습니다. 만든 세 자리 수와 처음 두 자리 수의 차가 392 일 때, 처음 두 자리 수를 구하시오.

8 다음을 보고 설악산과 백두산의 높이의 차를 구하시오.

㉠ 지리산은 설악산보다 207 m 더 높습니다.
㉡ 한라산은 설악산보다 252 m 더 높습니다.
㉢ 백두산은 지리산보다 839 m 더 높습니다.

9 상연이네 학교의 전체 학생은 452명입니다. 전체 학생들에게 국어와 수학 중 좋아하는 과목을 써내도록 하였습니다. 국어를 좋아하는 학생은 285명이고, 국어와 수학을 모두 싫어하는 학생은 12명입니다. 두 과목을 모두 좋아하는 학생은 94명일 때 수학을 좋아하는 학생은 몇 명입니까?

10 일의 자리의 숫자가 1, 3, 5, 7, 9이면 홀수라고 하고, 0, 2, 4, 6, 8이면 짝수라고 합니다. 0, 1, 2, 3, 4, 5, 6의 숫자 중 서로 다른 4개의 숫자를 한 번씩만 사용하여 네 자리 수를 만들 때, 가장 큰 짝수와 가장 작은 홀수의 차를 구하시오.

11 석기와 예슬이는 배를 한 개 사려고 합니다. 석기가 가진 돈으로는 2000원이 부족하고, 예슬이가 가진 돈으로는 1500원이 부족하다고 합니다. 두 사람이 가진 돈을 합해서 배 한 개를 사면 3500원이 남을 때, 두 사람이 가진 돈을 각각 구하시오.

12 어떤 수에서 1264를 빼어야 하는데 잘못하여 2152를 빼었습니다. 바르게 계산한 답과 잘못 계산한 답의 차는 얼마입니까?

13 사과, 배, 귤이 있습니다. 사과와 배의 수의 합은 1300개, 사과와 귤의 수의 합은 1728개입니다. 사과, 배, 귤의 수의 합은 2500개일 때, 사과, 배, 귤의 개수를 각각 구하시오.

14 다음과 같은 땅이 있습니다. 이 땅의 둘레의 길이는 몇 m입니까?

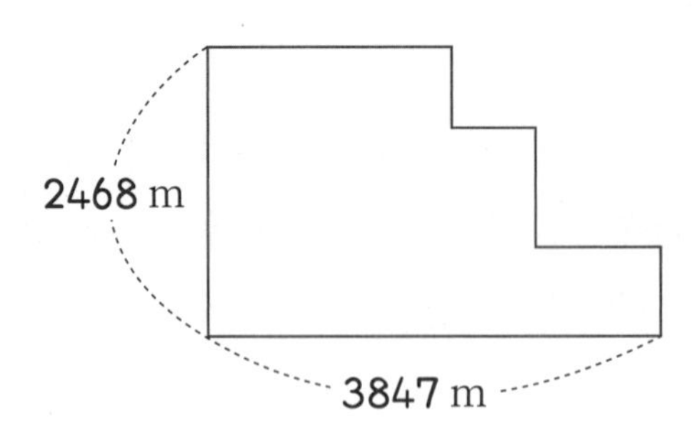

15 가※나=(가+나)-(가-나)로 약속할 때, □ 안에 알맞은 수를 구하시오.

423 ※ □ =314

16 1부터 9까지의 숫자 카드 중 서로 다른 3장을 뽑아 만들 수 있는 모든 세 자리 수의 합은 2664입니다. 또한 만들 수 있는 모든 수들의 각 자리의 숫자의 합이 72라고 할 때 만든 세 자리 수 중 가장 작은 수는 얼마입니까?

17 예슬이의 예금 통장에는 7980원이 들어 있었습니다. 예슬이는 오늘 통장에서 5200원을 찾아서 3890원어치의 학용품을 사고 나머지는 다시 예금하였습니다. 현재 예슬이의 예금 통장에 들어 있는 돈은 얼마입니까?

18 □ 안에 알맞은 수를 써넣으시오.

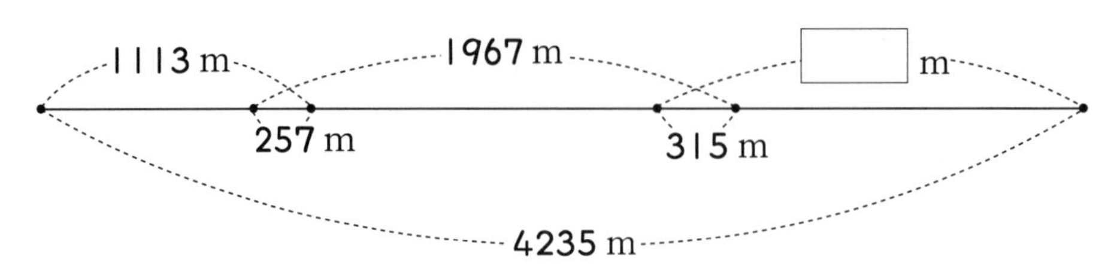

19 1부터 9까지의 숫자를 한 번씩 모두 사용하여 세 자리 수 3개를 만든 후 세 수의 합을 구하면 네 자리 수의 짝수가 됩니다. 이때 만든 세 수의 합이 가장 작은 경우의 합은 얼마입니까?

20 보기 의 규칙을 찾아 빈칸에 알맞은 수를 써넣으시오.

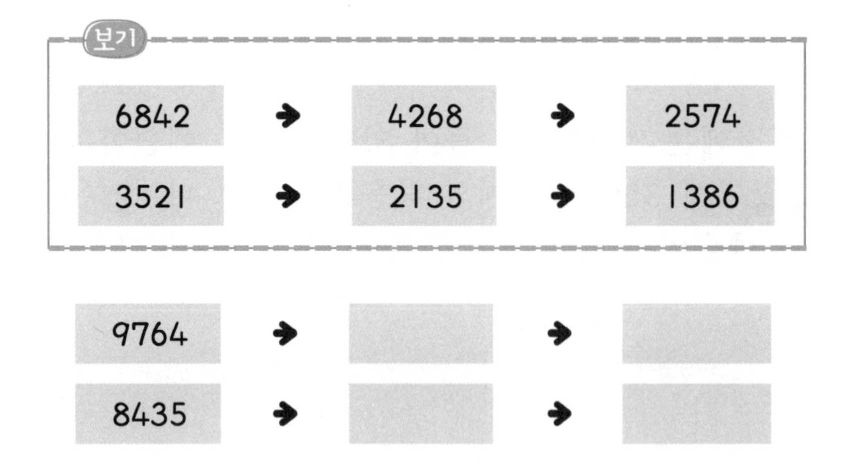

보기				
6842	→	4268	→	2574
3521	→	2135	→	1386

9764	→		→	
8435	→		→	

1 (두 자리 수)×(한 자리 수)

$$\begin{array}{r} 38 \\ \times\ 2 \\ \hline \end{array} \rightarrow \begin{array}{r} 38 \\ \times\ 2 \\ \hline 6 \end{array} \rightarrow \begin{array}{r} 38 \\ \times\ 2 \\ \hline 76 \end{array}$$

2 (세 자리 수)×(한 자리 수)

$$\begin{array}{r} 425 \\ \times\ 3 \\ \hline \end{array} \rightarrow \begin{array}{r} 425 \\ \times\ 3 \\ \hline 5 \end{array} \rightarrow \begin{array}{r} 425 \\ \times\ 3 \\ \hline 75 \end{array} \rightarrow \begin{array}{r} 425 \\ \times\ 3 \\ \hline 1275 \end{array}$$

3 (한 자리 수)×(두 자리 수)

$$\begin{array}{r} 4 \\ \times\ 23 \\ \hline \end{array} \rightarrow \begin{array}{r} 4 \\ \times\ 23 \\ \hline 12 \end{array} \rightarrow \begin{array}{r} 4 \\ \times\ 23 \\ \hline 12 \\ 8 \end{array} \rightarrow \begin{array}{r} 4 \\ \times\ 23 \\ \hline 12 \\ 8 \\ \hline 92 \end{array}$$

4 (두 자리 수)×(두 자리 수)

(1) (몇십)×(몇십), (몇십몇)×(몇십)

$40 \times 50 = 2000$ $(4 \times 5 = 20)$

$21 \times 30 = 630$ $(21 \times 3 = 63)$

(2) (몇십몇)×(몇십몇)

$$\begin{array}{r} 34 \\ \times\ 45 \\ \hline \end{array} \rightarrow \begin{array}{r} 34 \\ \times\ 45 \\ \hline 170 \end{array} \rightarrow \begin{array}{r} 34 \\ \times\ 45 \\ \hline 170 \\ 136 \end{array} \rightarrow \begin{array}{r} 34 \\ \times\ 45 \\ \hline 170 \\ 136 \\ \hline 1530 \end{array}$$

Search 탐구

다음 식에서 ㉠에 알맞은 숫자를 구하시오.(단, ㉠은 모두 같은 숫자입니다.)

```
    ㉠ ㉠
  × ㉠ ㉠
  -------
  5 9 2 9
```

풀이

㉠과 ㉠의 곱의 일의 자리의 숫자는 9이므로 ㉠이 될 수 있는 숫자는 □ 또는 □ 입니다.

㉠이 □일 경우 □×□=□이고, ㉠이 □일 경우 □×□=□ 이므로 ㉠은 □입니다.

답 □

EXERCISE

1 오른쪽 곱셈식에서 ㉮가 나타내는 숫자는 모두 같습니다. ㉮에 알맞은 숫자는 무엇입니까?

```
    ㉮ ㉮
  ×    ㉮
  -------
   7 0 4
```

2 가◎나=(가+나)×가일 때, 다음을 계산하시오.

(1) 36◎15 (2) (8◎4)◎3

3 $\begin{vmatrix} 가 & 나 \\ 다 & 라 \end{vmatrix}$=가×라−나×다로 약속할 때, $\begin{vmatrix} 48 & 18 \\ 35 & 26 \end{vmatrix}$의 값을 구하시오.

왕 문제

APPLICATION

전국 경시 예상 등위			
대상권	금상권	은상권	동상권
19/20	18/20	17/20	16/20

1 □ 안에 알맞은 수를 써넣으시오.

2 □ 안의 숫자는 모두 같은 숫자일 때 □ 안에 알맞은 숫자를 구하시오.

$\square \times \square \times \square = 21\square$

3 여섯 장의 숫자 카드 8, 3, 6, 5, 0, 7 중 두 장을 뽑아 만든 두 자리 수 중에서 가장 큰 수를 ㉠, 가장 작은 수를 ㉡이라 할 때, (㉠−㉡)×6의 값을 구하시오.

4 1부터 9까지의 자연수 중 □ 안에 들어갈 수 있는 수를 모두 찾아 합을 구하시오.

$84 \times 2 > 21 \times \square$

5 □ 안에는 1에서 9까지의 자연수가 들어갈 수 있습니다. □ 안에 들어갈 수 있는 수를 모두 구하시오.

(1) $57\times7 > 65\times\square$ (2) $44\times\square < 55\times4$

6 길이가 1 m 70 cm인 끈으로 벽의 가로의 길이를 재었습니다. 벽의 가로의 길이가 끈의 길이의 5배보다 80 cm 더 길다면, 이 벽의 가로의 길이는 몇 cm입니까?

7 □ 안에 들어갈 수 있는 자연수는 모두 16개입니다. ★에 알맞은 수를 구하시오.

$$39\times★<\square<47\times7$$

8 가, 나, 다 세 수가 있습니다. 나는 가의 반이고, 다는 나의 4배입니다. 세 수 가, 나, 다의 합이 56일 때, 가는 얼마입니까?

9 다음에서 설명하는 두 자연수의 곱을 구하시오.

- 두 자연수의 합은 62입니다.
- 두 자연수의 차는 14입니다.

10 한 상자에 46개씩 들어 있는 사과 19상자와 한 상자에 170개씩 들어 있는 귤 몇 상자가 있습니다. 사과와 귤이 모두 1894개라면 귤은 몇 상자입니까?

11 다음 표는 한별이가 화살 던지기를 하여 맞힌 점수와 그 횟수를 나타낸 것입니다. 한별이의 총점은 몇 점입니까?

점수(점)	47	35	29	17	12	6
횟수(번)	2	5	4	5	0	2

12 다음 5장의 숫자 카드 중 2장을 뽑아 두 자리 수를 만들려고 합니다. 만들 수 있는 수 중에서 셋째로 큰 수와 셋째로 작은 수의 곱을 구하시오.

13 4장의 숫자 카드를 모두 사용하여 만들 수 있는 (두 자리 수)×(두 자리 수)의 가장 큰 곱을 ㉮, (세 자리 수)×(한 자리 수)의 가장 큰 곱을 ㉯라고 할 때 ㉮와 ㉯의 차는 얼마입니까?

8 3 4 6

14 보기 와 같이 계산할 때, 43 * 34를 구하시오.

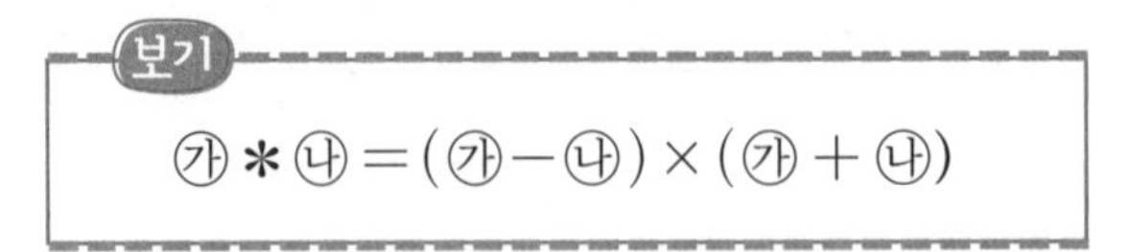

15 어느 사탕 공장에서는 사탕을 10분에 275개씩 만든다고 합니다. 같은 빠르기로 1시간 20분 동안에는 모두 몇 개의 사탕을 만들 수 있습니까?

16 가영이가 5번 본 수학 시험의 평균은 77점이었습니다. 평균이 80점이 되려면 다음 번 수학 시험에서는 몇 점을 받아야 합니까? (단, (평균)=(총점)÷(횟수)입니다.)

17 동쪽에 있는 호수의 둘레에는 10m 간격으로 96그루의 나무가 있고 서쪽에 있는 호수의 둘레에는 20m 간격으로 82그루의 나무가 있습니다. 두 호수의 둘레의 차는 몇 m입니까?

18 보기 를 보고 빈칸에 알맞은 수를 써넣으시오.

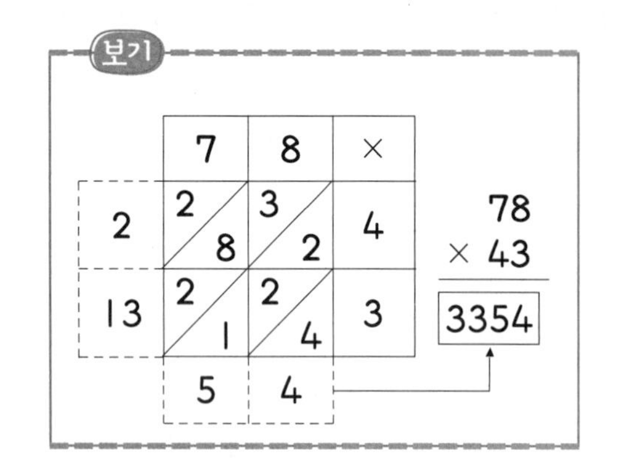

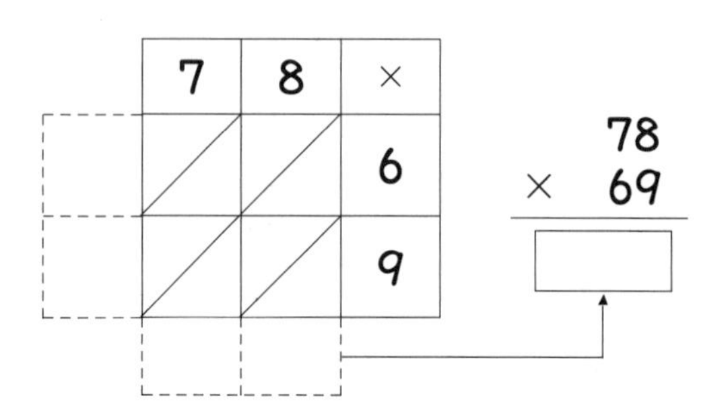

19 길이가 25 cm인 테이프를 그림과 같이 겹쳐지게 이으려고 합니다. 64장의 테이프를 이어서 붙이면 전체의 길이는 몇 cm입니까?

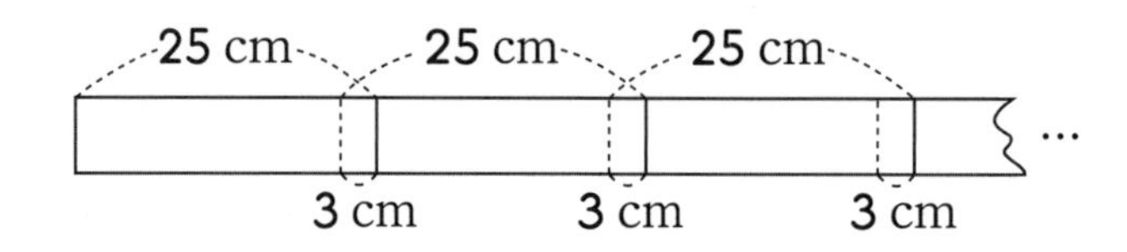

20 $1\times1=1$, $2\times2=4$에서 1, 4와 같이 한 수를 두 번 곱하여 얻은 수를 제곱수라고 합니다. 1부터 1000까지 수 중에서 제곱수는 모두 몇 개입니까?

왕중왕 문제

APPLICATION

전국 경시 예상 등위			
대상권	금상권	은상권	동상권
18/20	16/20	14/20	12/20

1 다음 곱셈식에서 ㉮와 ㉯는 각각 서로 다른 숫자를 나타냅니다. 숫자 ㉮와 ㉯의 합은 얼마입니까?

```
    ㉮ ㉯
×     6
─────────
 ㉯ ㉯ ㉯
```

2 다음 4장의 숫자 카드 중 3장을 사용하여 (두 자리 수)×(한 자리 수)의 곱셈식을 만들 때, 곱이 가장 큰 경우와 곱이 가장 작은 경우의 합을 구하시오.

8 1 2 5

3 $1+2+3+\cdots+10=55$일 때, $7+14+21+\cdots+70$을 구하시오.

4 ㉮와 ㉯는 1에서 20까지의 수 중 하나이고, 서로 다른 수입니다.
(㉮×㉯)−(㉮+㉯)의 가장 큰 값은 얼마입니까?

5 석기는 1쪽부터 차례로 쪽수를 썼습니다. 쪽수를 쓰는 데 사용된 숫자가 모두 453개라면 석기는 몇 쪽까지 쪽수를 썼습니까?

6 3학년 학생들을 긴 의자에 앉히려고 합니다. 한 의자에 12명씩 앉히면 50석의 자리가 남게 되고, 8명씩 앉히면 46명이 서 있게 됩니다. 3학년 학생들은 모두 몇 명입니까?

7 다음 보기 에서 ㉮를 구하시오.

- ㉮는 두 자리 수입니다.
- ㉮ × ㉮ × ㉮의 곱은 2744입니다.

8 어떤 두 자리 수에 7을 곱할 것을 십의 자리의 숫자와 일의 자리의 숫자를 바꾸어 7을 곱했더니 392가 되었습니다. 바르게 계산하면 얼마입니까?

9 A ∗ B=A×A+B×4와 같이 약속할 때, □ 안에 알맞은 수를 구하시오.

(1) 45 ∗ 88=□　　　　(2) □ ∗ 20=180

10 □ 안에 알맞은 숫자를 써넣으시오.

(1)

		4	6
×		□	5
	□	□	0
	□	□	
□	□	5	□

(2)

		6	□
×		□	7
	□	□	6
□	0	□	
2	□	□	6

11 보기 와 같이 계산할 때, □ 안에 알맞은 수를 구하시오.

보기

6★4=(6+4)×(6−4)=10×2=20

40★□=1591

12 유승이가 가진 구슬 수는 한솔이가 가진 구슬 수의 3배이고 한솔이는 영수보다 구슬을 15개 더 가지고 있습니다. 세 사람이 가진 구슬 수는 165개일 때 유승이가 가진 구슬은 몇 개입니까?

13 어느 수학 경시 대회에서는 한 문제를 맞으면 5점을 얻고 틀리면 2점을 잃는다고 합니다. 효근이는 이 대회에서 30문제를 풀고 94점을 얻었다면 효근이가 틀린 문제는 몇 개입니까?

14 가 지역에서 나 지역 사이의 거리를 조사하기 위해서 전봇대의 수를 조사했습니다. 전봇대의 개수가 50개이고, 전봇대와 전봇대 사이의 거리는 49 m였습니다. 가 지역에서 나 지역까지의 거리는 몇 m입니까? (단, 전봇대의 두께는 생각하지 않습니다.)

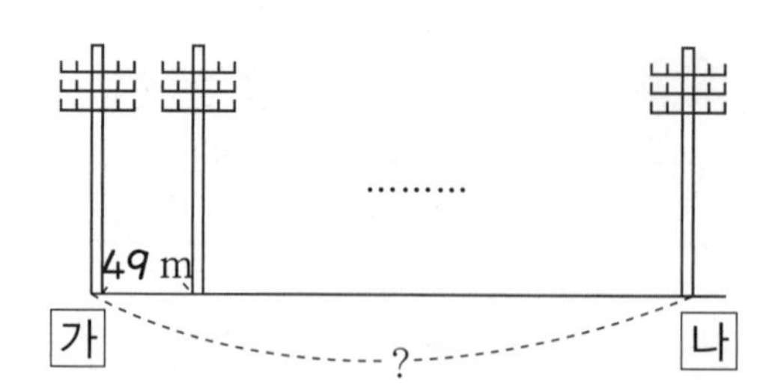

15 한 자리 수와 두 자리 수가 있습니다. 이 두 수의 합은 34이고, 이 두 수의 곱은 189입니다. 이 두 수는 각각 얼마입니까?

16 여학생과 남학생이 모두 24명 있습니다. 이 중 여학생에게만 색종이 50장을 똑같이 나누어 주었더니 2장이 남았습니다. 남학생 수가 여학생 수의 2배일 때 여학생은 색종이를 몇 장씩 갖게 됩니까?

17 다음과 같이 수를 써 나갈 때, 75번째에 놓이는 수는 얼마입니까?

1번째	2번째	3번째	4번째	…	75번째
3	10	17	24	…	

18 어떤 두 자리 수 ㉠㉡과 이 수의 십의 자리 숫자와 일의 자리 숫자를 바꾼 두 자리 수 ㉡㉠의 곱이 2944일 때, ㉠㉡＋㉡㉠의 값은 얼마입니까? (단, ㉠＜㉡입니다.)

19 일주일에 5일 동안 일하는 공장에서 4명이 일하고 있습니다. 한 사람이 하루에 17개의 물건을 만든다면, 5주일 동안에는 모두 몇 개의 물건을 만들겠습니까?

20 서로 다른 숫자가 쓰여 있는 숫자 카드가 4장 있습니다. 이 숫자 카드 4장을 모두 사용하여 두 자리 수 2개를 만들었을 때 두 수의 합은 137, 두 수의 차는 29가 되었습니다. 이 숫자 카드 4장을 모두 사용하여 만들 수 있는 (세 자리 수)×(한 자리 수) 중에서 가장 큰 값을 구하시오.

핵심내용

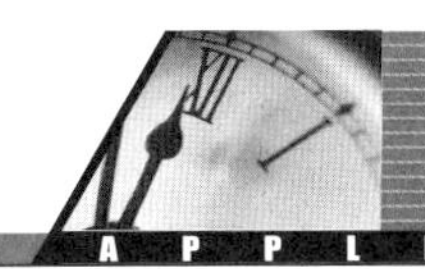

APPLICATION

3 나눗셈

1 곱셈과 나눗셈의 관계

$9\times7=63$
$63\div7=9$

9에 7을 곱하면 63이고, 63을 7로 나누면 9가 됩니다.

2 받아내림이 없는 (두 자리 수)÷(한 자리 수)

```
                2           2 1           2 1
4)8 4  ➜   4)8 4  ➜   4)8 4  ➜   4)8 4
                8           8             8
                          -----         -----
                              4             4
                              4             4
                                          -----
                                            0
```

84÷4의 몫은 21이고, 나머지는 0입니다. 나머지가 0일 때, 나누어떨어진다고 합니다.

3 나눗셈의 몫과 나머지

- 20을 6으로 나누면 몫은 3이 되고 2가 남습니다.
- 나눗셈의 나머지는 나누는 수보다 반드시 작아야 합니다.
- (나누어지는 수)=(나누는 수)×(몫)+(나머지)

```
      3 ← 몫
  6)2 0
    1 8
   -----
      2 ← 나머지
```

4 받아내림이 있고 나머지가 있는 (두 자리 수)÷(한 자리 수)

```
               1            1 5 ← 몫
3)4 6  ➜   3)4 6  ➜   3)4 6
               3            3
             -----        -----
               1 6          1 6
                            1 5
                          -----
                              1 ← 나머지
```

$46=3\times15+1$

5 받아내림이 있고 나머지가 있는 (세 자리 수)÷(한 자리 수)

```
                    6             6 4 ← 몫
4)2 5 9  ➜   4)2 5 9  ➜   4)2 5 9
                 2 4            2 4
                -----          -----
                   1 9            1 9
                                  1 6
                                 -----
                                    3 ← 나머지
```

$259=4\times64+3$

Search 탐구

어떤 수를 5와 6으로 나누면 나누어떨어지고 7로 나누면 나머지가 6이라고 합니다. 어떤 수 중에서 가장 큰 두 자리 수를 구하시오.

풀이

5로 나누어떨어지는 두 자리 수 : 10, 15, 20, 25, 30, 35, 40, 45, 50, 55, 60, 65, 70, 75, □, □, □, □

6으로 나누어떨어지는 두 자리 수 : 12, 18, 24, 30, 36, 42, 48, 54, 60, 66, 72, □, □, □, □

7로 나누어 나머지가 6이 되는 두 자리 수 : 13, 20, 27, 34, 41, 48, 55, 62, 69, □, □, □, □

따라서 위의 세 조건을 모두 만족시키는 가장 큰 두 자리 수는 □입니다.

답 □

EXERCISE

1 3과 4로 나누면 나누어떨어지고 5로 나누면 나머지가 4인 두 자리 수를 모두 구하시오.

2 연필 한 타는 12자루입니다. 연필 6타를 8사람에게 남김없이 나누어 주려면 한 사람에게 몇 자루씩 주어야 합니까?

3 연필은 4자루에 920원이고, 색연필은 3자루에 840원입니다. 이 연필과 색연필을 5자루씩 샀다면 모두 얼마를 내야 합니까?

왕 문제

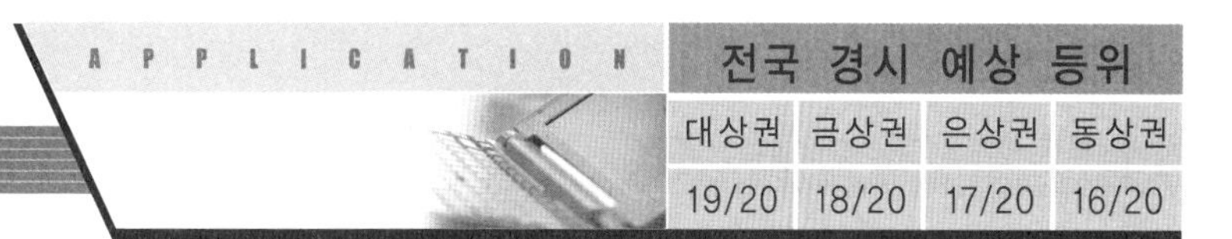

1 □ 안에 알맞은 수를 써넣으시오.

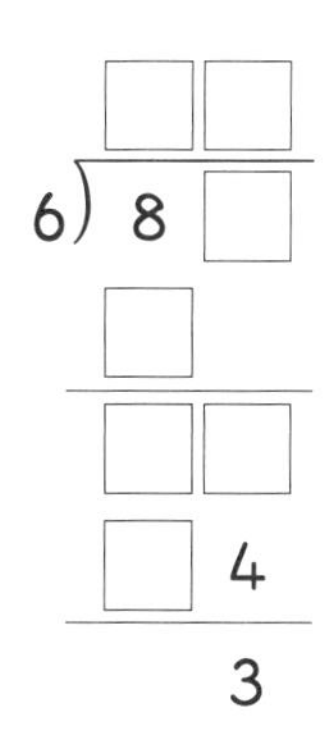

2 빈 곳에 알맞은 수를 써넣으시오.

3 어떤 수를 7로 나누었더니 몫이 12이고 나머지가 5였습니다. 이 수를 8로 나누면 몫과 나머지는 각각 얼마입니까?

4 연속되는 7개의 자연수의 합이 595일 때 7개의 수 중 가장 작은 수는 얼마입니까?

5 그림과 같이 94 cm의 테이프를 접어 중간을 겹쳐 68 cm로 만들었습니다. ㉠의 길이를 구하시오.

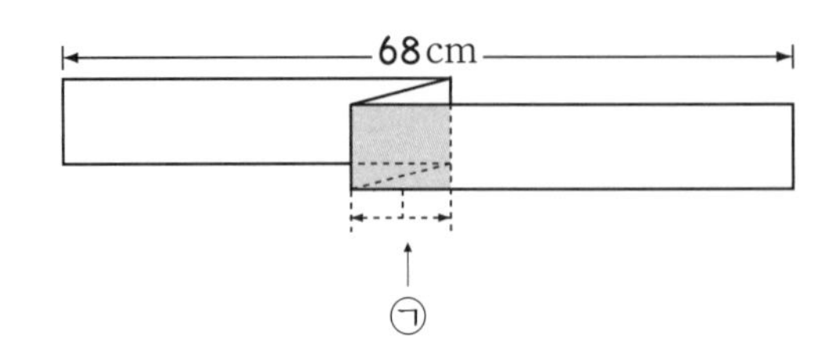

6 상연이네 학교의 3학년 학생들이 꽃길을 만들기 위하여 68 m 되는 도로의 양쪽에 4 m 간격으로 꽃을 한 송이씩 심기로 하였습니다. 필요한 꽃은 몇 송이입니까? (단, 도로의 양 끝에는 반드시 꽃을 심습니다.)

7 길이가 180 cm인 통나무를 30 cm씩 자르려고 합니다. 한 번 자르는 데 8분이 걸리고, 한 번 자른 후에는 3분씩 쉰다고 합니다. 이 통나무를 다 자르는 데는 몇 분이 걸리겠습니까?

8 가＊나＝(가＋나)÷(가－나)와 같이 계산할 때 다음을 계산하시오.

48 ＊ 45

9 3장의 숫자 카드 중에서 2장을 사용하여 오른쪽과 같은 나눗셈식을 만들려고 합니다. 몫이 가장 큰 나눗셈과 몫이 가장 작은 나눗셈의 몫의 차를 구하시오. (단, 만든 나눗셈식은 나누어떨어집니다.)

10 다음 나눗셈에서 나머지가 2일 때 □ 안에 알맞은 숫자를 모두 찾아 합을 구하면 얼마입니까?

4□8÷8

11 양팔저울에서 양쪽이 수평이 되도록 하려고 합니다. □ 안에 알맞은 수를 구하시오.

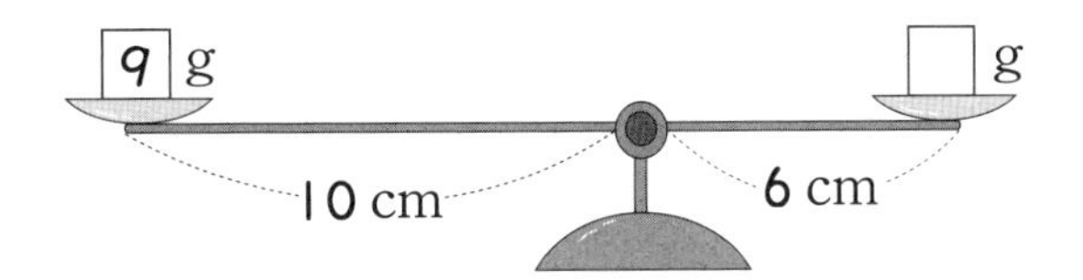

12 형이 50 m 앞에 달려가는 동생을 보고 달리기 시작했습니다. 형은 1초에 6 m씩 달리고, 동생은 1초에 4 m씩 달린다고 합니다. 형과 동생이 만나는 것은 형이 달리기 시작한 지 몇 초 후가 되겠습니까?

13 남학생 72명과 여학생들이 모여서 짝짓기놀이를 하고 있습니다. 남학생 6명과 여학생 5명이 한 모둠이 되도록 짝을 지었더니, 한 사람도 빠짐없이 모두 짝이 지어졌습니다. 여학생은 몇 명입니까?

14 9로 나눌 때 몫과 나머지가 같은 두 자리 수를 모두 찾아 합을 구하면 얼마입니까?

15 한 상자에 16개씩 들어 있는 오이를 7상자 샀습니다. 그 중에서 13개는 썩어서 버리고, 남은 오이를 8봉지에 똑같이 나누어 담으려고 합니다. 한 봉지에 몇 개씩 나누어 담게 되고, 남은 오이는 몇 개가 됩니까?

16 가로가 34 cm인 직사각형 모양의 종이를 한 변이 4 cm인 정사각형 모양으로 잘랐더니 가로는 2 cm가 남고 정사각형은 모두 24개가 되었습니다. 자르기 전 직사각형의 둘레는 최소 몇 cm입니까?

17 다음 그림과 같이 검은색 바둑돌과 흰색 바둑돌이 일정한 규칙으로 놓여 있습니다. 60째 번 바둑돌은 무슨 색입니까?

18 9□5÷5 < 197의 □ 안에 들어갈 수 있는 숫자는 모두 몇 개입니까?

19 연필 13타가 있습니다. 9사람에게 남는 연필이 없이 똑같이 나누어 주려면 적어도 몇 자루가 더 있어야 합니까?

20 50보다 크고 100보다 작은 수 중에서 8로 나누었을 때 나머지가 4인 수는 모두 몇 개입니까?

왕중왕 문제

APPLICATION

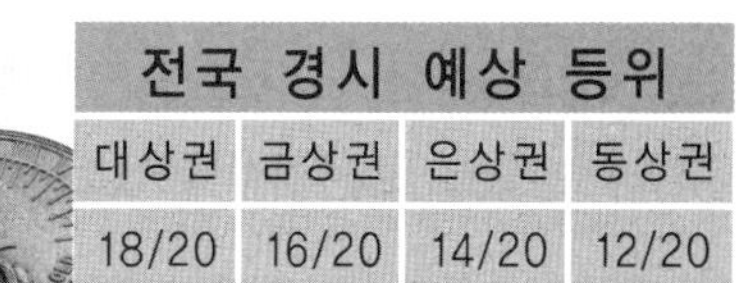

전국 경시 예상 등위			
대상권	금상권	은상권	동상권
18/20	16/20	14/20	12/20

1 어떤 수를 8로 나누어야 할 것을 잘못하여 6으로 나누었더니 몫이 124, 나머지가 4가 되었습니다. 바르게 계산한 몫과 나머지를 구하시오.

2 4장의 숫자 카드 [0], [5], [2], [3] 중 2장의 숫자 카드를 뽑아 만들 수 있는 두 자리 수 중에서 5로 나누어떨어지는 수는 모두 몇 개입니까?

3 두 자리 수 중에서 3이나 5로 나누면 나머지가 2이고, 8로 나누면 나누어떨어지는 수를 구하시오.

4 가로 나누었을 때 나머지가 3인 수들이 있습니다. 이 수들을 4로 나누었더니 나머지가 모두 3이었다면 가는 얼마입니까? (단, 가는 4가 아닌 한 자리 수입니다.)

5 7명의 학생이 18일 동안 전체 일의 반을 하였습니다. 이 일의 나머지를 9명이 하면 며칠이 걸립니까? (단, 한 사람이 하루에 하는 일의 양은 모두 같습니다.)

6 두 자연수 가, 나가 있습니다. 가를 나로 나누었을 때 몫이 9이고, 나머지가 13이였다면, 가를 9로 나누었을 때의 나머지는 얼마입니까?

7 가영이가 가지고 있는 연필은 3타보다는 많고 8타보다는 적습니다. 가영이가 가진 연필의 수를 7로 나누면 나누어떨어지고, 5로 나누면 3이 남습니다. 가영이가 가지고 있는 연필은 몇 자루입니까?

8 주어진 숫자 카드 중 3장을 골라 한 번씩만 사용하여 다음 식이 참이 되도록 하시오.

0, 1, 2, 3, 4

9 다음 등식이 성립하도록 ◯ 안에 ×와 ÷를 알맞게 써넣으시오.

9 ◯ 6 ◯ 3 ◯ 3 ◯ 18=108

10 다음의 3가지 조건을 만족하는 어떤 수를 구하시오.

㉠ 어떤 수는 35보다 크고, 70보다 작습니다.
㉡ 어떤 수를 6으로 나누면, 나머지가 3입니다.
㉢ 어떤 수를 8로 나누면, 나머지가 1입니다.

11 식을 보고 ㉮와 ㉯에 알맞은 수를 찾아 ㉮와 ㉯의 차를 구하시오.

㉮+㉯=54 ㉮÷㉯=8

12 다음 나눗셈에서 ㉠과 ㉡에 알맞은 숫자를 찾아 합을 구하면 얼마입니까?

3㉠6÷6=6㉡…2

13 다음 나눗셈에서 ㉠과 ㉡의 합이 가장 작도록 하려고 할 때 ㉠과 ㉡의 합은 얼마입니까?

12÷㉠=㉡÷4

14 □ 안에 알맞은 수 중 가장 작은 수는 얼마입니까?

□÷8=㉮…㉯ ㉮+㉯=50

15 세 수 ㉮, ㉯, ㉰가 있습니다. ㉮÷㉯=21이고 ㉯÷㉰=4이면, ㉮÷㉰는 얼마입니까?

16 세 자리 수 ☆5○는 3으로 나누어떨어집니다. 또 이 수의 백의 자리의 숫자와 일의 자리의 숫자를 바꾼 수 ○5☆은 4로 나누어떨어집니다. 이 세 자리 수 ☆5○를 모두 구하시오. (단, ☆은 5보다 크고 ○는 5보다 작습니다.)

17 가♧나=(가÷나)+(나÷2)와 같이 계산할 때, □ 안에 알맞은 수를 구하시오.

□♧8=16

18 네 장의 숫자 카드 [2], [3], [5], [7] 중에서 3장을 골라 세 자리 수를 만들 때, 3과 5로 나누어떨어지는 수를 모두 구하시오.

19 두 수가 있습니다. 큰 수를 작은 수로 나누었더니 몫이 8, 나머지가 6이고, 두 수를 더하였더니 69였습니다. 두 수 중 큰 수를 구하시오.

20 (세 자리 수)÷(한 자리 수)의 나눗셈에서 나머지 ㉰를 모를 때 ㉮가 될 수 있는 수 중 가장 큰 수는 얼마입니까?

㉮÷㉯=37…㉰

핵심내용

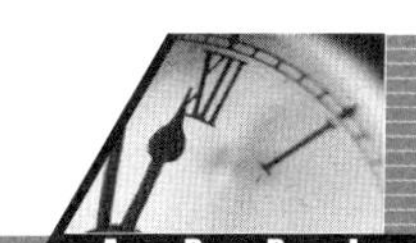

1 분수 알아보기

색칠한 부분은 전체를 똑같이 2로 나눈 것 중의 1입니다.

이것은 '$\frac{1}{2}$'이라 쓰고, 2분의 1이라고 읽습니다.

'$\frac{1}{2}$'과 같은 수를 '분수'라고 합니다.

2 분수만큼은 얼마인지 알아보기

(1) 6개는 2개씩 3묶음으로 나누어집니다.

(2) 6개의 $\frac{1}{3}$은 2개입니다.

(3) 6의 $\frac{1}{3}$은 2입니다.

3 분수의 크기 비교하기

(1) $\frac{\triangle}{\square}$와 $\frac{\bigcirc}{\square}$의 크기를 비교할 때 $\triangle < \bigcirc$이면 $\frac{\triangle}{\square} < \frac{\bigcirc}{\square}$입니다.

(2) $\frac{1}{\square}$과 $\frac{1}{\triangle}$을 비교할 때 $\square < \triangle$이면 $\frac{1}{\square} > \frac{1}{\triangle}$입니다.

4 소수 알아보기

(1) $\frac{1}{10}$을 '0.1'이라 쓰고, '영 점 일'이라고 읽습니다.

(2) 0.1, 0.2, 0.3, …과 같은 수를 '소수'라고 합니다.

$\frac{1}{10}=0.1$

5 소수의 크기 비교하기

(1) 0.5와 0.7의 크기 비교

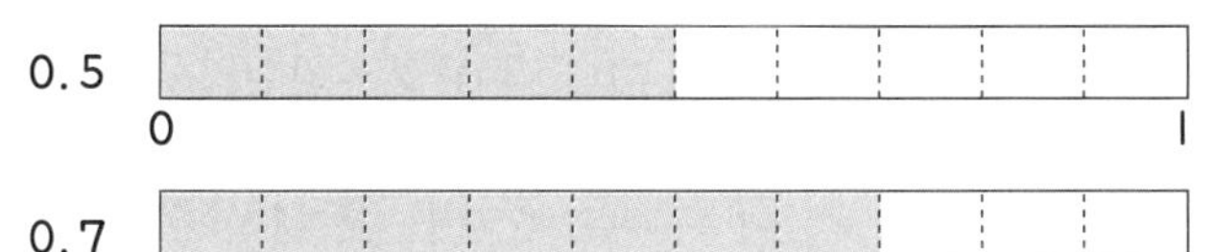

0.5 < 0.7

(2) 2.3과 2.6의 크기 비교

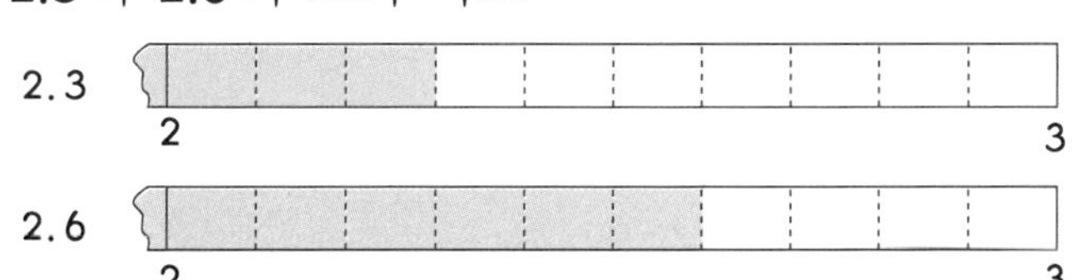

2.3 < 2.6

Search 탐구

다음 분수의 크기만큼 색칠하고, ○ 안에 >, <를 알맞게 써넣으시오.

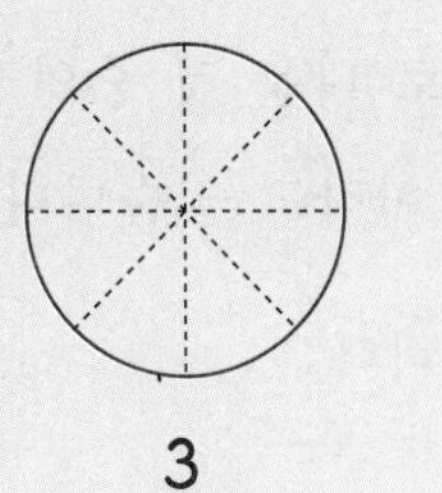

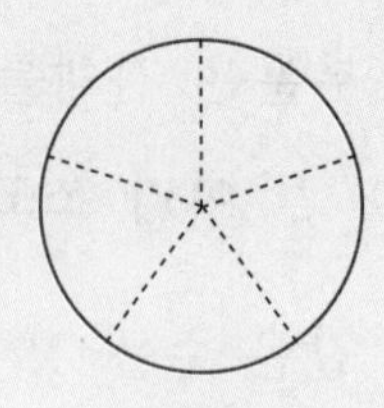

$\frac{3}{8}$ ○ $\frac{3}{5}$

풀이

$\frac{3}{8}$은 전체를 □로 나눈 것 중의 □이고, $\frac{3}{5}$은 전체를 □로 나눈 것 중의 □입니다.

따라서 □이 □보다 큰 분수입니다.

답 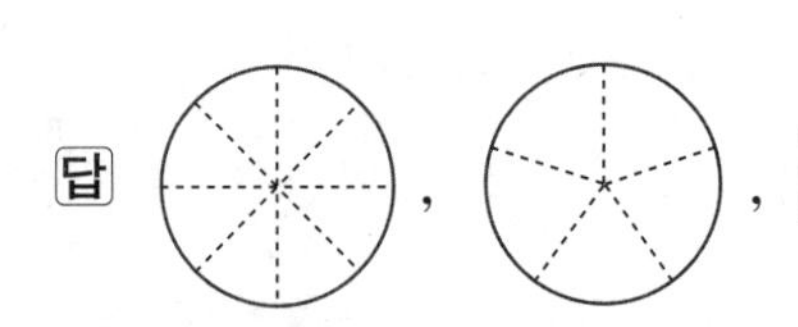 , □

EXERCISE

1 두 분수의 크기를 비교하여 ○ 안에 >, <를 알맞게 써넣으시오.

(1) $\frac{1}{4}$ ○ $\frac{1}{3}$　　(2) $\frac{2}{8}$ ○ $\frac{5}{8}$　　(3) $\frac{4}{5}$ ○ $\frac{4}{6}$

2 지혜가 할머니댁에 가는 데 전체 거리의 $\frac{1}{5}$은 걷고, 나머지 거리는 버스를 타고 갔습니다. 버스를 타고 간 거리는 전체 거리의 몇 분의 몇입니까?

3 다음을 소수로 나타내시오.

$\frac{1}{10}$이 3개인 수보다 0.1이 5개인 수만큼 큰 수

왕 문제

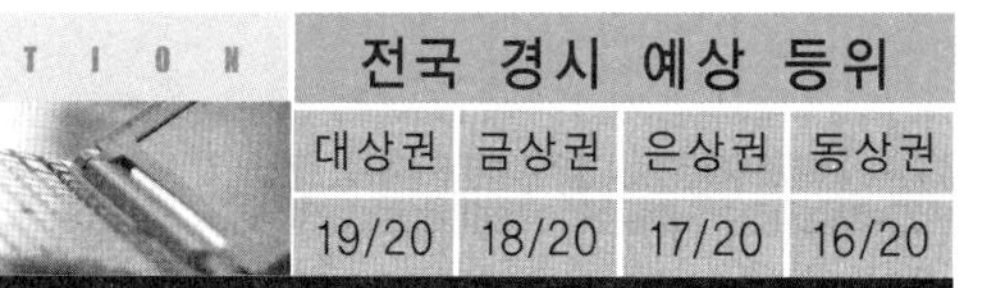

전국 경시 예상 등위			
대상권	금상권	은상권	동상권
19/20	18/20	17/20	16/20

1 분수들을 일정한 규칙에 따라 늘어놓았습니다. □ 안에 알맞은 수를 써넣으시오.

$$\frac{1}{2},\ \frac{1}{3},\ \frac{2}{3},\ \frac{1}{4},\ \square,\ \frac{3}{4},\ \frac{1}{5},\ \frac{2}{5},\ \frac{3}{5},\ \square,\ \square,\ \cdots$$

2 3장의 숫자 카드를 한 번씩 모두 사용하여 분수를 만들려고 합니다. 만들 수 있는 1보다 작은 분수 중에서 가장 큰 분수는 무엇입니까?

4 2 9

3 다음 길이를 1 cm에 가장 가까운 순서대로 쓰시오.

$\frac{1}{10}$ cm, 8 mm, 0.9 cm, $\frac{7}{10}$ cm, 5 mm

4 어느 철물점에서 철사를 0.1 m에 200원씩 판매합니다. 1200원으로는 몇 m의 철사를 살 수 있습니까?

5 영수네 학교 3학년 학생은 모두 72명입니다. 이 중 $\frac{1}{3}$은 안경을 쓰고, 안경을 쓴 학생 중 $\frac{2}{3}$는 아파트에 삽니다. 안경을 쓰고 아파트에 사는 3학년 학생은 몇 명입니까?

6 다음에서 설명하는 소수 한 자리 수를 구하시오.

- $\frac{4}{10}$보다는 크고 0.1이 9개인 수보다는 작습니다.
- 0.9보다 0.3 작은 수보다 작습니다.

7 다음을 읽고 빨간색 구슬, 파란색 구슬, 노란색 구슬의 수를 각각 구하시오.

구슬이 24개 있습니다. 이 중에서 빨간색 구슬은 전체의 $\frac{1}{4}$이고, 파란색 구슬은 빨간색 구슬보다 6개 더 많고, 나머지는 노란색 구슬입니다.

8 형은 나보다 $\frac{1}{10}$ m 더 크고, 동생은 나보다 0.2 m 작은 1.1 m입니다. 형의 키는 몇 m입니까?

9 □ 안에 알맞은 수를 구하시오.

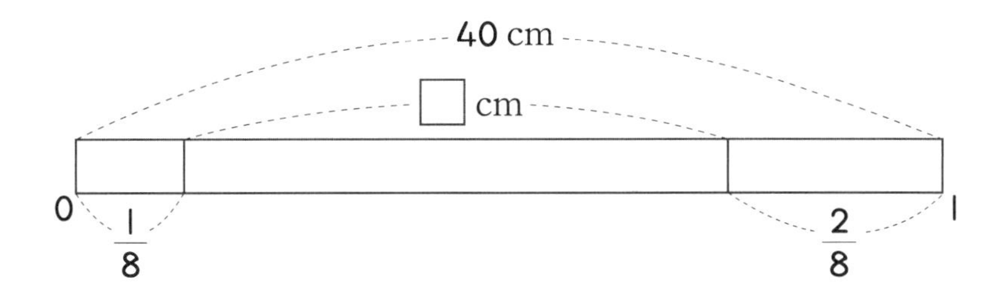

10 다음 중에서 바르지 못한 것은 어느 것입니까?

① 0.9보다 0.1 작은 수를 분수로 나타내면 $\frac{8}{10}$입니다.

② 0.3보다 0.3 큰 수는 1보다 0.4가 작은 수입니다.

③ $\frac{5}{10}$보다 0.2 작은 수는 0보다 0.3 큰 수입니다.

④ 0.7보다 0.3 큰 수는 0.10입니다.

⑤ 0.1이 2개인 수보다 $\frac{3}{10}$ 큰 수는 0.5입니다.

11 우유 1 L가 있었는데 이 중에서 예슬이가 0.1 L를 마셨고, 가영이는 예슬이보다 0.2 L를 더 많이 마셨습니다. 잠시 후에 한초가 와서 우유를 마셨더니 0.3 L가 남았습니다. 한초가 마신 우유는 몇 L입니까?

12 똑같은 동화책을 신영이는 전체의 $\frac{1}{3}$을, 석기는 전체의 $\frac{1}{4}$을, 웅이는 전체의 $\frac{1}{5}$을 읽었습니다. 동화책을 가장 많이 읽은 순서대로 이름을 쓰시오.

13 다음 수직선에서 ㉠과 양쪽 분수와의 거리는 같습니다. ㉠은 어떤 수입니까?

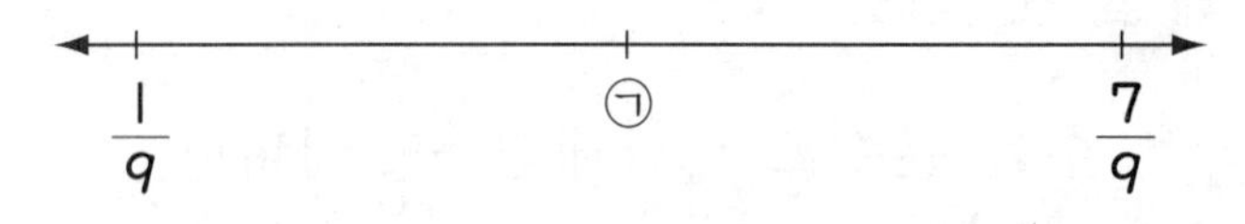

14 상연이가 공부를 하는 데 전기가 끊어져서 양초에 불을 붙였습니다. 30분이 지난 후 양초의 $\frac{4}{7}$가 남아 있었고, 다시 30분 후에 전기가 들어와 양초의 불을 껐습니다. 초는 전체의 몇 분의 몇이 남아 있습니까?

15 1부터 9까지의 숫자 중 □ 안에 공통으로 들어갈 수 있는 숫자를 모두 찾아 합을 구하면 얼마입니까?

㉠ $0.4<0.\square$　㉡ $6.\square<6.8$　㉢ $3.\square<\square.4$

16 크기를 비교하여 가장 큰 수부터 차례로 쓸 때 네 번째에 놓이는 수는 무엇입니까?

1.7　$\frac{1}{5}$　$\frac{1}{4}$　1　$\frac{3}{5}$　$\frac{3}{8}$　1.4

17 예슬이는 집에 페인트칠을 하는 데 페인트 4통으로 집 안의 $\frac{1}{3}$을 칠했습니다. 집 바깥을 칠하는 데는 집 안을 칠하는 데 사용한 페인트의 $\frac{4}{6}$만큼이 필요합니다. 집 안과 집 바깥을 모두 칠하는 데 몇 통의 페인트가 필요하겠습니까?

18 기름 5 L가 들어 있는 병이 있습니다. 처음 1주일은 전체의 $\frac{2}{5}$를 사용하고 그 후 1주일은 나머지의 $\frac{1}{3}$을 사용했습니다. 병에 남아 있는 기름은 몇 L 입니까?

19 어느 공장에서 기계 한 대가 인형 4개를 만드는 데 1.6시간이 걸린다고 합니다. 이 기계 5대로 인형 40개를 만드는 데 몇 시간 몇 분이 걸리겠습니까?

20 효근이와 한별이는 친구들과 구슬을 나누어 가졌습니다. 효근이는 9개의 구슬을 가지고 있는데 이것이 전체의 $\frac{1}{4}$이라면, 전체의 $\frac{2}{6}$를 가진 한별이는 몇 개의 구슬을 가지고 있겠습니까?

왕중왕 문제

APPLICATION

전국 경시 예상 등위			
대상권	금상권	은상권	동상권
18/20	16/20	14/20	12/20

1 ㉮와 ㉯에 알맞은 수의 합은 얼마입니까?

• ㉮의 $\frac{3}{7}$은 45입니다.　　• ㉮의 $\frac{3}{5}$은 ㉯입니다.

2 사과 몇 개와 사과의 $\frac{3}{5}$만큼 배를 샀더니 모두 240개가 되었습니다. 사과는 몇 개 샀습니까?

3 ㉠과 ㉡에 들어갈 수 있는 자연수의 개수를 각각 ▲개, ■개라고 할 때 ▲와 ■의 합은 얼마입니까?

• $\frac{3}{12} < \frac{㉠}{12} < \frac{7}{12}$　　• $\frac{1}{10} < \frac{1}{㉡} < \frac{1}{3}$

4 8.5 cm의 테이프와 7.8 cm의 테이프를 겹치는 부분을 5 mm로 하여 각각 2장씩 이어 붙이면 테이프의 길이는 몇 cm가 되겠습니까?

5 어떤 일을 4사람이 5일 동안 하여 전체의 $\frac{1}{3}$을 했습니다. 남은 일을 한 사람이 모두 하려면 며칠이 걸립니까? (단, 한 사람이 하루 동안에 하는 일의 양은 모두 같습니다.)

6 ㉠과 ㉡에 알맞은 수의 합은 얼마입니까?

- 9는 12의 $\frac{㉠}{4}$입니다.
- 15는 35의 $\frac{3}{㉡}$입니다.

7 영수와 아버지의 나이의 합은 48살이고, 영수의 나이는 아버지의 나이의 $\frac{3}{13}$이라고 합니다. 영수는 몇 살입니까?

8 아들의 나이는 아버지의 나이의 $\frac{1}{4}$보다 1살이 적고 아버지의 나이는 아들의 나이의 5배보다 5살이 적을 때, 아들의 나이는 몇 살입니까?

9 물이 담긴 컵을 창가에 두었더니 1시간에 남은 물의 $\frac{1}{5}$씩이 줄었습니다. 컵에 250 mL의 물이 들어 있었다면 3시간 후에는 몇 mL의 물이 남아 있겠습니까?

10 다음 직사각형 모양의 철판이 3200원이라 하면 색칠한 부분만큼은 얼마입니까?

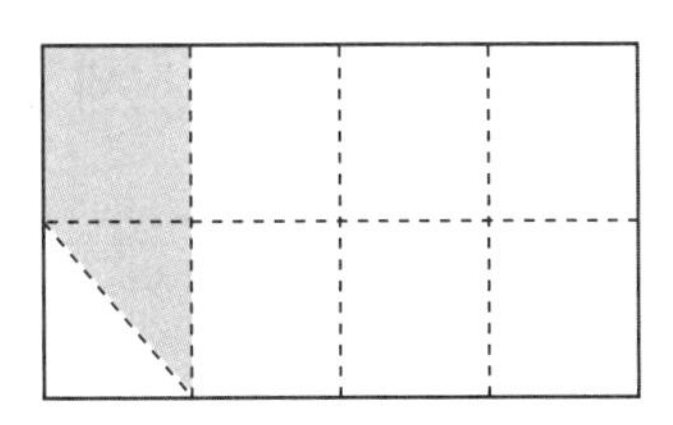

11 어느 꽃집에서 새벽에 들여온 꽃을 오전에 $\frac{3}{5}$만큼 팔았습니다. 오후에는 오전에 팔고 남은 꽃과 새로 들여온 꽃을 합한 180송이를 모두 팔았습니다. 오전에 판 꽃의 수와 오후에 판 꽃의 수가 같았다면, 새벽에 들여온 꽃은 몇 송이입니까?

12 3개의 막대 ㉮, ㉯, ㉰가 있습니다. 유승이의 키는 막대 ㉮의 길이의 $\frac{2}{3}$, 막대 ㉯의 길이의 $\frac{2}{5}$, 막대 ㉰의 길이의 $\frac{2}{7}$입니다. 3개의 막대의 길이의 합이 10.5 m 일 때 유승이의 키는 몇 cm입니까?

13 가, 나, 다 3개의 물통이 있습니다. 가와 나 물통의 들이의 합은 1.7 L, 가와 다 물통의 들이의 합은 1.8 L입니다. 세 물통의 들이의 합이 2.3 L라면 세 물통의 들이는 각각 몇 L입니까?

14 빨간색 구슬, 파란색 구슬, 하얀색 구슬이 모두 108개 있습니다. 파란색 구슬의 개수는 빨간색 구슬의 $\frac{1}{3}$이고, 하얀색 구슬의 개수는 파란색 구슬의 $\frac{1}{2}$입니다. 빨간색 구슬, 파란색 구슬, 하얀색 구슬은 각각 몇 개입니까?

15 석기네 학교의 여학생 수는 전체 학생 수의 $\frac{1}{2}$입니다. 지금 운동장에서 여학생 38명이 피구를 하고 있는데 이것은 여학생 전체의 $\frac{1}{8}$에 해당됩니다. 석기네 학교의 전체 학생은 모두 몇 명입니까?

16 다음 수직선에서 ㉠, ㉡에 알맞은 수는 각각 무엇입니까? (단, 점 사이의 거리는 같습니다.)

17 상연이는 가지고 있던 돈의 $\frac{1}{4}$을 책을 사는 데 쓰고, 남은 돈의 $\frac{2}{3}$는 저금을 하였습니다. 지금 상연이가 2500원을 가지고 있다면 처음에 가지고 있었던 돈은 얼마입니까?

18 30분에 전체의 $\frac{4}{13}$가 타서 없어지는 양초가 있습니다. 새 양초에 불을 붙이고 얼마 뒤에 남은 것이 전체의 $\frac{1}{13}$이었습니다. 불을 붙인지 몇 시간 몇 분 후입니까?

19 규형이는 가지고 있던 테이프의 $\frac{1}{2}$과 $\frac{1}{3}$을 잘라서 길이를 비교하였더니 40 cm의 차이가 생겼습니다. 규형이가 가지고 있던 테이프의 길이는 몇 cm입니까?

20 병에 물이 가득 들어 있었습니다. 유승이는 병에 들어 있는 물의 $\frac{2}{5}$를 마시고 병의 무게를 재어 보니 144 g이었습니다. 잠시 후 한솔이가 남은 물의 $\frac{2}{3}$를 마시고 다시 병의 무게를 재어 보니 96 g이었습니다. 모든 물을 마시고 병만의 무게를 재면 몇 g이 되겠습니까?

1 분수의 종류

• 진분수 : $\frac{1}{3}$, $\frac{2}{3}$와 같이 분자가 분모보다 작은 분수

• 가분수 : $\frac{2}{2}$, $\frac{3}{2}$과 같이 분자가 분모와 같거나 분모보다 큰 분수

• 대분수 : $1\frac{2}{3}$ 와 같이 자연수와 진분수로 이루어진 분수

(1과 $\frac{2}{3}$ ➔ 쓰기 : $1\frac{2}{3}$, 읽기 : 1과 3분의 2)

2 대분수를 가분수로, 가분수를 대분수로 고치기

• 대분수를 가분수로 고치기

$△\frac{●}{□}=\frac{△×□+●}{□}$

• 가분수를 대분수로 고치기

$\frac{☆}{□}$ ➔ ☆÷□=△…● ➔ $△\frac{●}{□}$

3 분모가 같은 분수의 크기 비교하기

• 진분수와 가분수의 크기 비교 : 분자가 큰 분수가 큽니다.

예 $\frac{3}{7}<\frac{5}{7}$ $\frac{27}{15}>\frac{13}{15}$ $\frac{6}{10}<\frac{21}{10}$

• 대분수의 크기 비교 : 자연수 부분이 같을 때는 분자가 큰 분수가 크고, 자연수 부분이 다를 때는 자연수 부분이 큰 분수가 큽니다.

예 $3\frac{5}{6}>3\frac{2}{6}$ $7\frac{3}{8}>1\frac{7}{8}$

• 가분수와 대분수의 크기 비교 : 가분수를 대분수로 고치거나, 대분수를 가분수로 고쳐서 비교합니다.

예 $\frac{7}{4}$, $1\frac{2}{4}$ ➔ $1\frac{3}{4}$, $1\frac{2}{4}$ ➔ $\frac{7}{4}>1\frac{2}{4}$

$\frac{32}{5}$, $12\frac{1}{5}$ ➔ $\frac{32}{5}$, $\frac{61}{5}$ ➔ $\frac{32}{5}<12\frac{1}{5}$

Search 탐구

주어진 4장의 숫자 카드 중에서 3장을 뽑아 만들 수 있는 대분수는 모두 몇 개입니까?

2 3 4 5

풀이

자연수 부분이 2, 3, 4, 5인 대분수를 차례로 써봅니다.

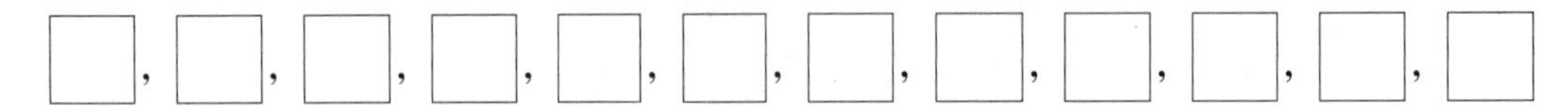

따라서 만들 수 있는 대분수는 모두 ☐개입니다.

답 ☐개

EXERCISE 1

1 분수를 보고 물음에 답하시오.

$\frac{3}{4}$, $\frac{7}{5}$, $1\frac{2}{3}$, $\frac{9}{9}$, $10\frac{5}{8}$, $\frac{11}{12}$, $\frac{20}{8}$

(1) 진분수를 모두 찾아 쓰시오.

(2) 가분수를 모두 찾아 쓰시오.

(3) 대분수를 모두 찾아 쓰시오.

2 주어진 4장의 숫자 카드 중에서 2장을 뽑아 만들 수 있는 가분수는 모두 몇 개입니까?

3 5 7 9

Search 탐구

유승, 신영, 석기는 멀리뛰기를 하였습니다. 유승이는 $\frac{15}{8}$ m, 신영이는 2 m, 석기는 $2\frac{1}{8}$ m를 뛰었습니다. 가장 멀리 뛴 사람부터 차례대로 이름을 쓰시오.

풀이

유승이가 뛴 거리는 $\frac{\square}{8}$ m, 신영이가 뛴 거리는 2 m$=\frac{\square}{8}$ m, 석기가 뛴 거리는 $\frac{\square}{8}$ m입니다. 세 분수의 분모가 8로 같으므로 분자의 크기를 비교하면 $\square>\square>\square$이므로 가장 멀리 뛴 사람부터 차례대로 이름을 쓰면 □, □, □입니다.

답 □, □, □

EXERCISE 2

1 □ 안에 들어갈 수 있는 자연수를 모두 구하시오.

$$\frac{13}{5}<\square\frac{2}{5}<\frac{33}{5}$$

2 예슬이는 할머니댁에 갈 때 버스를 타면 $1\frac{5}{6}$시간 걸리고, 지하철을 타면 $\frac{8}{6}$시간이 걸립니다. 어느 것을 타는 것이 할머니 댁에 더 빨리 갈 수 있습니까?

3 3보다 크고 5보다 작은 가분수 중 분모가 4인 가분수는 몇 개입니까?

왕문제

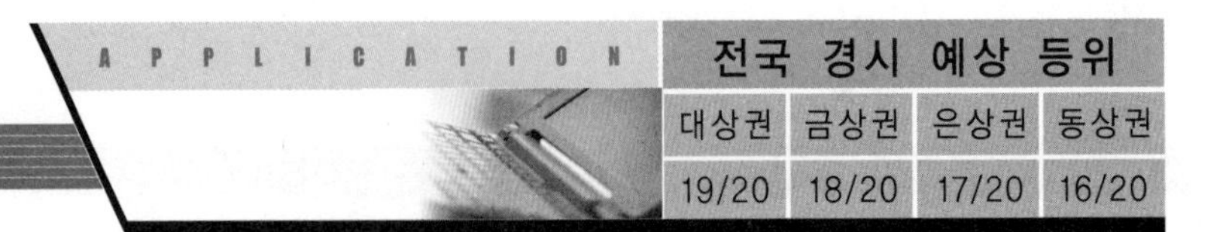

전국 경시 예상 등위			
대상권	금상권	은상권	동상권
19/20	18/20	17/20	16/20

1 자연수 3보다 작으면서 분모가 4인 가분수는 모두 몇 개입니까?

2 크기가 가장 큰 것부터 차례대로 쓰시오.

$$4\frac{2}{5} \quad \frac{23}{5} \quad 3\frac{2}{5} \quad \frac{15}{5} \quad \frac{30}{5}$$

3 □ 안에 2, 3, 4, 5, 6 중 알맞은 숫자를 써넣으시오.

(1) 주어진 숫자로 만들 수 있는 가장 큰 가분수는 $\frac{\square}{\square}$이고, 가장 작은 진분수는 $\frac{\square}{\square}$입니다.

(2) 주어진 숫자로 만들 수 있는 가장 큰 대분수는 $\square\frac{\square}{\square}$이고, 가장 작은 가분수는 $\frac{\square}{\square}$입니다.

4 분모가 5인 가분수 중에서 6보다 크고 7보다 작은 가분수의 분자들의 합을 구하시오.

5 다음 조건을 만족하는 자연수 가, 나로 만들 수 있는 가분수 $\frac{가}{나}$ 중에서 가장 큰 수를 대분수로 나타내시오.

$$8 < 가 < 20 \qquad 4 < 나 < 10$$

6 다음과 같이 규칙적으로 수를 늘어놓을 때 19번째 수를 구하시오.

$$\frac{1}{2},\ 1,\ \frac{1}{3},\ \frac{2}{3},\ 1,\ \frac{1}{4},\ \frac{2}{4},\ \frac{3}{4},\ 1,\ \cdots\cdots$$

7 다음 조건을 만족하는 가분수를 구하시오.

(분자)+(분모)=38　　(분자)−(분모)=12

8 크기가 같은 피자 2판이 있습니다. 그중 한 판을 남자끼리 똑같이 3조각으로 나누어 2조각을 먹었고, 또 한 판을 여자끼리 똑같이 9조각으로 나누어 몇 조각을 먹고 남겼습니다. 남은 피자의 양이 같다면 여자는 몇 조각을 남겼습니까?

9 주어진 5장의 숫자 카드 중에서 3장을 사용하여 가장 큰 대분수를 만든 후 가분수로 나타내시오.

2 1 4 5 9

10 다음의 두 수가 서로 같을 때 ㉮와 ㉯ 중에서 더 큰 수는 어느 것입니까?

(㉮의 $\frac{3}{4}$), (㉯의 $\frac{7}{8}$)

11 오른쪽 그림과 같은 주머니에 들어 있는 수 카드 8장 중에서 2장을 뽑아 만들 수 있는 분수 중 4보다 큰 가분수는 모두 몇 개입니까?

12 다음 조건을 만족하는 분수는 모두 몇 개입니까?

- 분모는 1보다 크고 20보다 작은 수입니다.
- 분자는 5로 나누어떨어지는 수입니다.
- 1과 크기가 같은 분수입니다.

13 다음 조건을 만족하는 분수는 모두 몇 개입니까?

- 분모가 8인 가분수입니다.
- 3보다 크고 5보다 작은 분수입니다.
- 대분수로 나타내면 분자가 4보다 큽니다.

14 □ 안에 들어갈 수가 같을 때, □ 안에 알맞은 수를 구하시오.

$$8\frac{3}{\square}=\frac{91}{\square}$$

15 다음과 같이 가분수를 일정한 규칙에 따라 늘어놓았습니다. 20번째에 놓이는 분수를 구하시오.

$\frac{3}{2}$, $\frac{7}{3}$, $\frac{11}{4}$, $\frac{15}{5}$, $\frac{19}{6}$, $\frac{23}{7}$, $\frac{27}{8}$, ……

16 자연수 ㉮와 ㉯가 다음과 같을 때 가분수 $\frac{㉯}{㉮}$를 구하시오.

㉮+㉯=65　　㉮×4=㉯

17 분모가 12이고, 자연수 부분과 분자가 같은 대분수가 있습니다. 이러한 분수 중에서 20보다 작은 분수는 모두 몇 개입니까?

18 분모가 8이고 분자가 50보다 작은 가분수 중에서 대분수로 나타낼 수 있는 분수는 모두 몇 개입니까?

19 어떤 가분수의 분자를 분모로 나누면 몫은 7이고, 나머지는 8입니다. 이 가분수의 분자가 99일 때, 이 분수를 대분수로 나타내시오.

20 다음 조건 을 만족하는 가장 큰 가분수를 구하시오.

조건
- 분모는 15입니다.
- 4와 5 사이의 분수입니다.
- 대분수로 나타내면 분자는 12보다 작습니다.

왕중왕문제

APPLICATION

전국 경시 예상 등위			
대상권	금상권	은상권	동상권
18/20	16/20	14/20	12/20

1 규칙을 찾아 ㉠에 알맞은 분수를 구하시오.

$\frac{1}{4}$, $\frac{3}{5}$, $\frac{2}{8}$, □, □, $\frac{12}{20}$, $\frac{8}{32}$, ㉠, …

2 어떤 수를 7로 나누었더니 몫은 5이고, 나머지는 몫의 $\frac{1}{2}$이었습니다. 가분수로 된 어떤 수를 구하시오.

3 어떤 가분수의 분자는 분모의 7배보다 5 크며, 분자와 분모의 합은 53이라고 합니다. 이 가분수를 구하시오.

4 다음과 같은 규칙으로 분수를 늘어놓았습니다. 25번째에 놓일 분수를 구하시오.

$\frac{5}{8}$, $1\frac{1}{8}$, $\frac{13}{8}$, $2\frac{1}{8}$, $\frac{21}{8}$, $3\frac{1}{8}$, $\frac{29}{8}$, ……

5 조건 을 만족하는 가분수는 모두 몇 개입니까?

조건
- 분모는 1보다 크고 50보다 작은 수입니다.
- 분자는 4로 나누어떨어지는 수입니다.
- 1과 크기가 같은 분수입니다.

6 분모가 15인 세 가분수가 있습니다. 세 가분수의 분자의 합은 69이고 세 가분수의 분자는 연속된 자연수일 때 가장 작은 가분수를 구하시오.

7 자연수 ㉮와 ㉯가 다음 조건을 만족할 때, $\frac{㉯}{㉮}$를 가분수로 나타낼 수 있는 경우는 모두 몇 가지입니까?

3<㉮<8, 5<㉯<10

8 다음과 같은 규칙으로 분수를 늘어놓았습니다. $\frac{22}{25}$는 몇 번째 분수입니까?

$\frac{1}{2}$, $\frac{2}{3}$, $\frac{1}{3}$, $\frac{3}{4}$, $\frac{2}{4}$, $\frac{1}{4}$, $\frac{4}{5}$, $\frac{3}{5}$, ……

9 1부터 6까지의 숫자가 적힌 주사위 ㉮, ㉯, ㉰가 있습니다. 주사위 3개를 동시에 던져 ㉮에서 나온 숫자는 자연수 부분, ㉯에서 나온 숫자는 분모, ㉰에서 나온 숫자는 분자에 각각 써서 대분수를 만들 때 만들 수 있는 대분수는 모두 몇 개입니까?

10 1부터 9까지의 숫자 카드가 여러 장씩 있습니다. 숫자 카드를 □ 안에 한 장씩 넣어 분모가 8인 대분수를 만들 때, 만들 수 있는 대분수는 모두 몇 개입니까?

$$5\frac{3}{8} < \square\frac{\square}{8} < 8\frac{3}{8}$$

11 분모가 13인 가분수 중에서 자연수 13보다 작은 가분수의 개수를 ㉠개라 하고, 분모가 7인 가분수 중에서 자연수 7보다 작은 가분수의 개수를 ㉡개라고 할 때, ㉠−㉡은 얼마입니까?

12 4장의 숫자 카드 중 3장을 뽑아 한 번씩 사용하여 가분수와 대분수를 만들려고 합니다. 만들 수 있는 가분수와 대분수는 모두 몇 개입니까?

13 다음은 진분수입니다. ★이 될 수 있는 모든 수들의 합은 얼마입니까?

$$\frac{★}{30},\ \frac{12}{★},\ \frac{★}{18}$$

14 ㉠이 20보다 크고 100보다 작은 자연수일 때 ㉠이 될 수 있는 자연수를 모두 찾아 합을 구하면 얼마입니까?

$$\frac{㉠}{9}=㉡\frac{㉡}{9}$$

15 다음 조건에서 ㉮에 알맞은 수를 모두 찾아 합을 구하면 얼마입니까?

$\frac{38}{★}=●\frac{8}{★}$ $●+★=㉮$

16 30보다 작으면서 분모가 30인 가분수의 개수를 ㉠이라 하고 25보다 작으면서 분모가 25인 가분수의 개수를 ㉡이라 할 때 ㉠－㉡의 값은 얼마입니까?

17 다음과 같이 규칙적으로 분수를 늘어놓을 때 50번째 놓이는 분수를 대분수로 나타내면 $㉠\frac{㉢}{㉡}$입니다. 이때 ㉠＋㉡＋㉢의 값은 얼마입니까?

$\frac{1}{2}, \frac{3}{3}, \frac{5}{4}, \frac{7}{5}, ...$

18 30보다 큰 대분수가 있습니다. 이 대분수를 가분수로 나타낼 때 가분수의 분자는 100보다 작습니다. 이러한 대분수는 모두 몇 개입니까?

19 1부터 9까지의 숫자 카드가 한 장씩 있습니다. 이 카드 중에서 2로 나누어떨어지는 수를 분모로, 2로 나누어떨어지지 않는 수를 분자로 하여 분수를 만들려고 합니다. 1보다 큰 분수는 몇 개 만들 수 있습니까?

20 다음은 어떤 규칙으로 수를 나열한 것입니다. 이와 같은 규칙으로 수를 나열할 때, $\frac{10}{10}$은 몇 째 번 수입니까?

$$\frac{2}{2}, \frac{2}{4}, \frac{3}{3}, \frac{2}{6}, \frac{3}{5}, \frac{4}{4}, \frac{2}{8}, \frac{3}{7}, \frac{4}{6}, \frac{5}{5}, \frac{2}{10}, \frac{3}{9}, \frac{4}{8}, \cdots$$

한 마리씩 가둘 수 있을까요?

강아지가 9 마리 있습니다. 정사각형 2 개를 그려서 각각 한 마리씩 가둬 보세요.

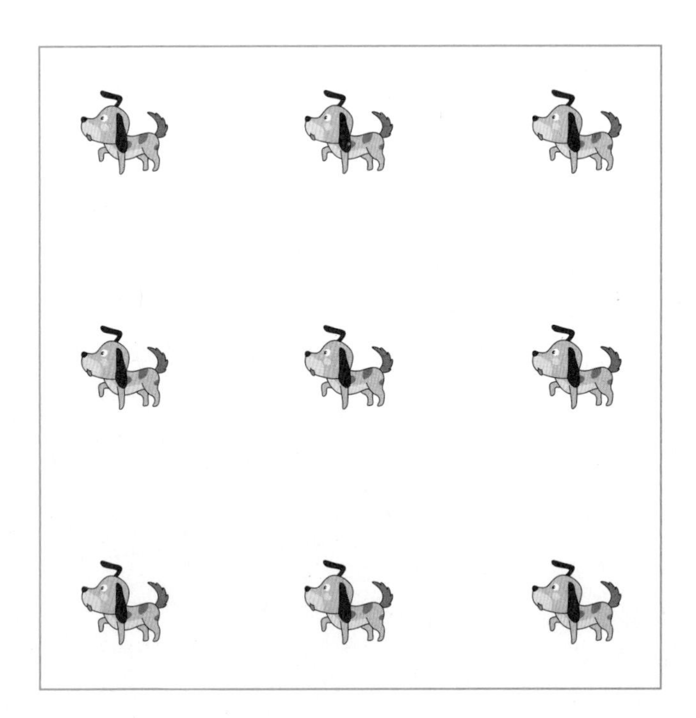

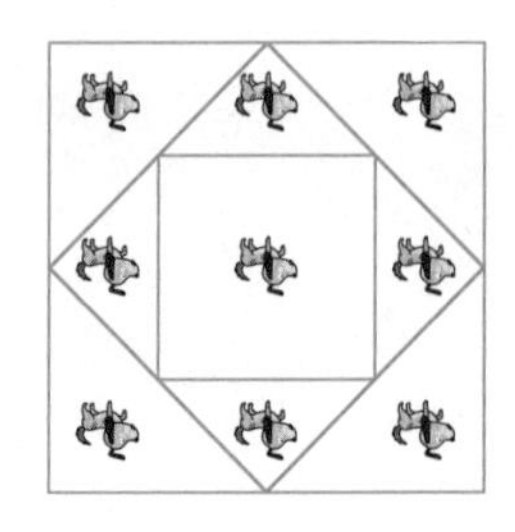

Ⅱ 도형

1. 평면도형
2. 원

APPLICATION

응용왕수학

1 선분, 반직선, 직선 알아보기

• 두 점을 곧게 이은 선을 선분이라고 합니다. 점 ㄱ과 점 ㄴ을 이은 선분을 선분 ㄱㄴ 또는 선분 ㄴㄱ이라고 합니다.

ㄱ ㄴ

• 한 점에서 한쪽으로 끝없이 늘인 곧은 선을 반직선이라고 합니다. 점 ㄱ에서 시작하여 점 ㄴ을 지나는 반직선을 반직선 ㄱㄴ이라고 합니다.

ㄱ ㄴ

• 양쪽으로 끝없이 늘인 곧은 선을 직선이라고 합니다. 점 ㄱ과 점 ㄴ을 지나는 직선을 직선 ㄱㄴ 또는 직선 ㄴㄱ이라고 합니다.

ㄱ ㄴ

2 각 알아보기

(1) 한 점에서 그은 두 반직선으로 이루어진 도형을 각이라고 합니다. 그림에서 점 ㄴ을 각의 꼭짓점이라 하고, 두 반직선 ㄱㄴ, ㄴㄷ을 각의 변이라고 합니다. 또, 이 각을 각 ㄱㄴㄷ 또는 각 ㄷㄴㄱ이라고 합니다.

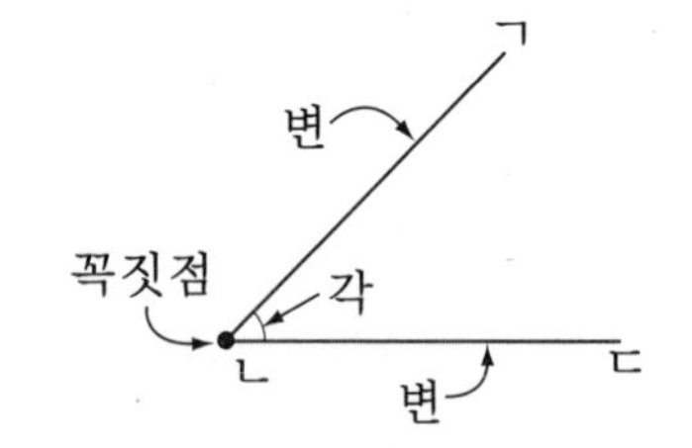

(2)

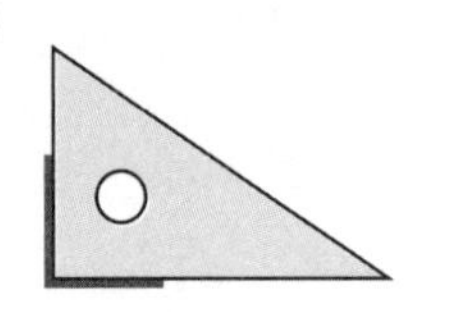

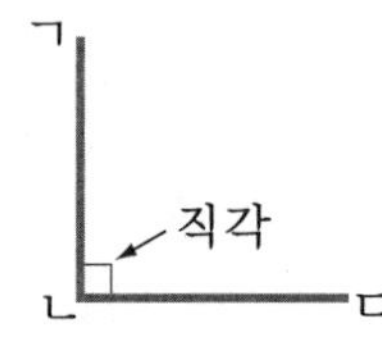

위와 같은 각 ㄱㄴㄷ을 직각이라고 합니다.

3 직각삼각형 알아보기

한 각이 직각인 삼각형을 직각삼각형이라고 합니다.

4 직사각형 알아보기

네 각이 모두 직각인 사각형을 직사각형이라고 합니다.

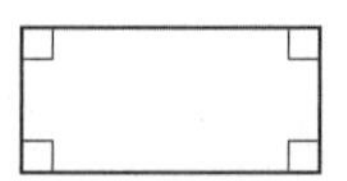

5 정사각형 알아보기

네 각이 모두 직각이고, 네 변의 길이가 모두 같은 사각형을 정사각형이라고 합니다.

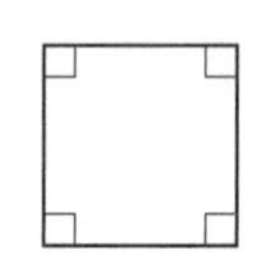

Search 탐구

다음 시각에서 시계의 두 바늘이 이루는 작은 쪽의 각이 가장 큰 것은 어느 것입니까?

① 3시 ② 8시 ③ 11시 ④ 5시 ⑤ 2시

풀이

각의 크기를 비교할 때에는 단위각을 이용하여 크기를 비교하면 편리합니다.
단위각을 숫자와 숫자 사이의 눈금으로 이루어지는 각이라 하면

① 3시는 눈금이 3칸이므로 단위각의 □배

② 8시는 눈금이 4칸이므로 단위각의 □배

③ 11시는 눈금이 1칸이므로 단위각과 같습니다.

④ 5시는 눈금이 5칸이므로 단위각의 □배

⑤ 2시는 눈금이 2칸이므로 단위각의 □배

EXERCISE

1 다음 그림에서 크고 작은 각은 모두 몇 개 있습니까? (단, 180°보다 작은 각에서만 생각합니다.)

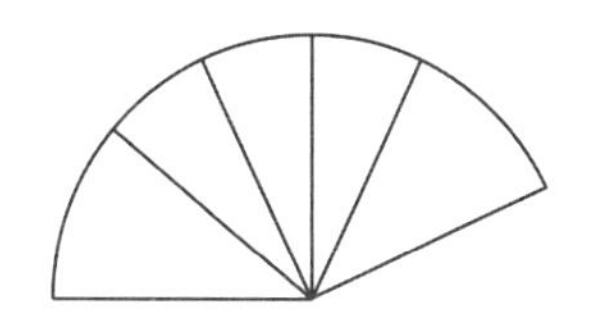

2 오른쪽 사각형은 직사각형입니다. 변 ㄱㄹ이 8 cm이고, 둘레의 길이가 40 cm일 때, 변 ㄱㄴ의 길이는 몇 cm입니까?

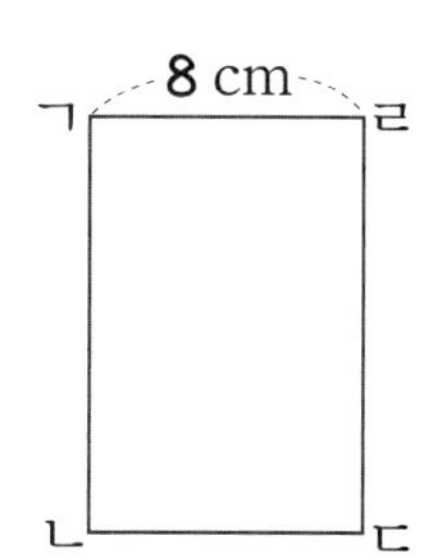

전국 경시 예상 등위			
대상권	금상권	은상권	동상권
19/20	18/20	17/20	16/20

1 다음 그림에서 크고 작은 직각삼각형은 모두 몇 개 있습니까?

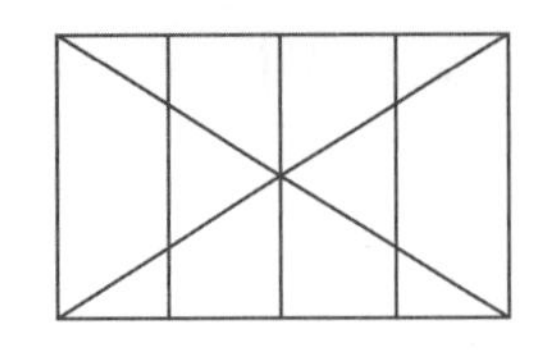

2 오른쪽 그림은 크기가 같고 세 변의 길이가 같은 삼각형 5개를 이어서 만든 사각형입니다. 이 사각형의 네 변의 길이의 합이 63 cm일 때, 삼각형의 한 변의 길이는 몇 cm입니까?

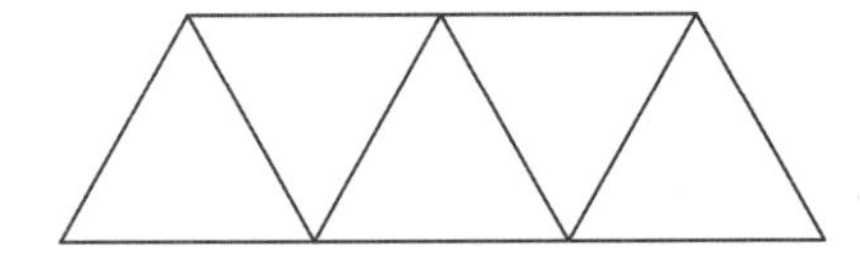

3 긴 끈으로 정사각형을 만들었더니 한 변의 길이가 21 cm가 되었습니다. 이 끈으로 세 변의 길이가 같은 삼각형 중에서 가장 큰 삼각형을 만든다면, 한 변의 길이는 몇 cm가 되겠습니까?

4 오른쪽 그림과 같은 직사각형 모양의 종이를 잘라 한 변의 길이가 7 cm인 정사각형을 만들려고 합니다. 모두 몇 개를 만들 수 있습니까?

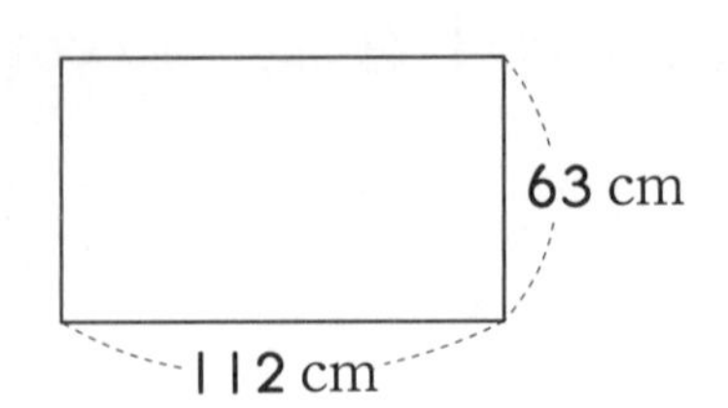

5 시계의 긴 바늘이 숫자 12를 가리키고 있으면 정각 몇 시입니다. 하루 중 시계의 두 바늘이 직각을 이루는 경우는 정각 몇 시와 몇 시입니까?

6 다음 그림과 같이 점 A로부터 10개의 선분을 그었습니다. 크고 작은 각은 모두 몇 개 있습니까? (단, 180°보다 작은 각에서만 생각합니다.)

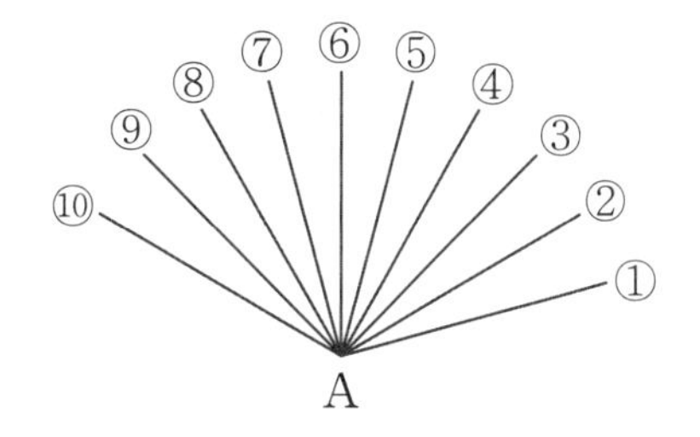

7 길이가 17 cm인 철사를 사용하여 한 변이 7 cm이고 두 변의 길이가 같은 삼각형을 2종류 만들 수 있습니다. 두 삼각형에서 7 cm와 길이가 다른 한 변의 길이를 각각 구하시오.

8 다음 그림과 같이 크기가 같고 세 변의 길이가 같은 삼각형 3개로 이루어진 모양이 있습니다. 삼각형의 한 변의 길이가 14 cm라면 이 모양의 둘레의 길이는 모두 몇 cm입니까?

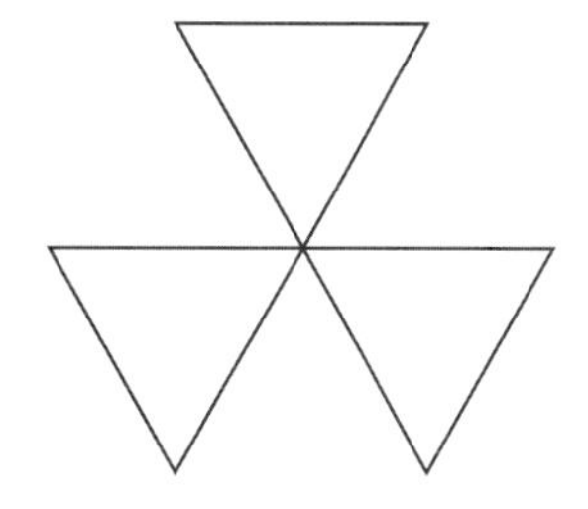

9 크기가 똑같고, 세 변의 길이가 같은 삼각형을 6개 모아 그림과 같이 만들었습니다. 각의 꼭짓점을 점 ㅇ으로 하는 각들 중에서 각 ㄱㅂㅇ과 크기가 같은 각은 모두 몇 개입니까?

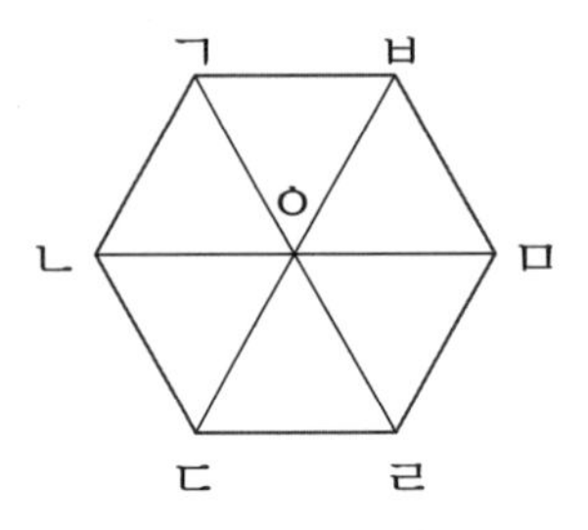

10 오른쪽 그림은 세 변의 길이가 같은 삼각형 3개를 이어 만든 사각형입니다. 이 사각형의 둘레의 길이는 삼각형 한 개의 둘레의 길이보다 24 cm가 더 길다고 합니다. 삼각형의 한 변의 길이는 몇 cm입니까?

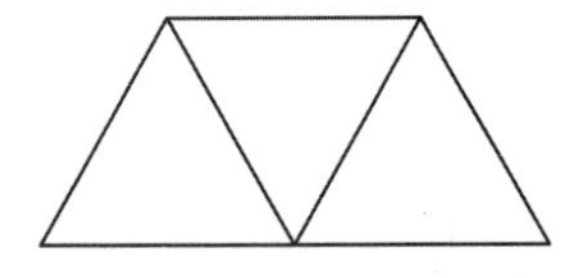

11 [그림 1]과 같이 한 변의 길이가 10 cm인 정사각형 모양의 종이가 있습니다. 이 종이로 [그림 2]와 같은 직각삼각형 모양의 조각을 최대한 몇 개나 오려낼 수 있겠습니까?

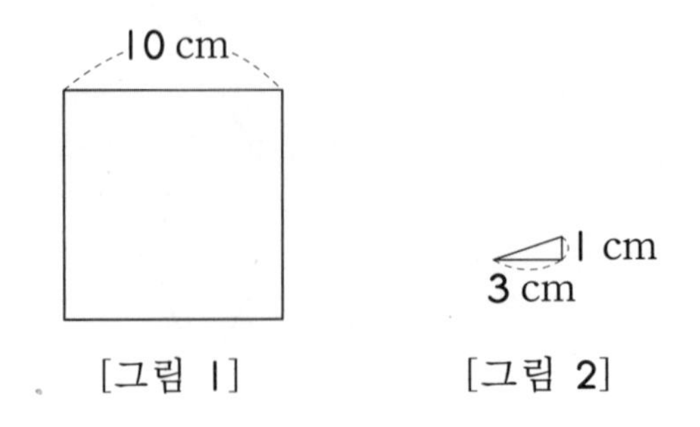

[그림 1] [그림 2]

12 가로와 세로의 길이가 각각 36 cm, 72 cm인 직사각형 모양의 종이가 있습니다. 이 종이를 잘라서 가로와 세로의 길이가 각각 3 cm, 4 cm인 직사각형을 만들려고 합니다. 모두 몇 개를 만들 수 있겠습니까?

13 그림에서 작은 사각형은 정사각형입니다. 직각삼각형이면서 두 변의 길이가 같은 삼각형은 모두 몇 개입니까?

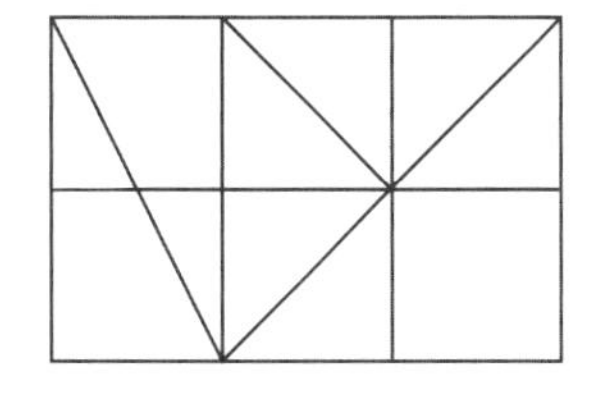

14 직사각형의 종이를 다음과 같이 접었습니다. 사각형 ㄱㄴㅂㅁ의 둘레의 길이를 구하시오.

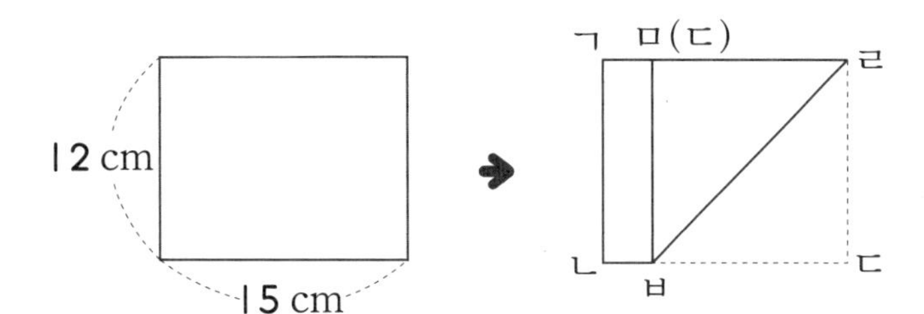

15 다음 그림은 직사각형에서 직사각형의 모양으로 일부를 자른 것입니다. 이 도형의 둘레의 길이를 구하시오.

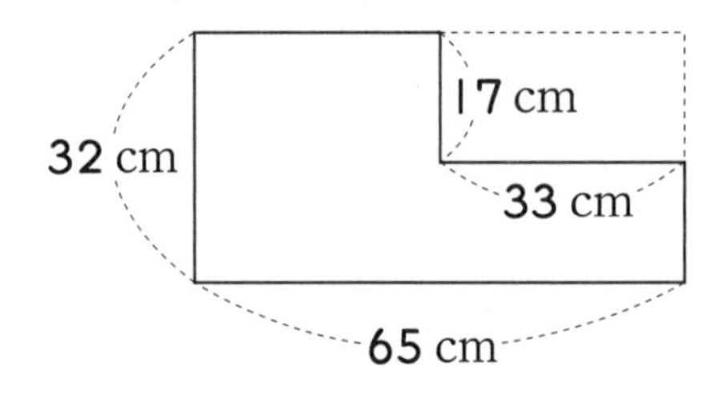

16 시계의 두 바늘이 이루는 작은 쪽의 각이 가장 클 때는 언제입니까?

① 5시 ② 6시 ③ 6시 30분
④ 5시 55분 ⑤ 6시 55분

17 종이 테이프로 한 변이 9 cm이고, 세 변의 길이가 같은 삼각형 모양을 만들었습니다. 이 종이 테이프로 두 변의 길이가 같은 삼각형 모양을 만들었더니 한 변이 11 cm였습니다. 새로 만든 두 변의 길이가 같은 삼각형에서 11 cm와 길이가 다른 변의 길이를 모두 알아보시오.

18 오른쪽 그림은 정사각형 ㄱㄴㄷㄹ의 각 변의 가운데를 연결하여 만든 모양입니다. 크고 작은 직각삼각형은 모두 몇 개입니까?

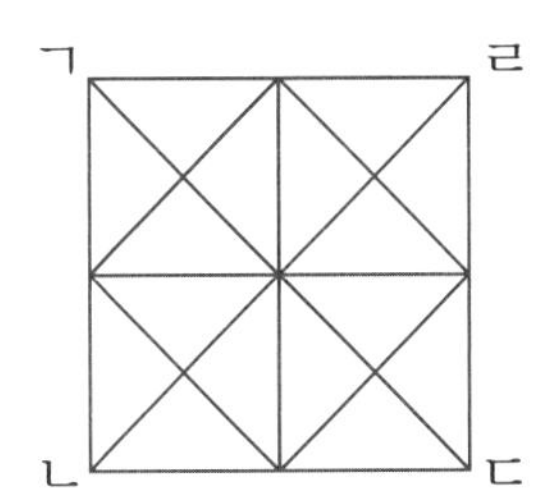

19 주어진 5개의 점 중에서 2개를 선택하여 그을 수 있는 선분의 개수를 ㉠개, 반직선의 개수를 ㉡개, 직선의 개수를 ㉢개라고 할 때 ㉠+㉡+㉢을 구하시오.

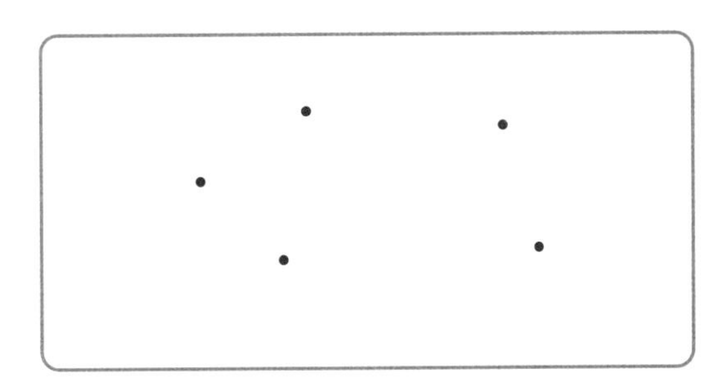

20 오른쪽 도형에서 찾을 수 있는 크고 작은 직각삼각형의 개수를 ㉠개, 크고 작은 직사각형의 개수를 ㉡개라고 할 때, ㉠−㉡의 값은 얼마입니까?

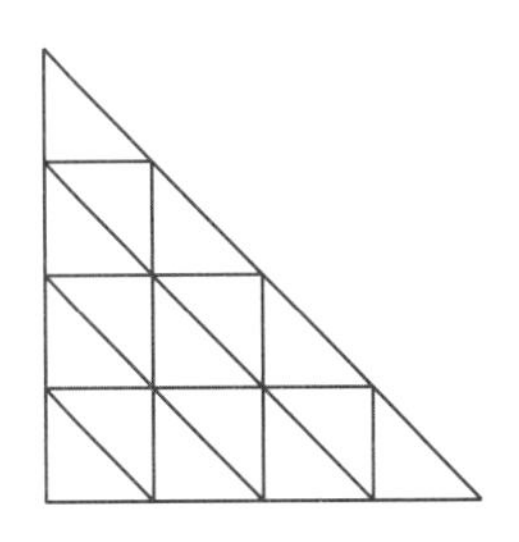

전국 경시 예상 등위			
대상권	금상권	은상권	동상권
18/20	16/20	14/20	12/20

1 오른쪽 그림에서 크고 작은 직사각형은 모두 몇 개입니까?

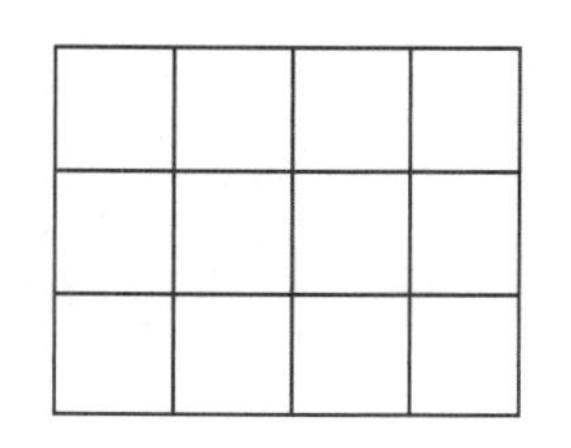

2 오른쪽 그림에서 크고 작은 사각형은 모두 몇 개입니까?

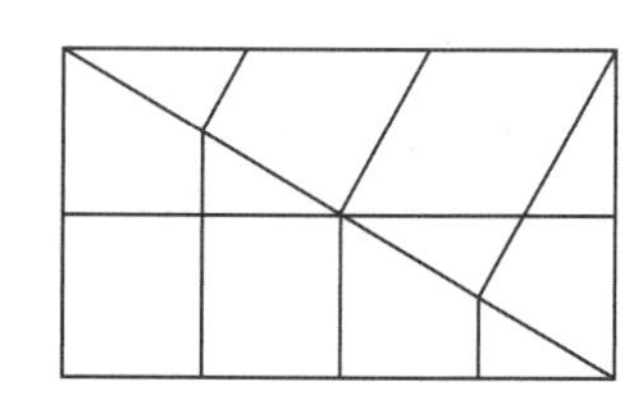

3 석기네 밭은 직사각형 모양이고, 둘레의 길이가 96 m입니다. 가로의 길이는 세로의 길이의 3배라고 합니다. 이 밭의 가로의 길이는 몇 m입니까?

4 시계는 정각 8시를 가리키고 있습니다. 앞으로 3시간 동안 긴바늘과 짧은바늘이 직각을 이루는 것은 몇 번이겠습니까?

5 오른쪽 그림에서 사각형 ㄱㄴㅇㅁ과 사각형 ㅁㅂㅅㄹ이 정사각형일 때, 사각형 ㅂㅇㄷㅅ의 네 변의 길이의 합을 구하시오.

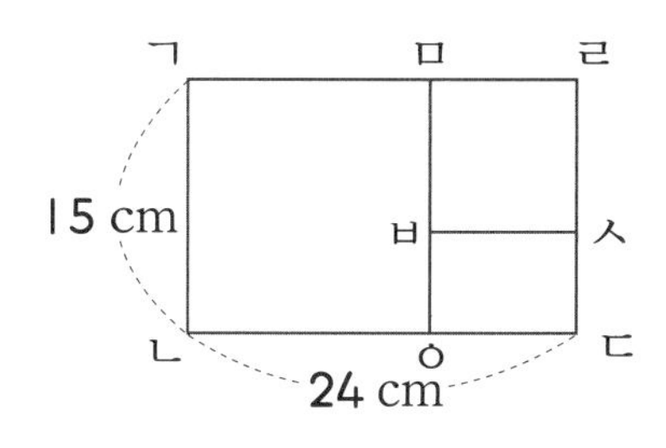

6 4시 10분 정각에 짧은바늘과 긴바늘이 이루는 작은 쪽의 각의 크기는 몇 도입니까?

7 오른쪽 사각형 ㄱㄴㄷㄹ은 정사각형입니다. 크고 작은 삼각형은 모두 몇 개입니까?

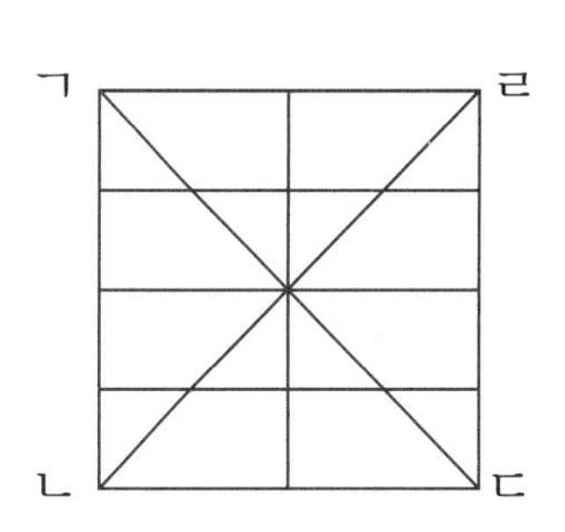

8 오른쪽 도형은 삼각형을 붙여서 만든 것입니다. 크고 작은 삼각형은 모두 몇 개입니까?

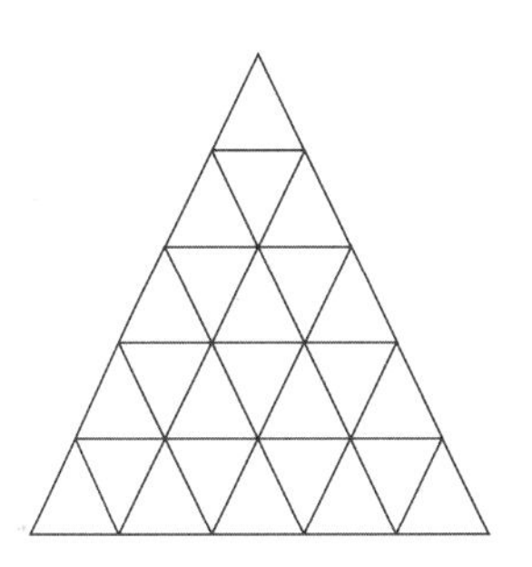

9 다음 도형은 정사각형 안에 대각선을 그어 붙여 놓은 것입니다. 도형 안에서 찾을 수 있는 직각은 모두 몇 개입니까?

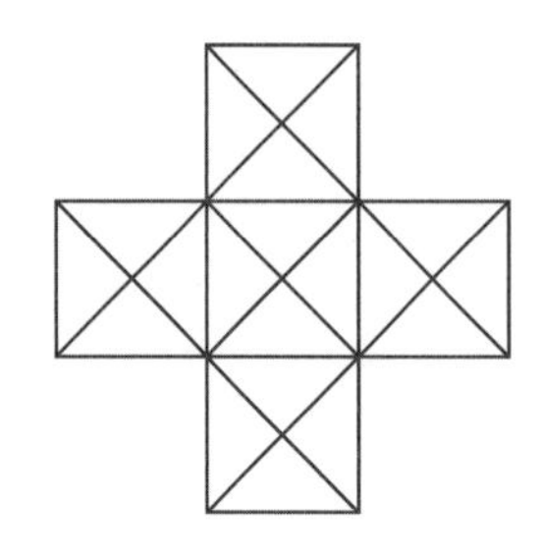

10 삼각형 ㄱㄴㄷ 안에는 180°보다 작은 각이 모두 몇 개 있습니까?

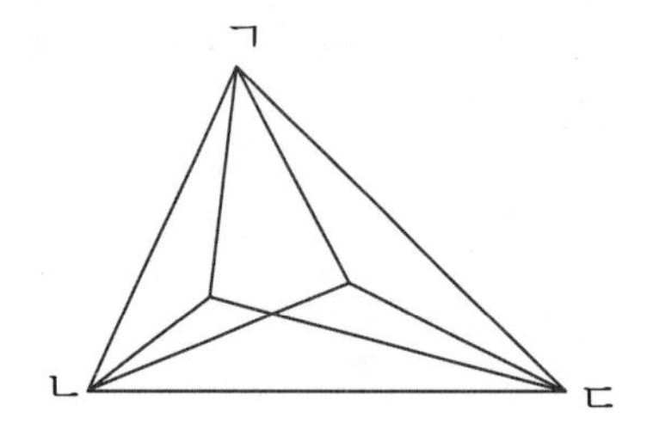

11 한 변의 길이가 14 cm인 정사각형 모양의 종이가 있습니다. 이 종이로 가로가 8 cm, 세로가 2 cm인 직사각형 모양의 종이 조각을 최대 몇 개나 오려낼 수 있습니까?

12 다음 도형의 둘레의 길이는 몇 cm 입니까?

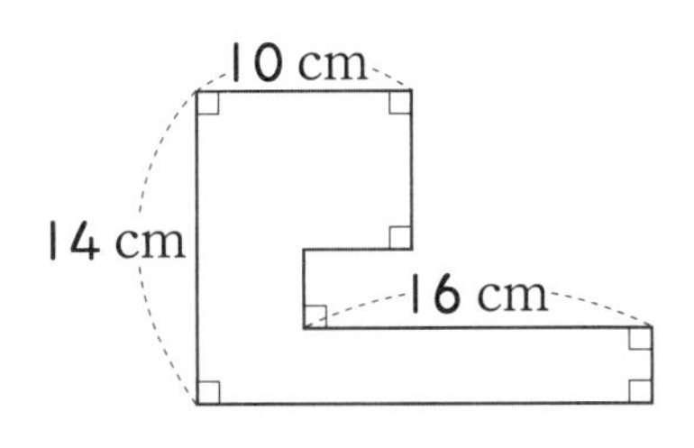

13 다음을 계산했을 때 시계의 두 바늘이 이루는 작은 쪽의 각의 크기가 가장 큰 것은 어느 것입니까?

① 9시 30분+2시간 20분 ② 4시 20분+4시간 40분
③ 5시 20분−2시간 40분 ④ 9시−2시간 10분

14 다음 도형의 둘레의 길이는 몇 cm 입니까?

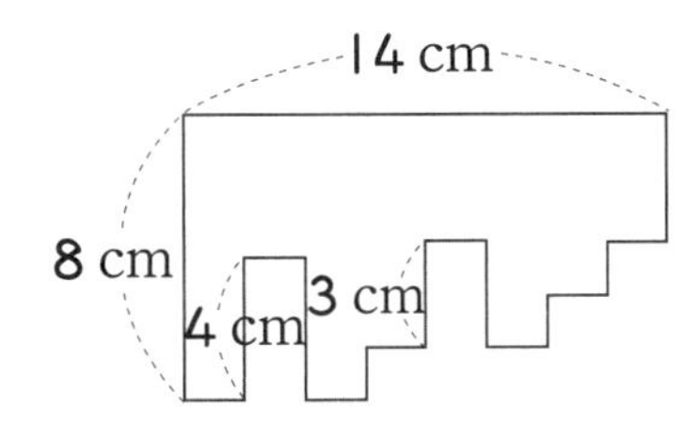

15 오른쪽 그림과 같은 종이를 잘라서 크기가 같은 정사각형 3개를 만들려고 합니다. 가장 큰 정사각형을 만들려면 한 변의 길이를 몇 cm로 해야 합니까?

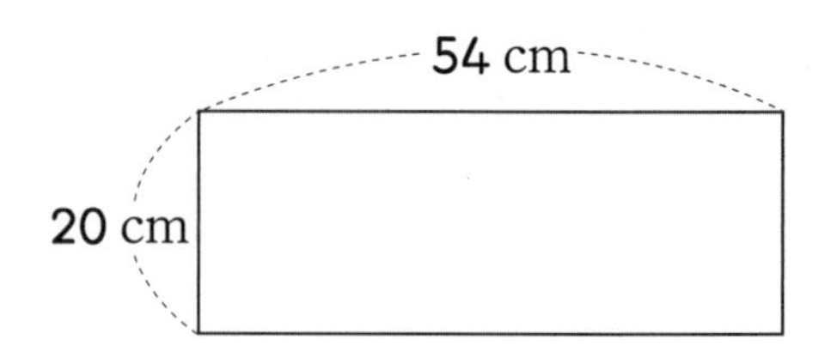

16 다음 시각 중에서 시계의 두 바늘이 이루는 작은 쪽의 각의 크기가 가장 작은 것은 어느 것입니까?

① 3시 30분 ② 5시 30분 ③ 1시 30분
④ 7시 ⑤ 9시 30분

17 다음 그림에서 가장 큰 직사각형의 둘레의 길이는 144 cm이며 가로의 길이가 세로의 길이의 2배입니다. 색칠한 작은 직사각형의 둘레의 길이는 몇 cm입니까? (단, 6개의 작은 직사각형은 크기가 모두 같습니다.)

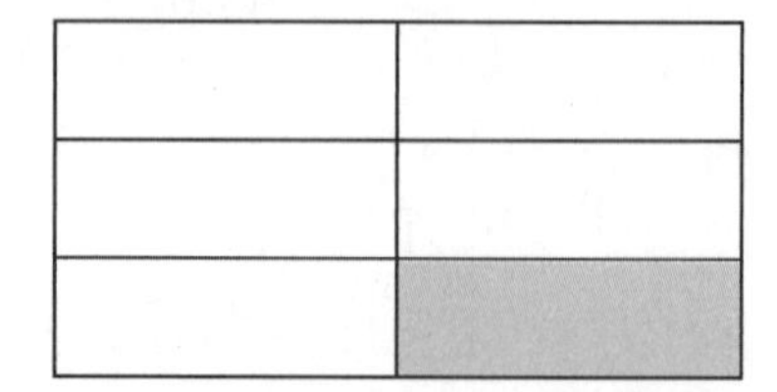

18 정사각형 6개로 직사각형을 만들었습니다. 직사각형의 둘레의 길이는 몇 cm입니까?

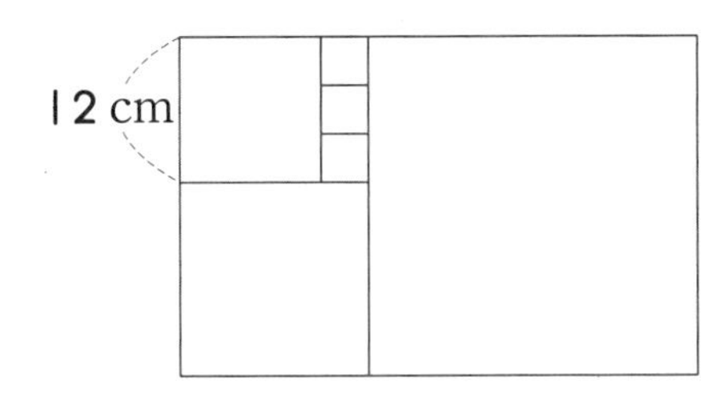

19 다음 도형에서 ★을 포함하는 크고 작은 직사각형은 모두 몇 개입니까?

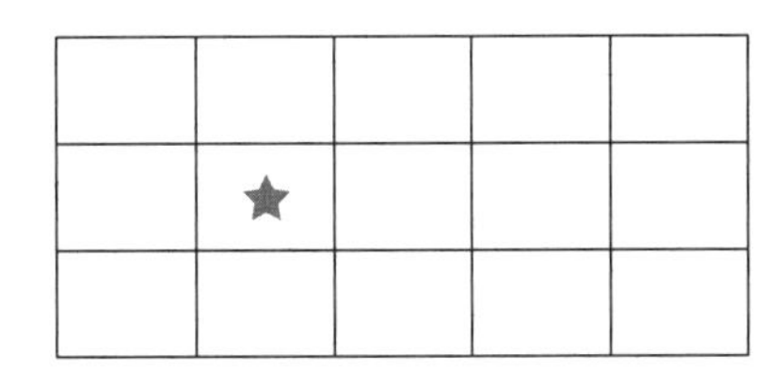

20 다음 그림과 같이 가로와 세로의 길이가 각각 16 cm, 12 cm인 직사각형 모양의 종이를 점선을 따라 자르면 12개의 작은 직사각형이 만들어집니다. 12개의 직사각형 각각의 둘레의 길이의 합은 몇 cm입니까?

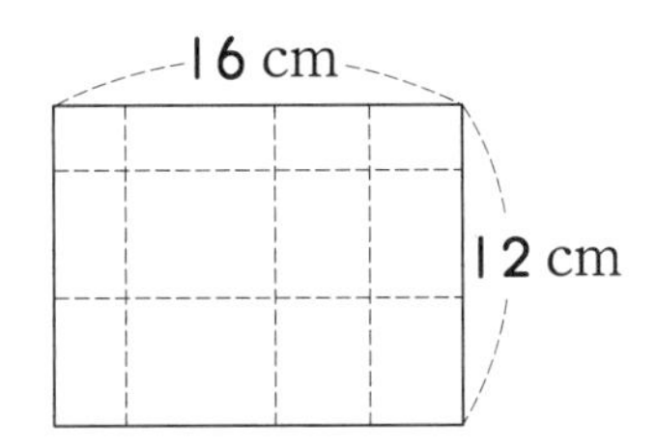

핵심내용 2 원

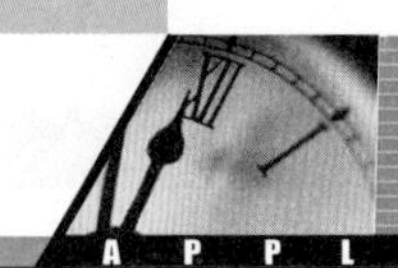

APPLICATION

1 원 그리기

① 물건을 이용하여 그리기

② 누름못을 꽂아서 그리기

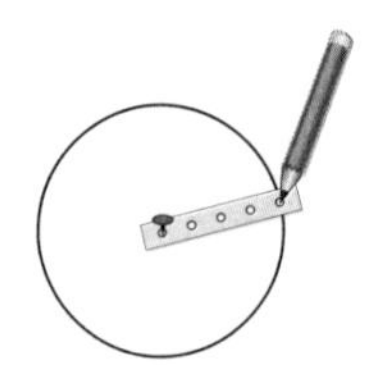

③ 컴퍼스를 이용하여 그리기

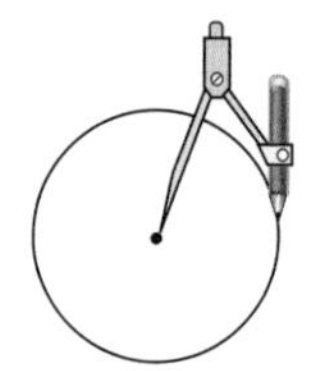

2 원 알아보기

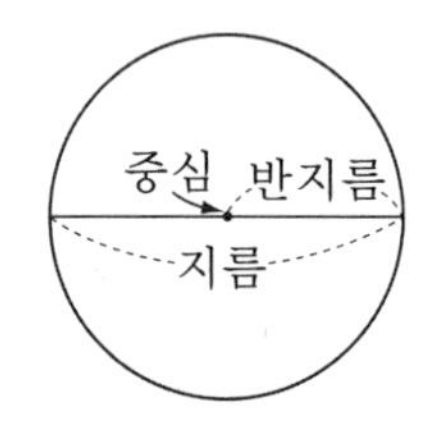

(1) 원의 중심 : 원의 가장 안쪽에 있는 점
(2) 원의 반지름 : 원의 중심과 원 위의 한 점을 이은 선분
(3) 원의 지름 : 원 위의 두 점을 이은 선분 중 원의 중심을 지나는 선분

3 원의 성질

(1) 한 원에서 반지름은 무수히 많고, 그 길이는 모두 같습니다.
(2) 한 원에서 지름은 무수히 많고, 그 길이는 모두 같습니다.
(3) 원의 지름의 길이는 반지름의 길이의 2배입니다.
(4) 지름은 한 원에서 그을 수 있는 가장 긴 선분입니다.

4 원을 이용하여 여러 가지 모양 그리기

(1) 원을 이용하여 여러 가지 모양 그리기

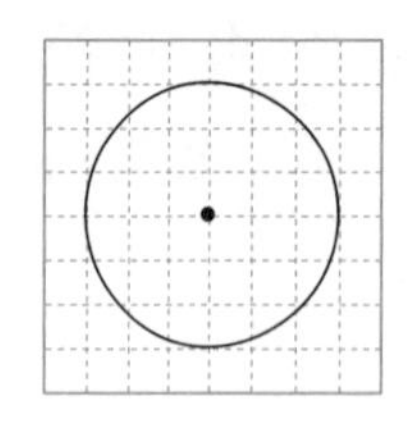  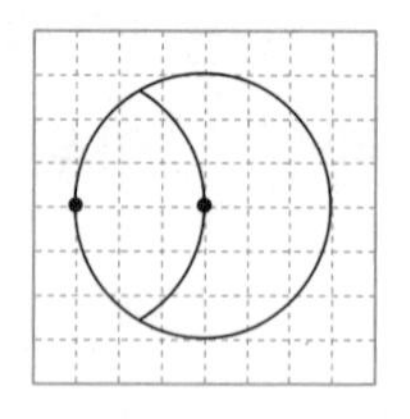  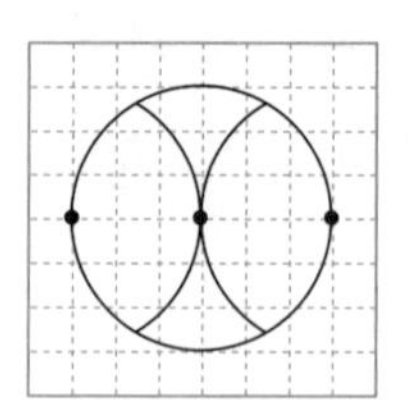

(2) 정사각형과 원을 이용하여 여러 가지 모양 그리기

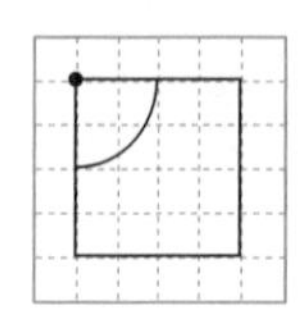  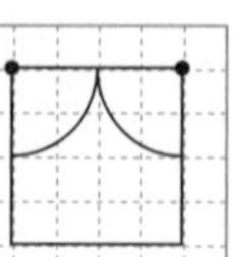  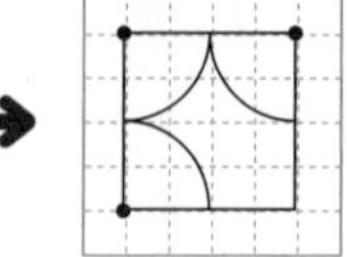 

Search 탐구

반지름이 49 cm인 원의 지름 위에 크기가 같은 여섯 개의 원을 오른쪽 그림과 같이 그렸습니다. 작은 원의 지름은 몇 cm입니까?

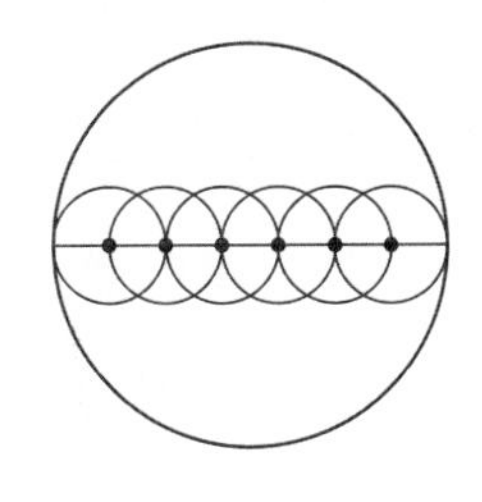

풀이

큰 원의 반지름이 49 cm이므로 큰 원의 지름은 □×2=□(cm)입니다. 큰 원 안에 작은 원의 반지름이 □개 있으므로 작은 원의 반지름은 □÷□=□(cm)이고, 지름은 □×2=□(cm)입니다.

답 □cm

EXERCISE

1 그림에서 한 원의 지름은 몇 cm입니까?

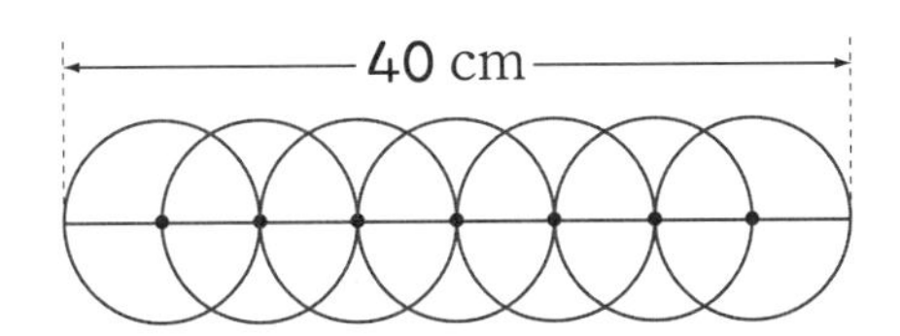

2 그림에서 직사각형 ㄱㄴㄷㄹ의 둘레의 길이를 구하시오.

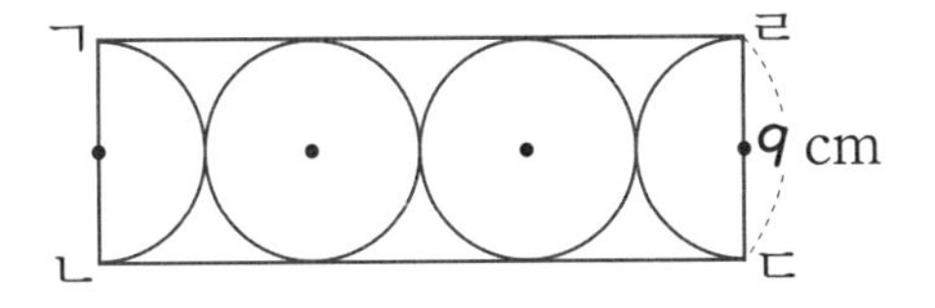

3 오른쪽 그림은 반지름이 7 cm인 원 10개를 맞닿게 그린 것입니다. 삼각형 ㄱㄴㄷ의 세 변의 길이의 합은 몇 cm입니까?

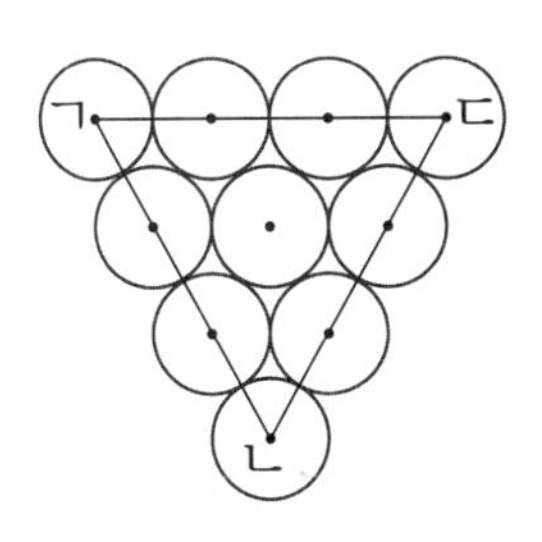

왕 문제

전국 경시 예상 등위			
대상권	금상권	은상권	동상권
19/20	18/20	17/20	16/20

1 반지름이 24 cm인 반원의 지름 위에 오른쪽 그림과 같이 반지름이 6 cm인 원을 그리면 원은 모두 몇 개 그릴 수 있습니까?

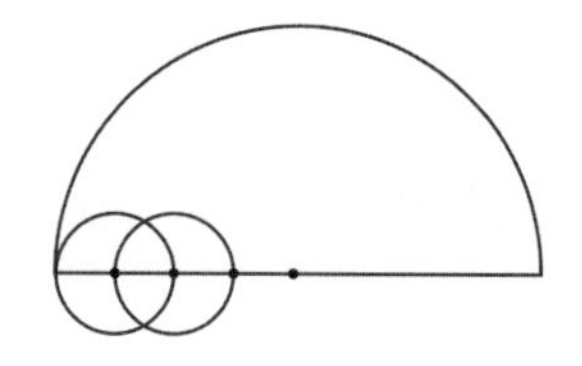

2 오른쪽 그림에서 사각형 ㄱㄴㄷㄹ의 둘레의 길이가 32 cm일 때, 작은 원의 지름의 길이는 몇 cm입니까? (단, 점 ㄴ, ㄹ은 각각 두 원의 중심입니다.)

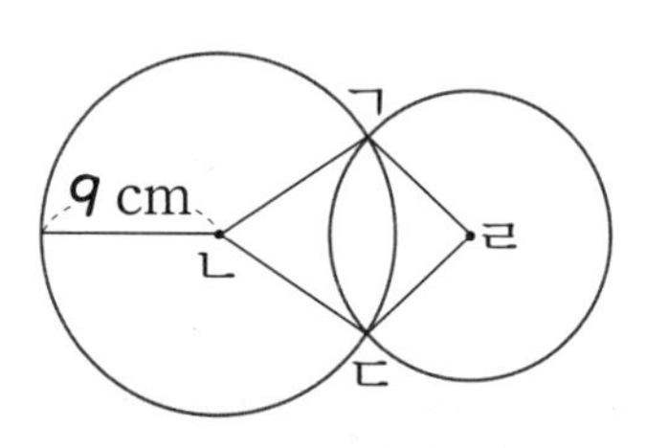

3 오른쪽 그림에서 점 ㄱ은 원의 중심입니다. 삼각형 ㄱㄴㄷ의 둘레의 길이가 29 cm이면, 원의 지름의 길이는 몇 cm입니까?

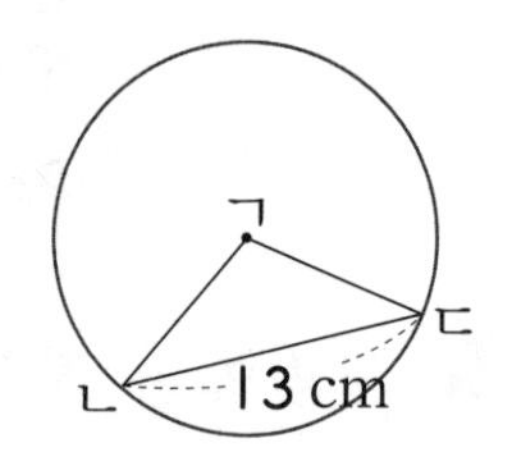

4 오른쪽 그림에서 두 원의 중심은 같고 큰 원의 지름은 작은 원의 지름의 4배입니다. 큰 원의 반지름의 길이와 작은 원의 반지름의 길이의 차는 몇 cm입니까?

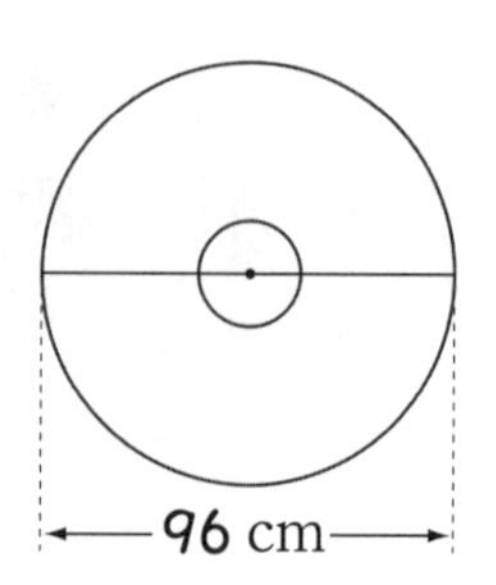

5 오른쪽 그림은 지름이 14 cm인 원 11 개를 맞닿게 그린 것입니다. 굵은 선의 길이는 몇 cm 입니까?

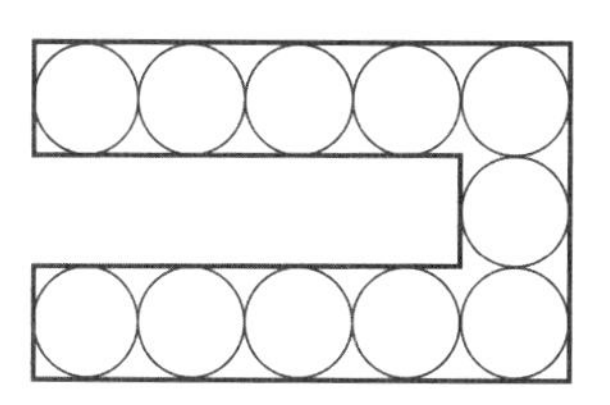

6 오른쪽 그림에서 원의 지름의 길이가 12 cm이면, 사각형 ㄱㄴㄷㄹ의 둘레의 길이는 몇 cm 입니까?

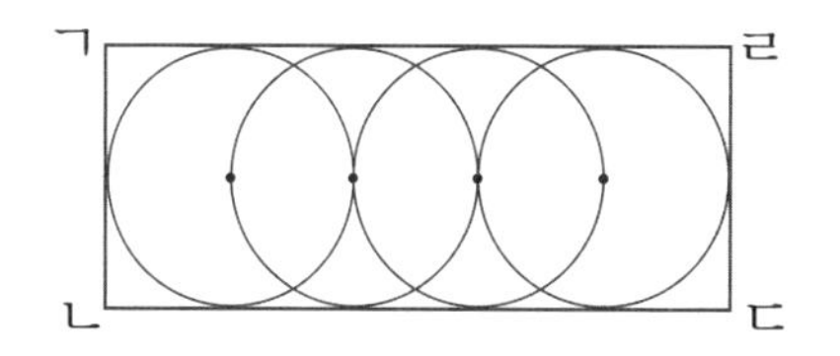

7 오른쪽 그림에서 원의 지름은 ㉡이 ㉢의 2배, ㉠이 ㉡의 2배입니다. ㉢의 원의 반지름이 4 cm라면 정사각형의 둘레의 길이는 몇 cm 입니까?

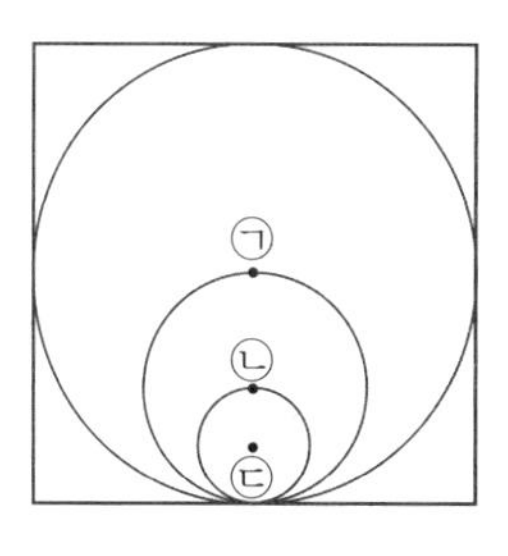

8 그림에서 선분 ㄱㄴ의 길이를 구하시오.

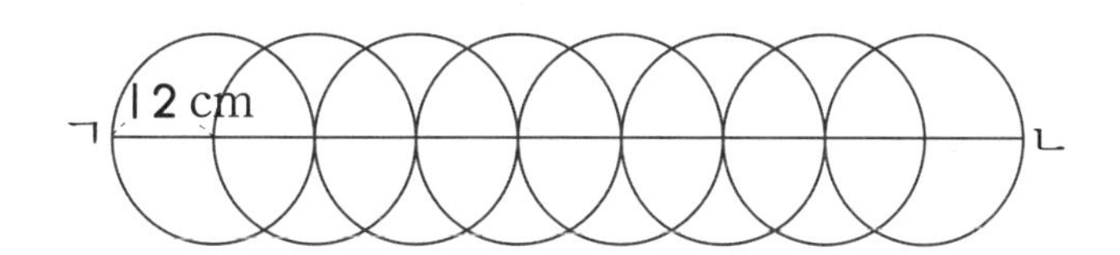

9 사각형 ㄱㄴㄷㄹ의 둘레의 길이가 96 cm이면, 원의 반지름의 길이는 몇 cm입니까?

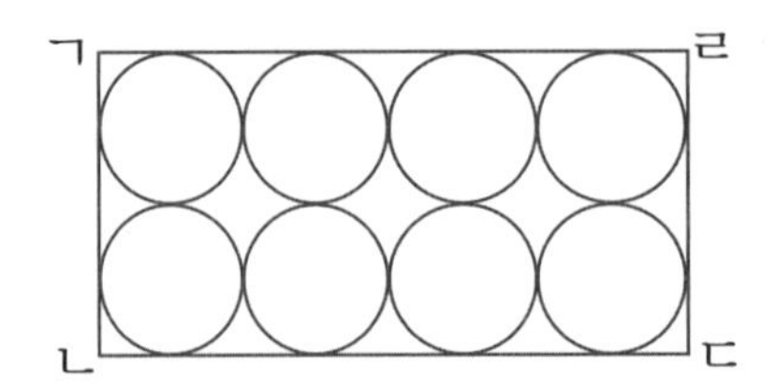

10 다음은 크기가 같은 원 7개를 오른쪽 원이 왼쪽 원의 중심을 지나도록 겹쳐서 그린 것입니다. 이 원의 지름의 길이는 몇 cm입니까?

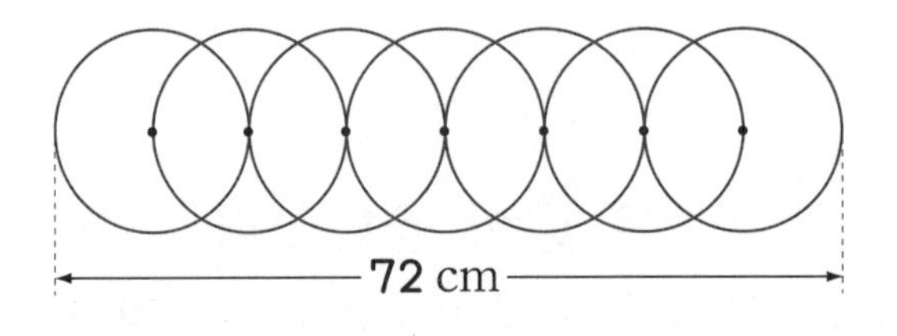

11 오른쪽 그림은 지름이 8 cm인 원을 맞닿게 그린 것입니다. 5개의 원의 중심을 이은 사각형 ㄱㄴㄷㄹ의 둘레의 길이는 몇 cm입니까?

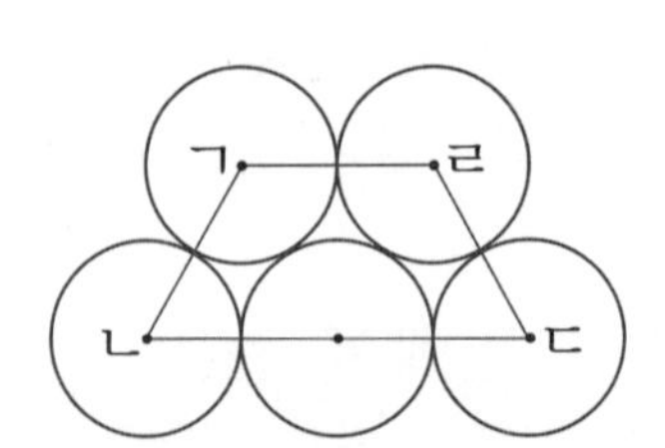

12 오른쪽 그림과 같이 운동장에 반지름이 8 m, 5 m 되는 원을 두 개 그렸습니다. 원의 둘레의 차이는 몇 m가 되겠습니까? (단, 원의 둘레는 지름의 3배입니다.)

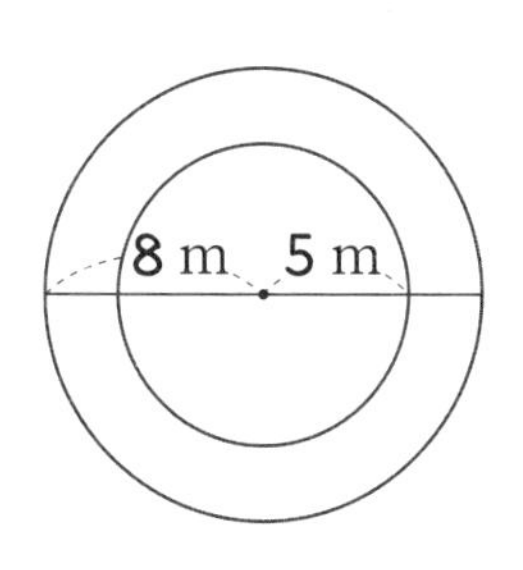

13 도형에서 굵은 선의 길이는 몇 cm입니까?

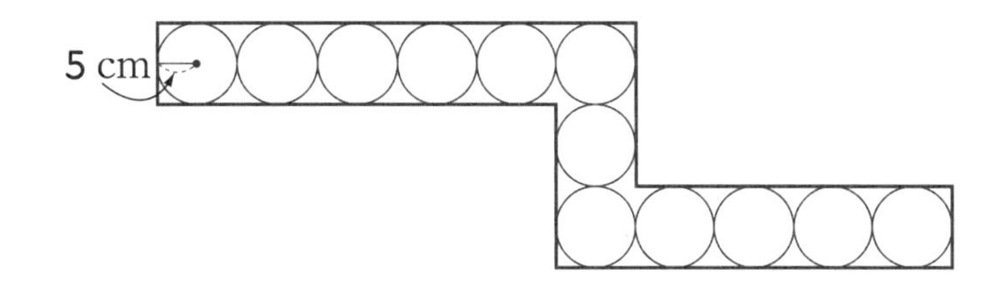

14 오른쪽 그림에서 작은 원의 반지름은 각각 3 cm입니다. 세 원의 중심을 연결하여 만든 삼각형 ㄱㄴㄷ의 둘레의 길이가 24 cm일 때, 중심이 점 ㄷ인 원의 반지름의 길이를 구하시오.

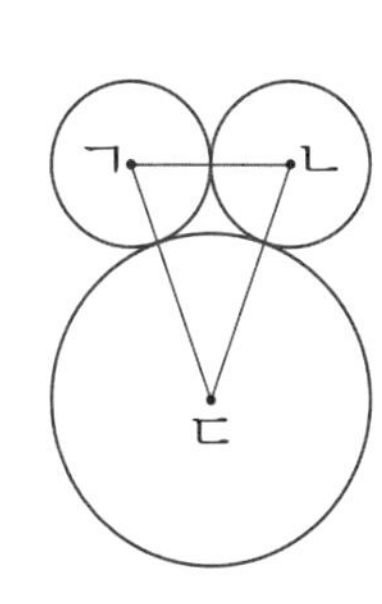

15 오른쪽 그림과 같이 원 모양의 고리를 12개 연결하여 목걸이를 만들었습니다. 이 고리를 모두 떼어 놓으려면 최소한 몇 개의 고리를 잘라야 합니까?

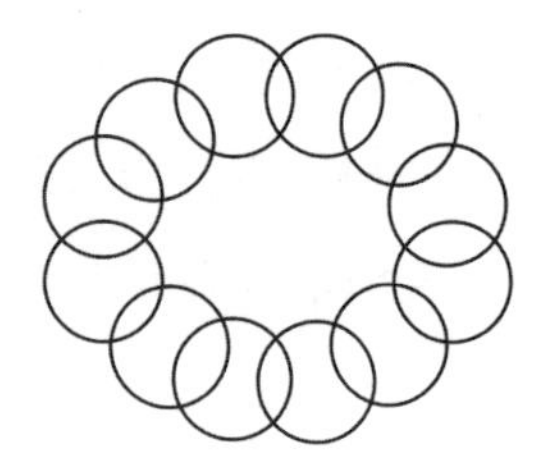

16 그림과 같이 한 변의 길이가 15 cm인 정사각형 모양의 철사를 이용하여 가장 큰 원을 만들 때 원의 지름은 몇 cm입니까? (단, 원의 둘레는 지름의 3배입니다.)

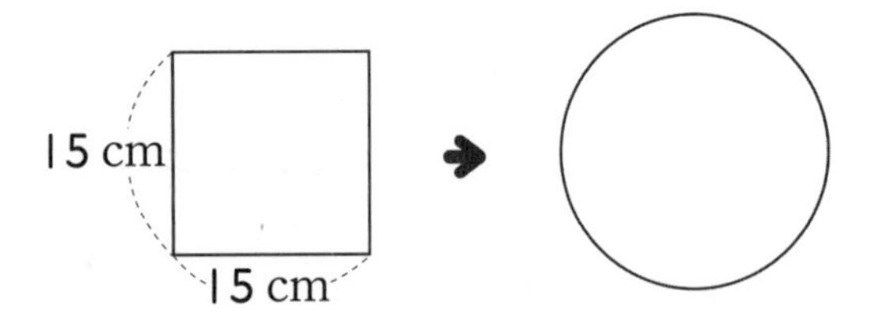

17 다음과 같이 운동장에 선을 그었습니다. 선의 길이는 몇 m입니까? (단, 원의 둘레는 지름의 3배입니다.)

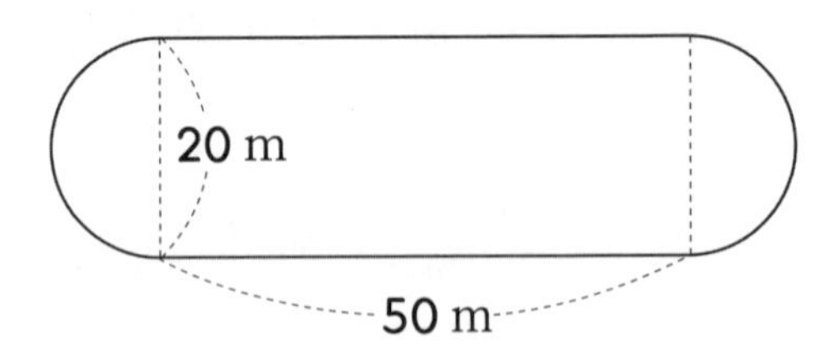

18 오른쪽 그림은 상자에 똑같은 공이 가득 들어 있는 것을 나타낸 것입니다. 이 상자의 가로의 길이는 몇 cm가 되겠습니까?

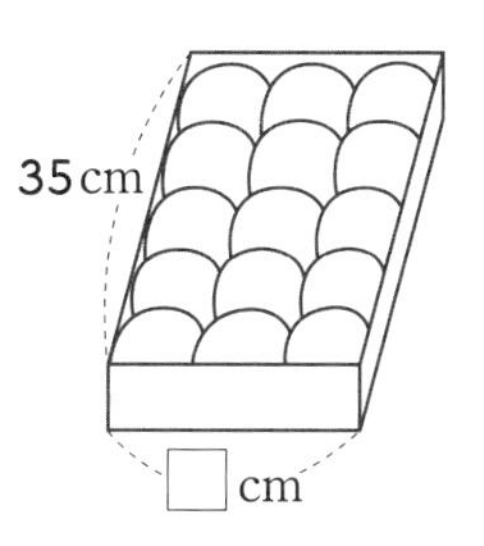

19 오른쪽 그림에서 삼각형 ㄱㄴㄷ의 둘레의 길이를 구하시오.

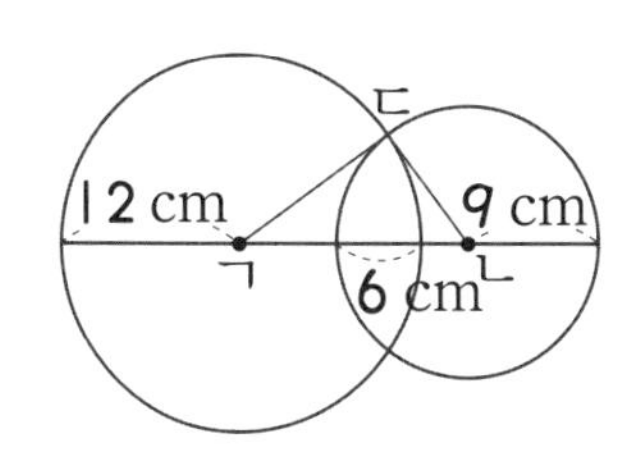

20 그림과 같이 직사각형 안에 작은 원 4개, 큰 원 6개를 그렸습니다. 직사각형 ㄱㄴㄷㄹ의 네 변의 길이의 합이 96 cm이면, 작은 원의 반지름은 몇 cm입니까?

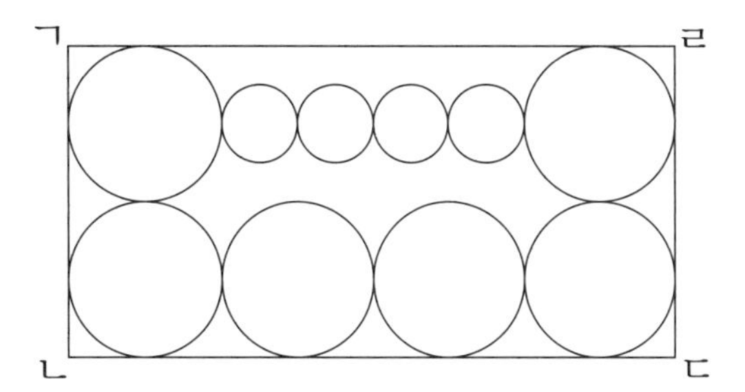

왕중왕문제

APPLICATION

전국 경시 예상 등위			
대상권	금상권	은상권	동상권
18/20	16/20	14/20	12/20

1 그림과 같이 큰 원의 지름이 12 cm, 작은 원의 지름이 8 cm인 같은 크기의 도넛을 10개 연결하였을 때 전체의 길이는 몇 cm입니까?

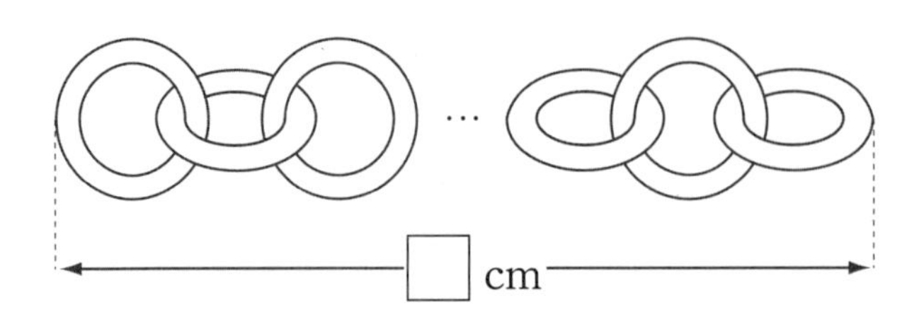

2 오른쪽과 같이 원의 중심은 옮기지 않고 반지름의 길이를 다르게 하여 원을 그려나갈 때, 17째 번으로 그려지는 원의 지름은 몇 cm입니까?

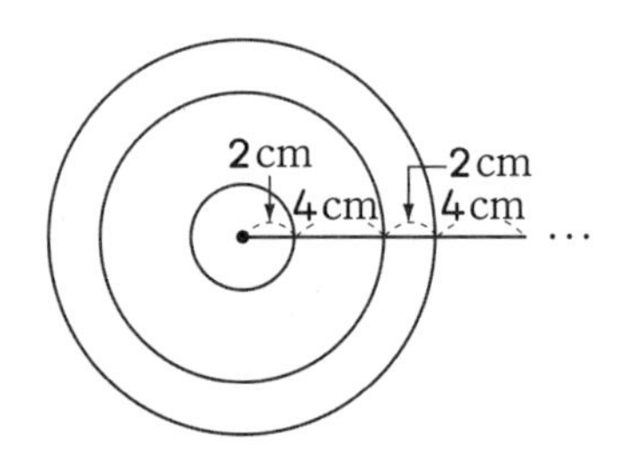

3 오른쪽 그림에서 사각형 ㄱㄴㄷㄹ의 둘레의 길이를 구하시오.

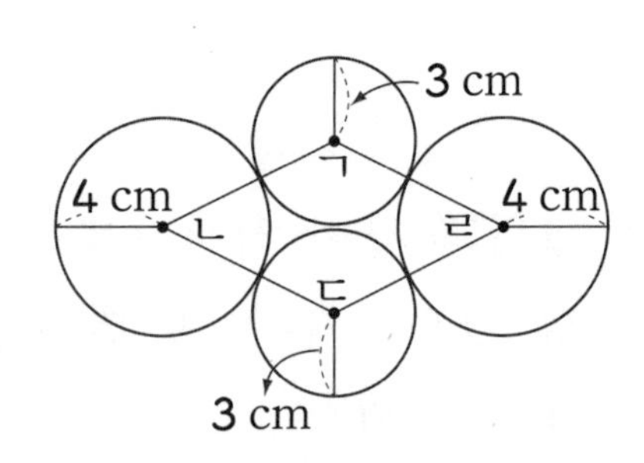

4 오른쪽 그림에서 원 ㉮의 반지름은 34 cm이고 원 ㉯와 원 ㉰의 크기는 같습니다. 이때, 선분 ㄱㄴ의 길이는 몇 cm입니까?

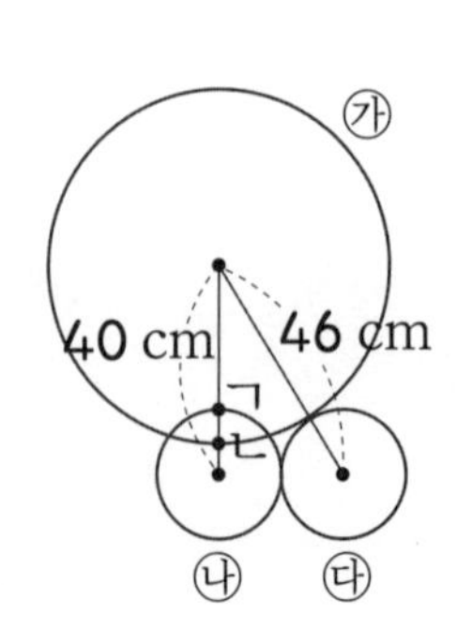

5 반지름이 8 cm인 똑같은 원을 오른쪽 원이 왼쪽 원의 중심을 지나도록 겹쳐서 그린 것입니다. 원은 모두 몇 개입니까?

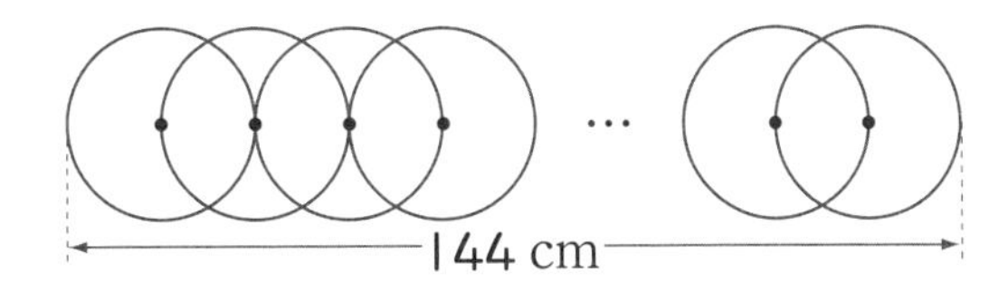

6 오른쪽과 같이 반지름이 10 cm인 원을 55개 그린 후 바깥 원들의 중심을 연결하여 삼각형을 그렸을 때 삼각형의 둘레는 몇 cm입니까?

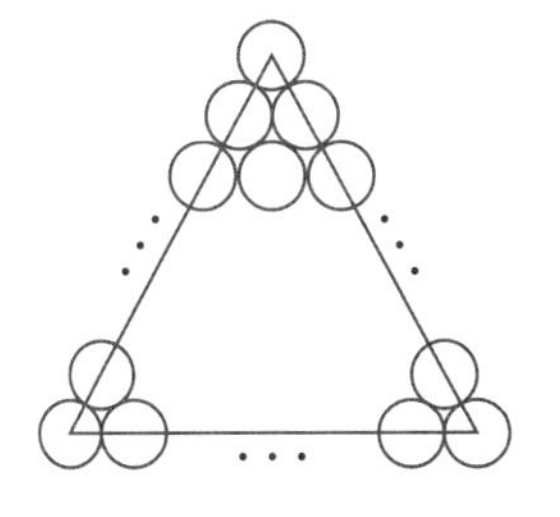

7 오른쪽 정사각형의 둘레가 64 cm이고 삼각형 ㄱㄴㄷ의 둘레가 18 cm일 때, 선분 ㄴㄷ의 길이를 구하시오.

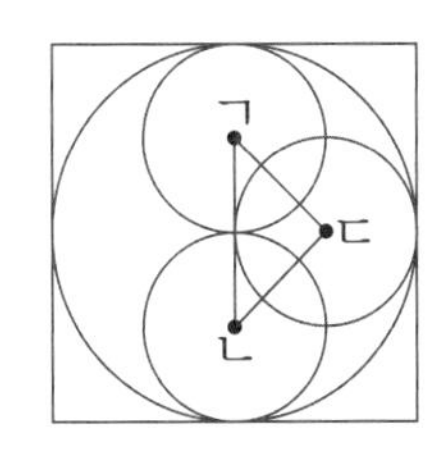

8 오른쪽 그림과 같이 원을 이용하여 만든 도형에서 색칠한 부분의 둘레의 길이는 몇 cm입니까? (단, 원의 둘레는 지름의 3배입니다.)

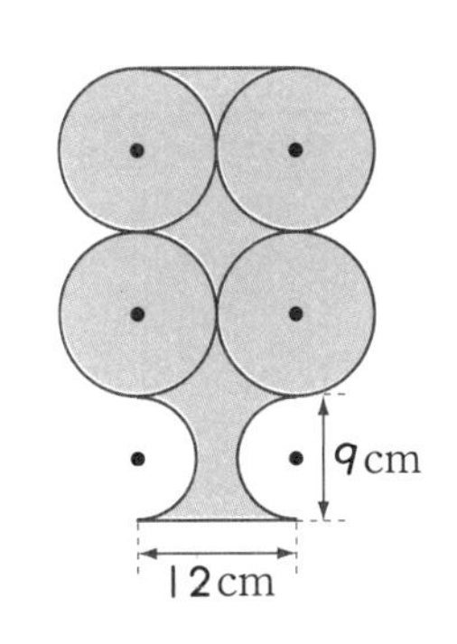

9 반지름이 10 cm인 원 안에 6개의 변의 길이가 같은 육각형을 그렸습니다. 육각형과 정사각형의 둘레의 길이의 차는 몇 cm입니까? (단, 육각형 안에 있는 삼각형의 세 변의 길이는 모두 같습니다.)

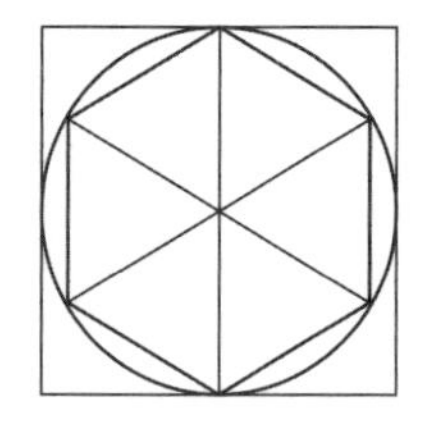

10 오른쪽 그림과 같이 반지름이 10 cm인 원통 3개를 끈으로 묶을 때 필요한 끈의 길이는 몇 cm입니까? (단, 원의 둘레는 지름의 3배이며, 매듭에 들어간 끈은 생각하지 않습니다.)

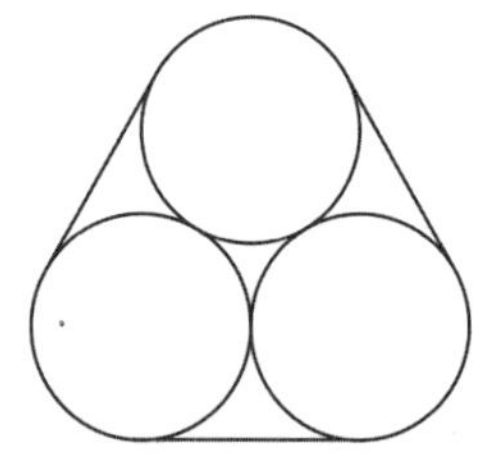

11 둘레의 길이가 78 cm인 직사각형 ㄱㄴㄷㄹ이 있습니다. 오른쪽 그림과 같이 점 ㄱ, ㄴ, ㄷ, ㄹ을 중심으로 하는 원을 그렸을 때, 선분 ㅇㄹ의 길이는 몇 cm입니까? (단, 직사각형의 세로는 가로보다 5 cm 더 깁니다.)

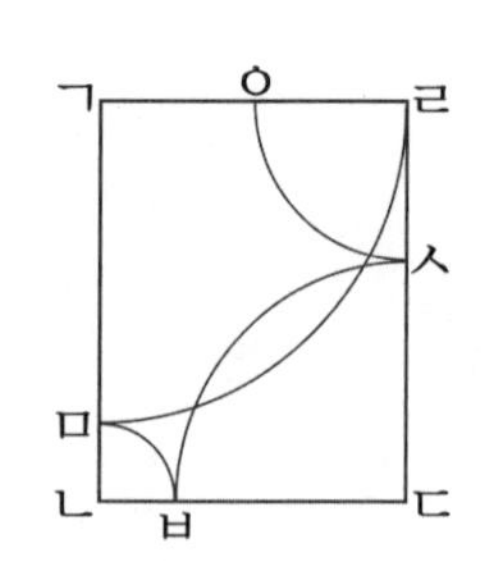

12 원 위에 직선을 1개 그으면 원은 두 조각으로 나누어지고, 2개를 그으면 최대 4조각으로 나누어집니다. 직선을 4개 그으면 최대 몇 조각으로 나누어집니까?

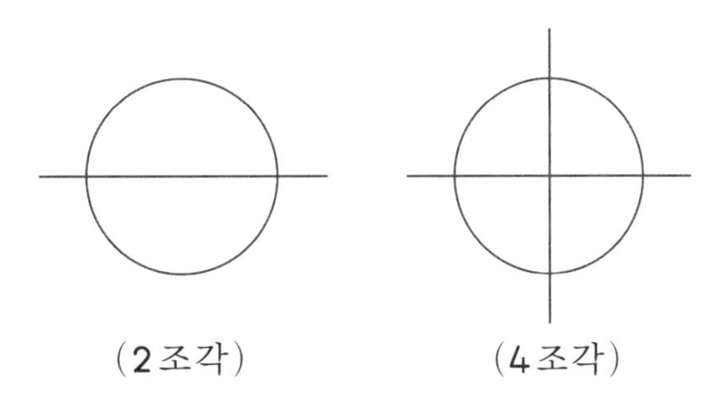

13 다음 그림 ㉮와 ㉯는 반지름이 같은 원을 여러 개 맞닿게 그린 것입니다. 그림 ㉮와 ㉯에서 맨 바깥쪽 원의 중심을 이어서 가장 큰 사각형을 각각 만들었습니다. 이 두 사각형의 네 변의 길이의 합의 차가 42 cm일 때, 그림 ㉮에서 만든 가장 큰 사각형의 네 변의 길이의 합은 몇 cm입니까?

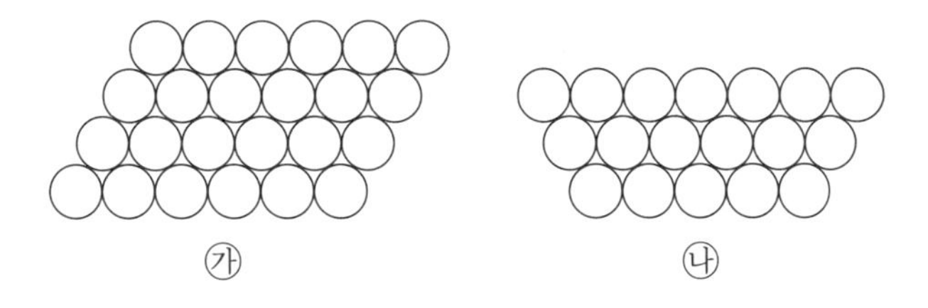

14 그림과 같이 반지름이 10 cm인 원을 4등분 한 종이가 있습니다. 이 종이를 ①의 위치에서 ②의 위치까지 한 바퀴 굴렸을 때, 원의 중심인 점 ㅇ이 움직인 거리는 몇 cm입니까? (단, 원의 둘레는 지름의 3배입니다.)

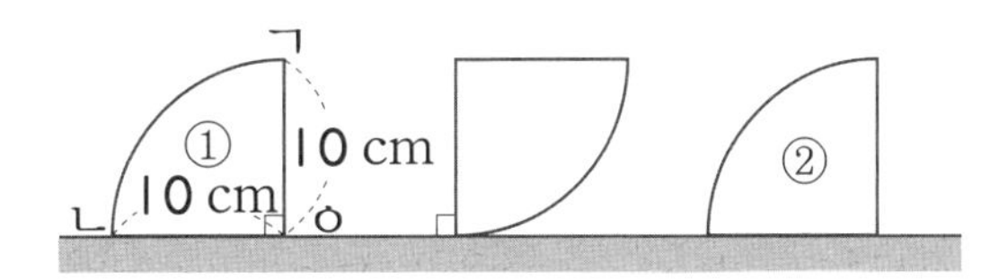

15 오른쪽 그림은 직사각형 안에 크기가 같은 두 원의 일부를 그린 것입니다. 선분 ㄱㄹ과 선분 ㅁㅂ의 길이의 합이 48 cm이고 선분 ㄱㄹ이 선분 ㅁㅂ의 5배일 때, 선분 ㄷㄹ의 길이를 구하시오.

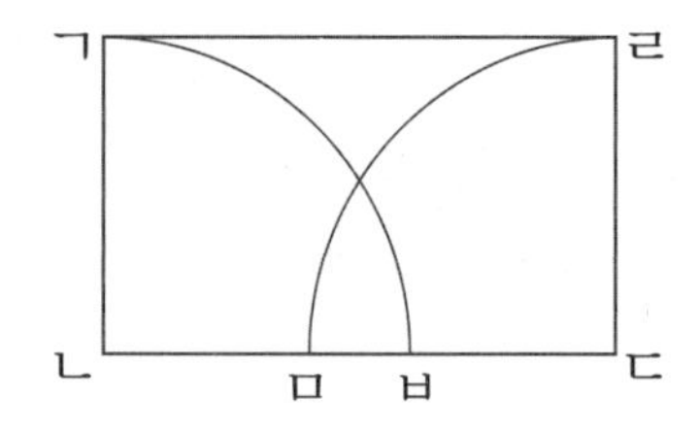

16 원 ㉯의 반지름의 길이가 15 cm일 때, 원 ㉮의 반지름의 길이를 구하시오.

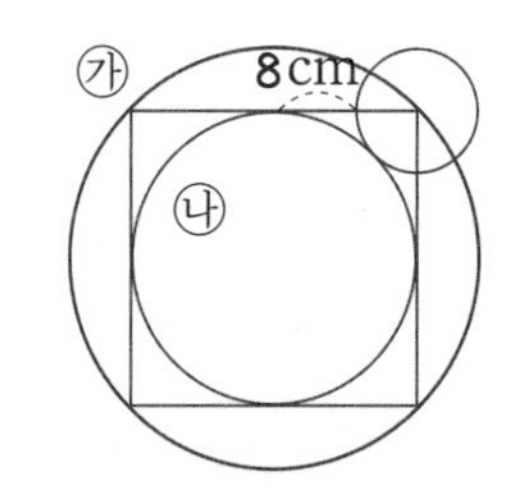

17 오른쪽 그림과 같은 방법으로 정사각형 ㄱㄴㄷㄹ에 똑같은 크기의 원 144개를 집어 넣으려면 원의 반지름은 몇 cm로 해야 합니까?

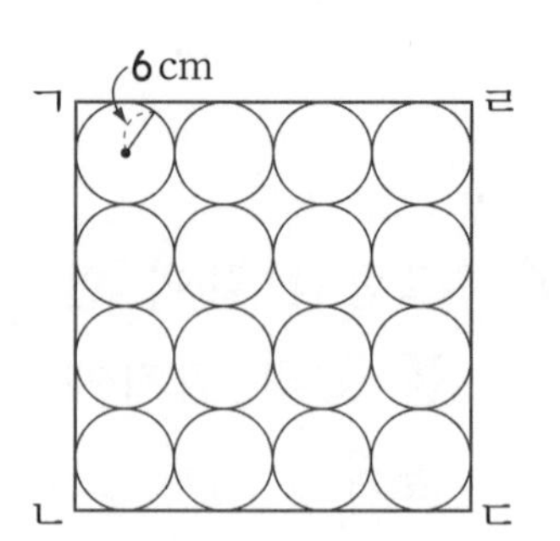

18 오른쪽 그림은 한 변이 2 cm인 정사각형의 각 꼭짓점을 중심으로 $\frac{1}{4}$원을 그린 것입니다. 선분 ㄹㅁ의 길이를 구하시오.

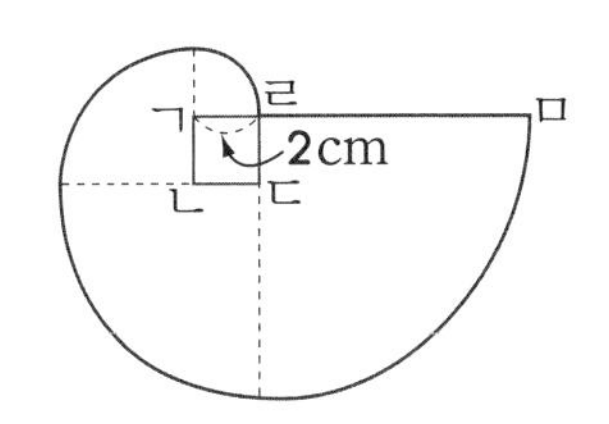

19 직사각형 안에 반지름이 4 cm인 원 35개를 그림과 같은 규칙으로 늘어놓았더니 맞닿았습니다. 직사각형의 가로는 몇 cm입니까?

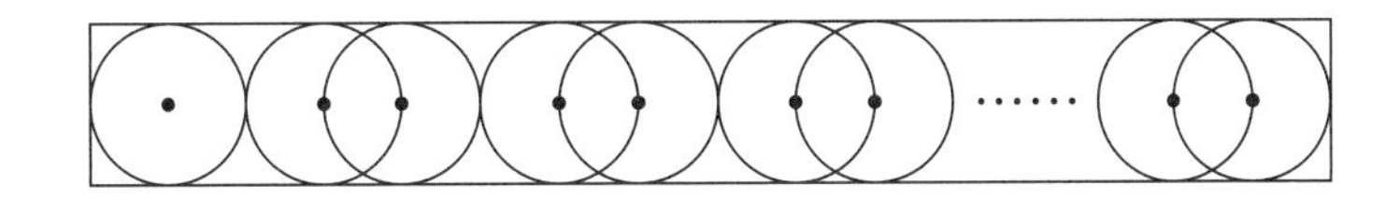

20 오른쪽 그림은 선분 ㄱㄴ과 선분 ㄱㄷ의 길이가 같고 둘레가 80 cm인 삼각형 ㄱㄴㄷ의 각 꼭짓점을 원의 중심으로 하여 원의 일부를 그린 것입니다. 이때, 선분 ㄴㅁ의 길이는 몇 cm입니까?

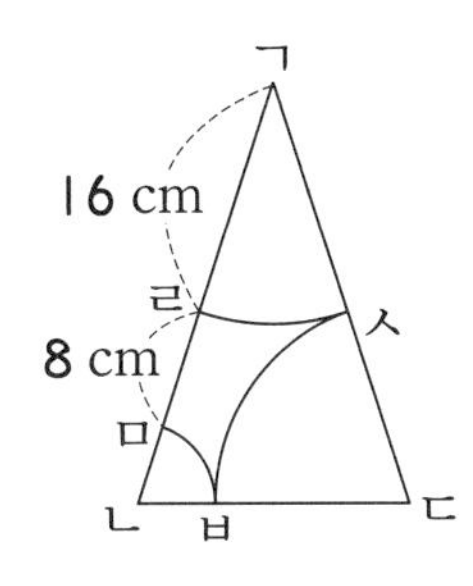

한 번에 이을 수 있을까요?

아래의 그림에는 정사각형 모양으로 25 개의 점이 찍혀 있습니다. 그렇다면 25 개의 점을 모두 8 개의 연속된 직선으로 이어 보세요.

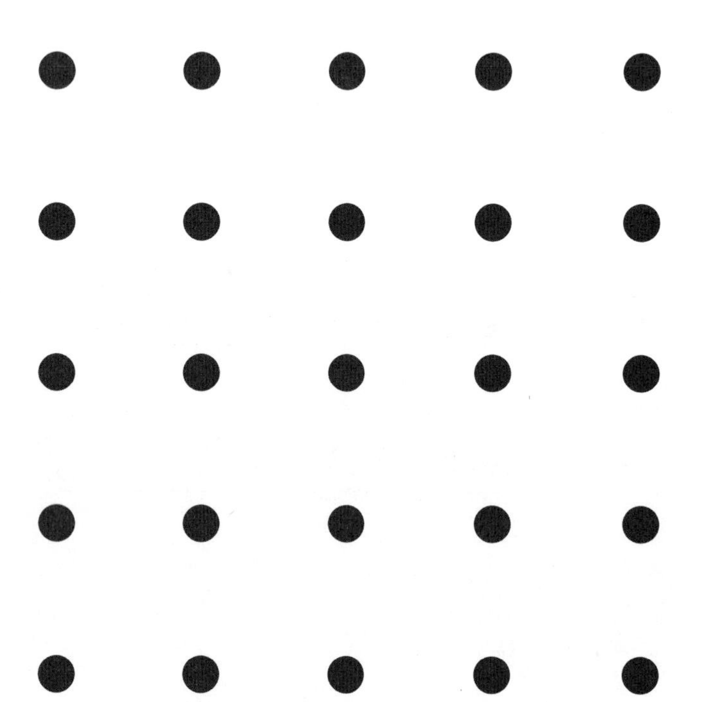

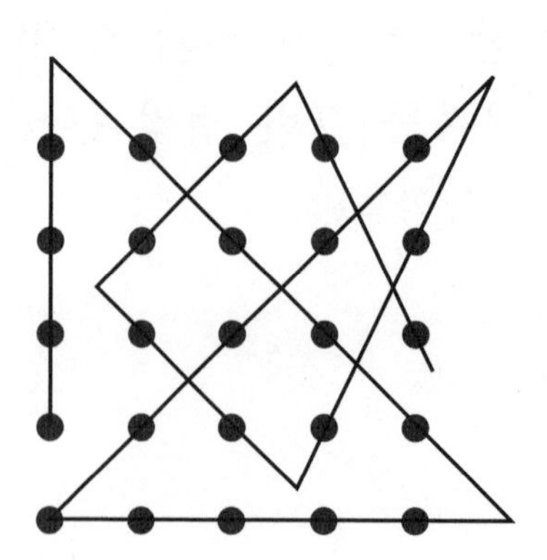

25개의 점을 8개의 연속된 직선으로 연결하면 다음과 같습니다.

Ⅲ 측정

1. 길이와 시간
2. 들이와 무게

APPLICATION

응용왕수학

핵심내용

1 길이와 시간

1 1cm보다 작은 단위인 mm단위

(1) 1cm를 10칸으로 똑같이 나눈 작은 눈금 한 칸의 길이를 1mm라고 합니다.

(2) 읽기 : 1 밀리미터, 쓰기 : 1mm

(3) cm와 mm의 관계

4cm 3mm=4cm+3mm=40mm+3mm=43mm

2 1m보다 큰 단위인 km단위

(1) 긴 거리를 나타낼 때에는 km단위를 사용합니다.

(2) 1000m를 1km라고 합니다.

(3) 읽기 : 1 킬로미터, 쓰기 : 1km

(4) km와 m의 관계

4700m=4000m+700m=4km+700m=4km 700m

3km 800m=3km+800m=3000m+800m=3800m

3 길이의 합과 차

(1) 5cm 4mm	(7, 10) 8cm 5mm	(1) 5km 600m	(5, 1000) 6km 400m
+ 2cm 7mm	− 4cm 7mm	+ 2km 700m	− 3km 800m
8cm 1mm	3cm 8mm	8km 300m	2km 600m
10mm가 되면 1cm로 받아올림합니다.	1cm를 10mm로 받아내림합니다.	1000m가 되면 1km로 받아올림합니다.	1km를 1000m로 받아내림합니다.

4 시각과 시간

(1) 3시 25분과 같이 한 시점을 나타내는 것을 시각이라 합니다.

(2) 2시간 30분과 같이 어떤 시각에서 어떤 시각 사이를 시간이라고 합니다.

5 1초 알아보기

(1) 초침이 작은 눈금 한 칸을 지나는 데 걸리는 시간을 1초라고 합니다.

(2) 초침이 시계를 한 바퀴 도는 데 걸리는 시간은 60초입니다.

6 시간의 덧셈과 뺄셈

3시간 25분	(3, 60) 4시간 15분
+ 2시간 55분	− 2시간 45분
6시간 20분	1시간 30분

(1) 분끼리의 합이 60이거나 60보다 크면 시간의 단위로 받아올림합니다.

(2) 분끼리 뺄셈을 할 수 없을 때에는 시간의 단위에서 받아내림합니다.

Search 탐구

길이가 10cm인 종이 20장을 연결 부분을 5mm로 하여 이어 붙였습니다. 이어 붙인 전체의 길이는 몇 cm 몇 mm입니까?

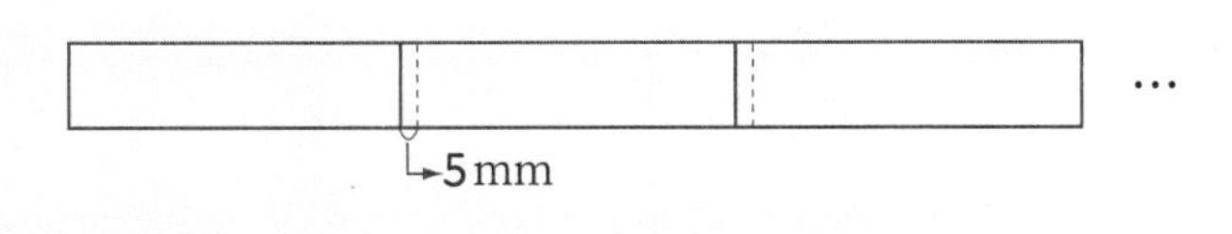

풀이

10cm의 종이를 20장 늘어놓으면 10×20=☐(cm)입니다.

그런데 연결할 때, 겹친 부분이 있으므로 연결 부분마다 ☐mm씩 줄어듭니다.

연결 부분의 개수는 2개를 이으면 1개, 3개를 이으면 2개, 4개를 이으면 3개이므로 20개를 이으면 ☐개입니다.

따라서 줄어든 총 길이는 ☐×☐=☐(mm) ➜ ☐cm ☐mm입니다.

그러므로 전체의 길이는 ☐cm−☐cm ☐mm=☐cm ☐mm입니다.

답 ☐cm ☐mm

EXERCISE 1

1 ☐ 안에 알맞은 수를 써넣으시오.

3km 7m+☐m+840m=6km 30m

2 집에서 도서관을 가는 데 가장 가까운 길과 가장 먼 길의 차는 몇 m입니까?

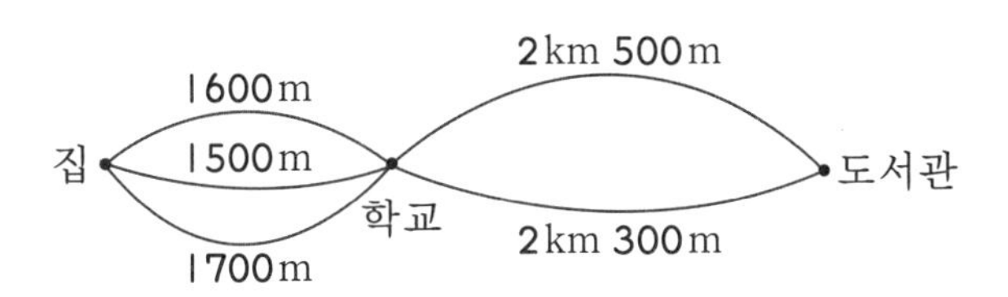

3 오른쪽 그림에서 굵은 선으로 그려진 부분은 몇 cm입니까?

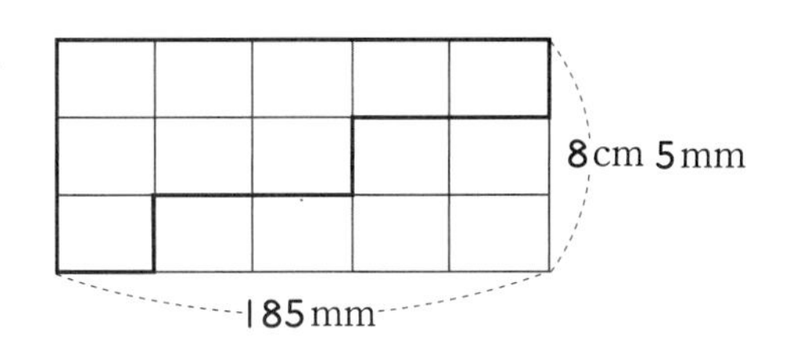

Search 탐구

오른쪽은 효근이가 독서를 시작한 시각과 끝낸 시각을 나타낸 것입니다. 효근이가 독서를 한 시간은 몇 분입니까?

풀이

독서를 시작한 시각은 □시 □분이고, 끝낸 시각은 □시 □분입니다.
따라서 효근이가 독서를 한 시간은
□시 □분－□시 □분＝□분입니다.

답 □분

EXERCISE 2

1 오전 7시 35분에서 오후 4시 45분까지의 시간을 계산하는 방법은 다음 두 가지가 있습니다. □ 안에 알맞은 수를 써넣으시오.

(1) 12시－7시 35분＝□시간 □분

□시간 □분＋4시간 45분＝□시간 □분

(2) 16시 45분－7시 35분＝□시간 □분

2 지금 오후 3시인 시계는 430분이 지나면 오후 몇 시 몇 분을 가리키겠습니까?

3 집에서 40분이 걸리는 역에 마중을 가려고 합니다. 지하철은 10시 43분에 도착하고 지하철이 도착하기 10분 전에 역에 도착하려면 집에서 몇 시 몇 분에 출발하면 됩니까?

왕 문제

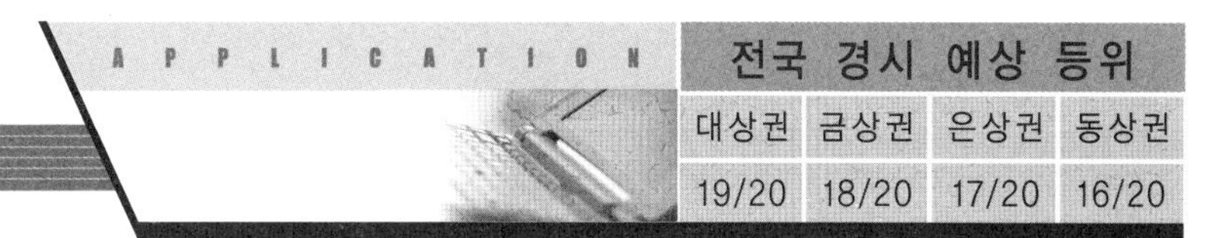

1 다음 시계를 보고 3시간 25분 33초 후의 시각을 구하시오.

2 □ 안에 알맞은 수를 써넣으시오.

(1) 8시간 29분 43초 + 16시간 35분 26초 = □일 □시간 □분 □초

(2) (47분 46초) × 2 = □시간 □분 □초

3 다음은 각 지점을 가는 데 걸린 시간을 나타낸 그림입니다. ㉰ 지점에서 ㉱ 지점까지 가는 데 걸린 시간을 구하시오.

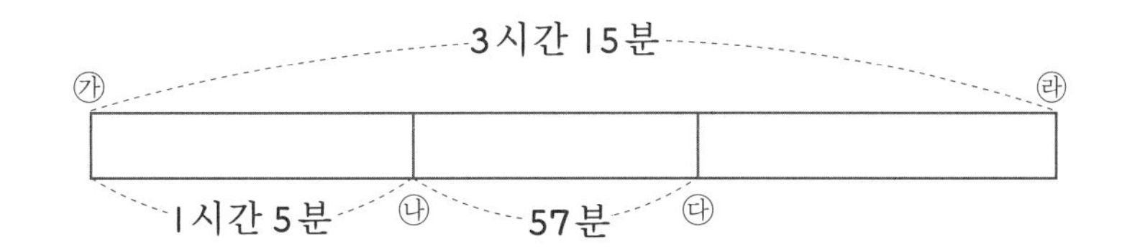

4 영수는 20분 동안 1 km를 걷습니다. 같은 빠르기로 3시간 동안 쉬지 않고 걷는다면, 몇 km를 걷겠습니까?

5 길 한쪽에 60m 간격으로 가로등이 45개 서 있습니다. 처음 가로등에서 마지막 가로등까지의 거리는 몇 km 몇 m입니까?

6 길이가 21cm 6mm인 테이프 7개를 이으려고 합니다. 테이프를 이을 때 겹쳐지는 부분을 13mm로 한다면, 이어 붙여서 만든 테이프의 전체 길이는 몇 mm이겠습니까?

7 기차를 타고 ㉮역에서 ㉱역까지 가는 데 걸린 시간이 다음 그림과 같습니다. ㉱역에 도착한 시각이 오후 1시 20분일 때, ㉯역에서 ㉰역까지 가는 데 걸린 시간을 구하시오.

㉮역 —(77분)→ ㉯역 ——→ ㉰역 —(45분)→ ㉱역

오전 10시 18분 출발 / 5분 쉼 / 4분 쉼 / 오후 1시 20분 도착

8 실내 수영장에 가득 찬 물을 빼내는 데는 2시간 20분이 걸리고, 다시 물을 가득 채우는 데는 2시간 40분이 걸립니다. 오전 8시 40분부터 수영장에 가득 찬 물을 빼내고 다시 가득 채울 때, 이 일이 끝나는 시각을 구하시오.

9 다음 그림에서 집에서 은행을 거쳐 약국까지의 거리는 약국에서 학교까지의 거리보다 몇 m 더 멉니까?

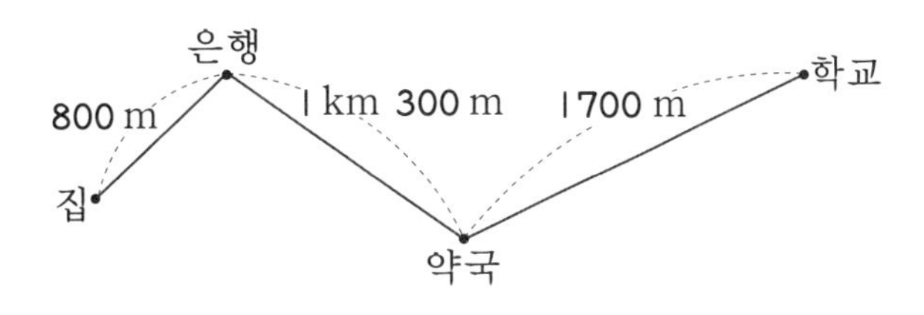

10 우리 학교의 수업은 40분 수업이고, 수업 후에는 10분씩 쉬는 시간입니다. 4교시가 끝났을 때의 시각이 12시 10분일 때, 1교시가 시작하는 시각을 구하시오.

11 석기의 집에서 역까지 가는 도로가 3개 있습니다. 학교, 은행, 도서관 중 어느 곳을 거쳐가는 것이 가장 가깝습니까?

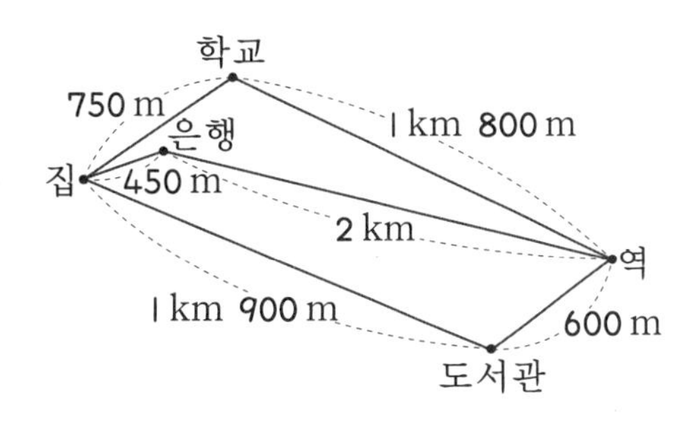

12 다음 그림과 같이 정사각형을 크기가 같은 8개의 직사각형으로 나누었습니다. 작은 직사각형 한 개의 둘레의 길이가 8cm 4mm일 때, 정사각형의 네 변의 길이의 합은 몇 cm 몇 mm입니까?

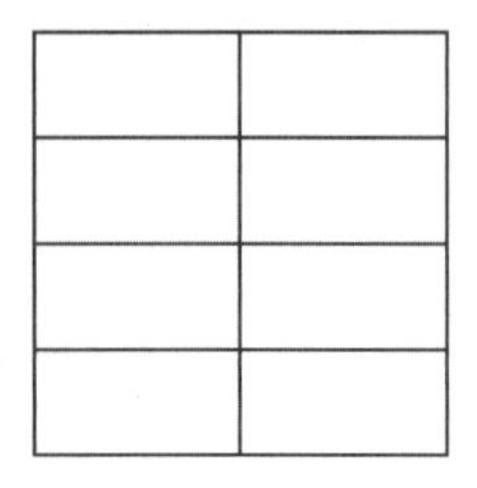

13 1분에 950m를 가는 ㉮ 버스와 1분에 800m를 가는 ㉯ 버스가 있습니다. ㉮ 버스와 ㉯ 버스가 동시에 출발하였다면, 9분 후에 ㉮ 버스는 ㉯ 버스보다 몇 km 몇 m를 앞서 있겠습니까?

14 다음 그림은 가영이네 집에서 석기네 집과 동민이네 집을 거쳐 학교까지 가는 거리를 나타낸 것입니다. 가영이네 집에서 학교까지의 거리는 몇 km 몇 m입니까?

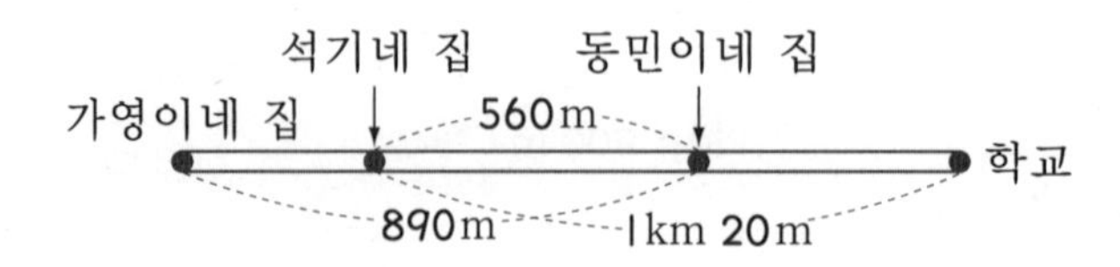

15 석기는 아버지와 함께 등산을 갔습니다. 산 입구에서 절까지는 4km 436m이고, 절에서 산꼭대기까지는 1999m입니다. 석기가 산 입구에서 절을 거쳐 산꼭대기까지 갔다가 같은 길을 내려왔다면 몇 km 몇 m를 걸은 것입니까?

16 하루에 12분씩 늦는 시계가 있습니다. 오늘 낮 12시에 시계를 정확히 맞추어 놓았다면, 내일 밤 12시가 되었을 때, 이 시계는 몇 시 몇 분을 가리키겠습니까?

17 그림과 같이 세 변의 길이가 모두 22mm인 삼각형을 붙여 놓으려고 합니다. 삼각형을 한 개 놓으면 둘레가 66mm이고, 2개를 놓으면 88mm, 3개를 놓으면 110mm가 됩니다. 같은 방법으로 9개를 붙여 놓으면 둘레의 길이는 몇 cm 몇 mm가 됩니까?

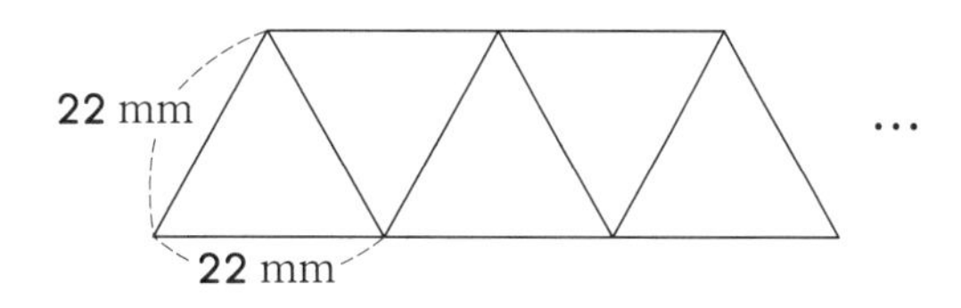

18 한별이는 일요일 아침에 산에 올라가는 데 1시간 40분이 걸렸습니다. 산 정상에서 30분 동안 휴식을 취한 후 50분 걸려 산에서 내려와 1시간 50분 동안 책을 읽었더니 오후 12시 10분이 되었습니다. 산에 오르기 시작한 시각은 몇 시 몇 분이었습니까?

19 1분 동안 신영이는 64 m를 걷고, 오빠는 73 m를 걷습니다. 이와 같은 빠르기로 호수 둘레를 신영이는 오른쪽으로, 오빠는 왼쪽으로 같은 곳에서 동시에 출발하여 23분 후에 처음으로 만났습니다. 이 연못의 둘레의 길이는 몇 km 몇 m입니까?

20 다음은 각 열차의 출발 시각과 도착 시각을 나타낸 것입니다. 열차가 모두 같은 빠르기로 간다면, 가장 가까운 곳에 가는 열차는 어느 열차입니까?

	출발 시각	도착 시각
가 열차	22 : 20	07 : 10
나 열차	20 : 15	05 : 24
다 열차	06 : 43	15 : 32
라 열차	13 : 25	23 : 07

1 영수는 30분 동안 2km 400m를 걸을 수 있습니다. 같은 빠르기로 1시간 50분 동안에는 몇 km 몇 m를 걸을 수 있습니까?

2 오른쪽 그림과 같은 길을 지혜와 영수가 자전거를 타고 1시간에 30km의 빠르기로 달렸습니다. 두 명 모두 ㄴ지점에서 동시에 출발하였고, 지혜는 ㄴ→ㄱ→ㄹ, 영수는 ㄴ→ㄷ을 지나 길 ㄷㄹ의 중간 지점에서 출발한 지 20분 만에 만났습니다. 길 ㄱㄴ의 거리를 구하시오.

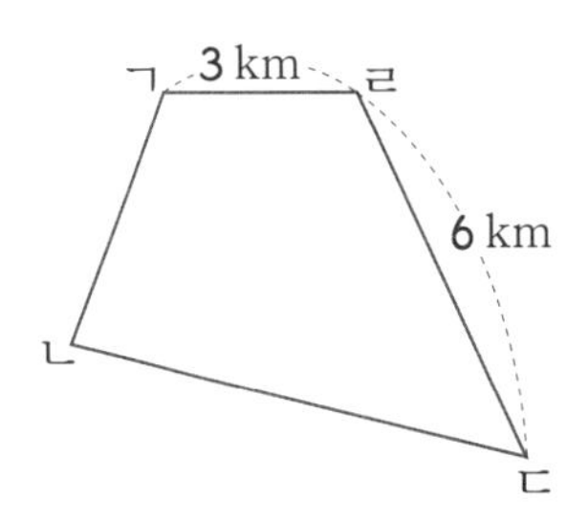

3 길이가 450cm인 굵은 통나무를 30cm씩 15도막으로 자르려고 합니다. 한 번 자르는 데 12분이 걸리고, 한 번 자른 후에는 3분씩 쉬었다가 자릅니다. 이 통나무를 자르기 시작한 시각이 9시 12분이라면 15도막으로 잘랐을 때의 시각은 몇 시 몇 분입니까?

4 가영이는 오후 3시 45분부터 1시간 40분 동안 동화책을 읽고, 몇 분 동안 쉰 다음에는 1시간 20분 동안 숙제를 하였습니다. 가영이가 숙제를 마친 시각이 오후 7시 35분이라면 가영이는 중간에 몇 분 동안 쉬었습니까?

5 신영이네 집에서 동사무소까지는 1km 700m이고, 동사무소에서 학교까지의 거리는 900m입니다. 신영이네 집에서 동사무소를 거쳐 학교까지 가는 거리의 중간 지점은 집에서부터 몇 m가 되겠습니까?

6 서울이 8월 3일 오전 9시이면, 뉴욕은 8월 2일 오후 7시입니다. 뉴욕이 8월 5일 오전 2시 35분이면 서울은 8월 며칠 몇 시 몇 분입니까?

7 어느 공장에서 한 사람이 네 개의 장난감을 만드는 데 35분 걸린다고 합니다. 10사람이 오전 10시 20분부터 같은 빠르기로 120개의 장난감을 만든다면 일이 끝나는 시각은 언제입니까?

8 시각을 숫자로 나타내는 시계가 있습니다. 이 시계는 오전 6시는 06:00으로 표시되고 오후 5시 30분은 17:30으로 표시된다고 합니다. 오전 10시부터 오후 3시까지 중에서 이 시계의 '시' 부분을 나타내는 숫자의 합과 '분' 부분을 나타내는 숫자의 합이 같게 되는 때는 몇 번입니까?

9 집에서 2.4km 떨어져 있는 공원에 갔습니다. 오전 10시에 출발하여 갈 때는 1분에 80m씩 걷고, 돌아올 때는 1분에 60m씩 걸었습니다. 공원에서는 3시간 놀았다고 합니다. 집에 돌아온 것은 몇 시 몇 분인지 구하시오.

10 유승이는 롯데타워를 걸어서 올라갔습니다. 1층부터 계단을 올라가는데 5층씩 올라간 후 2분씩 쉬었습니다. 한 층을 올라가는데 30층까지는 7초씩, 60층까지는 8초씩, 90층까지는 9초씩, 123층까지는 10초씩 걸렸다면 123층까지 올라가는 데 걸린 시간은 모두 몇 분 몇 초입니까?

11 길이가 36cm, 42cm, 48cm인 종이 테이프가 1장씩 있습니다. 이 종이 테이프를 각각 $\frac{1}{6}$씩 잘라내고, 남은 부분을 겹치는 부분이 같게 하여 길게 이었더니 그 길이가 97cm가 되었습니다. 몇 cm씩 겹쳐지게 이었습니까?

12 다음 그림과 같이 가로 10cm, 세로 4cm인 테이프를 가로로 7개씩, 세로로 5개씩 이어 붙여 도형을 만들었습니다. 이때 겹쳐지는 부분을 가로, 세로가 각각 8mm씩 이어 붙여서 만들었다면, 만든 도형의 둘레의 길이는 몇 cm입니까?

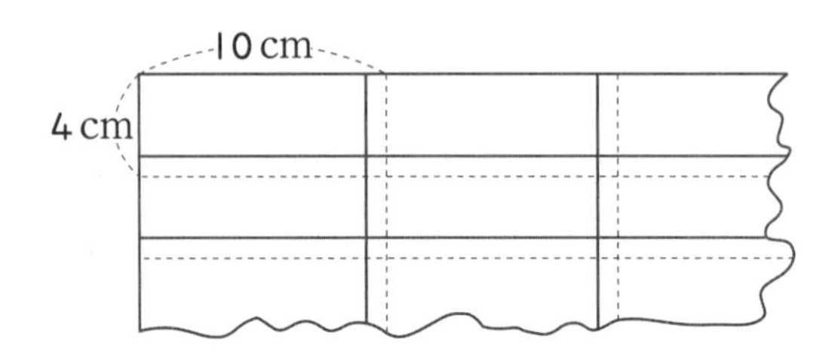

13 석기는 하루에 1시간 25분씩 독서를 하려고 합니다. 그러나 토요일과 일요일에는 평소보다 20분씩 독서 시간을 더 늘려서 했습니다. 석기가 10월 한 달 동안 독서한 시간은 몇 시간 몇 분입니까? (단, 10월 1일은 일요일입니다.)

14 동민이가 높이 53cm 7mm인 의자에 올라서서 바닥에서부터 키를 재어 보면 190 cm가 되고, 책상 위에 올라서서 바닥에서부터 키를 재면 232cm 5mm가 됩니다. 책상의 높이는 몇 cm 몇 mm입니까?

15 하루에 2분 25초씩 빨리 가는 시계가 있습니다. 이 시계를 월요일 정오에 정확히 맞추어 놓으면 그 주의 목요일 정오에는 몇 시 몇 분 몇 초를 가리키겠습니까?

16 아버지의 시계는 하루에 42초씩 늦어진다고 합니다. 지금 시계를 9시 10분 45초로 맞추어 놓으면 정확히 96시간 후 아버지의 시계는 몇 시 몇 분 몇 초입니까?

17 한초네 집에서 역까지의 거리는 3200m입니다. 11시 12분에 출발하는 기차를 타기 위해 15분 전까지 역에 도착하려고 합니다. 집에서 몇 시 몇 분에 출발해야합니까? (단, 한초는 1분 동안 80m를 걷습니다.)

18 다음 그림과 같이 정사각형의 중심에서 시작하여 동쪽으로 3cm 5mm, 남쪽으로 7cm, 서쪽으로 10cm 5mm, 북쪽으로 14cm, …와 같은 방법으로 선을 계속 그어 정사각형의 둘레에 닿으려면 모두 몇 cm 몇 mm를 그어야 합니까?

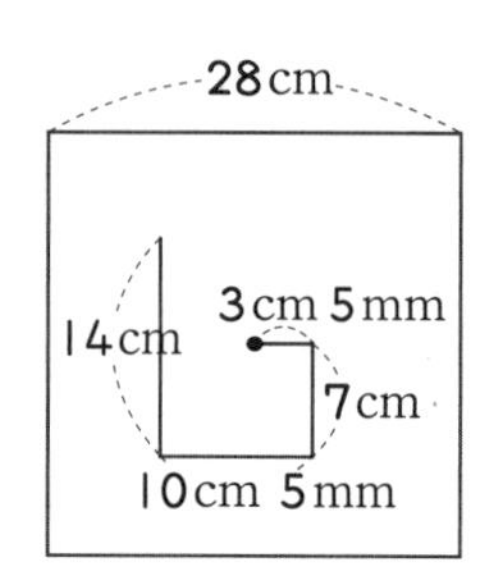

19 모형 기차가 ①번 역을 출발하여 ②, ③, …, ⑨번을 거쳐 ⑩번 역까지 가려고 합니다. 역마다 이동하는 시간은 같고, 각 역마다 도착하면 3초씩 쉬려고 합니다. ①번 역을 출발하여 ⑤번 역까지 가는 데 걸린 시간은 57초라고 할 때 ①번 역을 출발하여 ⑩번 역까지 가는 데 걸린 시간은 몇 분 몇 초입니까?

20 위인전 7권과 동화책 6권의 두께가 같습니다. 위인전 3권과 동화책 12권의 두께가 20cm 4mm일 때, 위인전 5권과 동화책 3권의 두께는 몇 cm 몇 mm입니까?

2 들이와 무게

1 들이의 단위

(1) 들이의 단위에는 리터와 밀리리터가 있습니다. 1 리터는 1 L, 1 밀리리터는 1 mL라 쓰고, 1 리터는 1000 밀리리터와 같습니다.

1 L=1000 mL　　1L 1mL

(2) 1 L보다 500 mL 더 많은 들이를 1 L 500 mL라 쓰고, 1 리터 500 밀리리터라고 읽습니다.

1 L 500 mL=1 L+500 mL=1000 mL+500 mL=1500 mL

2 들이의 합과 차

• 들이의 합

	1	
	3 L	650 mL
+	2 L	840 mL
	6 L	490 mL

• 들이의 차

	4	1000
	5 L	240 mL
−	2 L	460 mL
	2 L	780 mL

3 무게의 단위

• 무게의 단위에는 킬로그램과 그램 등이 있습니다.

1 kg=1000 g

• 1 킬로그램 1 kg, 1 그램은 1 g이라고 씁니다.
• 1 kg보다 600 g 더 무거운 무게를 1 kg 600 g이라 쓰고 1 킬로그램 600 그램이라고 읽습니다.

1 kg 600 g=1 kg+600 g=1000 g+600 g=1600 g

• 1000 kg의 무게를 1 t이라 쓰고 1 톤이라고 읽습니다.

1 t=1000 kg

• 무게가 큰 경우 g이나 kg 단위로 나타내면 수치가 커져서 사용하기 불편하므로 큰 무게의 단위인 t을 사용합니다.

4 무게 어림하고 재기, 무게의 합과 차

• 무게를 어림하여 말할 때에는 약 □kg 또는 약 □g이라고 합니다.

• 무게의 합

2 kg 300 g+1 kg 500 g
=3 kg 800 g

	2 kg	300 g
+	1 kg	500 g
	3 kg	800 g

• 무게의 차

3 kg 700 g−1 kg 400 g
=2 kg 300 g

	3 kg	700 g
−	1 kg	400 g
	2 kg	300 g

Search 탐구

12L들이의 빈 물통에 ㉮, ㉯, ㉰, ㉱의 그릇으로 물을 가득 담아 아래와 같은 횟수만큼 각각 물을 부으면 물통에 물이 가득 찬다고 합니다. 각 그릇의 들이를 구하고, 그릇의 들이가 가장 작은 것부터 차례로 기호를 쓰시오.

㉮그릇 : 12번 ㉯그릇 : 6번 ㉰그릇 : 8번 ㉱그릇 : 10번

풀이

12L=12000mL이므로

(㉮ 그릇의 들이)=12÷□=□(L), (㉯ 그릇의 들이)=12÷□=□(L)

(㉰ 그릇의 들이)=12000÷8=□(mL) ➔ □L □mL

(㉱ 그릇의 들이)=12000÷10=□(mL) ➔ □L □mL

따라서 그릇의 들이가 작은 것부터 차례로 쓰면 □, □, □, □입니다.

답 ㉮ 그릇 : □L, ㉯ 그릇 : □L, ㉰ 그릇 : □L □mL,
㉱ 그릇 : □L □mL, □, □, □, □

EXERCISE 1

1 다음을 계산하시오.

(1) 36L 600mL
+23L 800mL

(2) 20L
− 9L 820mL

2 간장이 5L 300mL 있습니다. 어떤 음식을 만드는 데 400mL씩 6번 사용하였다면, 남아 있는 간장은 몇 L 몇 mL입니까?

3 15L들이의 그릇에 7L 200mL의 물이 들어 있습니다. 이 그릇에 물을 가득 채우려면 600mL 그릇으로 최소한 몇 번 부어야 합니까?

Search 탐구

영수의 몸무게는 28kg 450g입니다. 아버지의 몸무게는 영수의 몸무게의 3배보다 6kg 700g이 더 가볍습니다. 아버지의 몸무게는 몇 kg 몇 g입니까?

풀이

영수의 몸무게의 3배 : 28kg 450g+28kg 450g+28kg 450g=□kg □g

따라서 아버지의 몸무게는 □kg □g−6kg 700g=□kg □g입니다.

답 □kg □g

EXERCISE 2

1 □ 안에 알맞은 수를 써넣으시오.

(1)

24 kg	□ g
− 16 kg	520 g
□ kg	490 g

(2)

□ kg	230 g
+ 13 kg	□ g
52 kg	90 g

2 어떤 물건을 저울에 올려 놓았더니 오른쪽과 같이 나타났습니다. 이 저울에 750g의 물건을 더 올려 놓으면 저울의 눈금은 얼마를 나타내겠습니까?

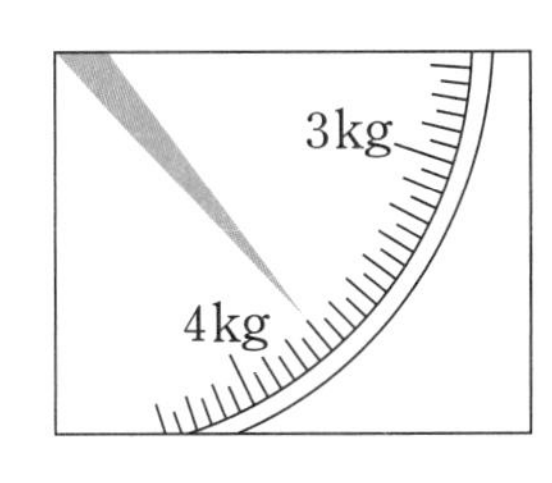

3 용희가 무게 1kg 750g인 가방을 들고 저울에 올라섰더니 저울의 눈금이 35kg 500g을 가리켰습니다. 용희가 27kg 200g인 동생을 업고 저울에 올라서면 저울의 눈금은 몇 kg 몇 g을 가리키겠습니까?

전국 경시 예상 등위			
대상권	금상권	은상권	동상권
19/20	18/20	17/20	16/20

1 9L의 물이 들어가는 빈 그릇에 1L 400mL들이 그릇으로 물을 가득 담아 5번 부었습니다. 나머지는 500mL들이 그릇으로 최소한 몇 번을 부으면 물이 가득 차겠습니까?

2 석기네 식구가 하루 동안 마시는 물의 양은 3L 200mL입니다. 이 중에서 석기와 아버지가 하루 동안 마시는 물의 양은 1L 100mL이고, 모든 식구들이 매일 같은 양의 물을 마신다면 석기와 아버지를 제외한 나머지 식구들이 2주일 동안 마시는 물의 양은 몇 L 몇 mL입니까?

3 어떤 물통에 250mL들이의 컵으로 물을 가득 담아 20번을 부은 후, 600mL들이의 컵으로 물을 가득 담아 13번 부었더니 이 물통이 가득 찼습니다. 이 물통의 들이는 몇 L 몇 mL입니까?

4 가, 나, 다 세 물통이 있습니다. 가물통의 들이는 나물통의 들이의 2배이고, 다물통의 들이는 가물통의 들이의 4배입니다. 가, 나, 다 세 물통의 들이의 합이 57L 200mL라면, 가물통의 들이는 몇 L 몇 mL입니까?

5 10L들이의 통에 물이 가득 들어 있습니다. 이 통에서 1L 500mL들이의 그릇으로 물을 가득 담아 3번 덜어내고, 1L 250mL들이의 그릇으로 물을 가득 담아 몇 번 덜어냈더니 1L 750mL의 물이 남았습니다. 1L 250mL들이의 그릇으로 몇 번 덜어냈습니까?

6 A물통에 들어 있는 물의 $\frac{3}{5}$은 B물통에 들어 있는 물의 $\frac{3}{4}$과 같습니다. B물통에 들어 있는 물의 양이 200mL일 때, A물통에 들어 있는 물의 양을 구하시오.

7 2L 100mL의 우유를 석기와 지혜가 나누어 마시려고 합니다. 석기가 지혜보다 200mL를 더 많이 마시려면 석기와 지혜는 각각 몇 mL의 우유를 마셔야 합니까?

8 들이가 서로 다른 A, B, C 3개의 병이 있습니다. A병 7개와 B병 3개의 들이는 같고, B병 1개의 들이와 C병 5개의 들이는 같습니다. A병 21개의 들이는 C병 몇 개의 들이와 같습니까?

9 A, B, C 3개의 물탱크에 물이 들어 있습니다. A 물탱크에는 물이 29L 들어 있고 B 물탱크에는 A 물탱크에 들어 있는 물보다 2700mL 더 적게 들어 있고, C 물탱크에는 A 물탱크와 B 물탱크에 들어 있는 물의 합보다 4750mL 더 많이 들어 있습니다. C 물탱크에 들어 있는 물은 몇 L 몇 mL입니까?

10 냉장고에 주스가 있었습니다. 이 중에서 아버지가 전체의 $\frac{1}{6}$을 마시고, 나머지의 $\frac{2}{5}$를 어머니가 마셨습니다. 아버지와 어머니가 마시고 남은 주스의 $\frac{2}{3}$를 효근이가 마시고 난 후, 남은 주스의 양이 120mL였다면 처음에 냉장고에 있었던 주스의 양은 몇 mL입니까?

11 영수가 강아지를 안고 무게를 달았더니 31kg이었고, 가영이가 같은 강아지를 안고 무게를 달았더니 27kg 350g이었습니다. 강아지의 무게가 1kg 400g이라면 영수, 가영, 강아지의 무게의 합은 얼마입니까?

12 접시, 사과, 복숭아가 1개씩 있습니다. 접시에 과일을 놓고 각각 무게를 재면 사과는 520g, 복숭아는 450g입니다. 접시에 사과와 복숭아를 놓았을 때의 무게가 845g이면 접시, 사과, 복숭아의 무게는 각각 얼마입니까?

13 무게가 250g인 상자에 모래를 가득 넣어 무게를 재었더니 1kg 780g이었고 무게가 460g인 통에 모래를 가득 넣어 무게를 재었더니 2kg 250g이었습니다. 상자와 통 중 어느 것에 들어 있는 모래가 얼마나 더 무겁습니까?

14 한 상자에 30개씩 들어 있는 귤이 10상자 있습니다. 귤이 들어 있는 10상자의 무게는 65kg이고, 빈 상자 1개의 무게는 500g이라면 귤 1개의 무게는 몇 g입니까? (단, 각각의 귤의 무게는 모두 같습니다.)

15 무게가 220g인 작은 상자에 사과를 각각 6개씩 넣은 후 이 작은 상자 9개를 무게가 250g인 큰 상자에 넣었더니 13.3kg이 되었습니다. 사과 한 개의 무게는 몇 g입니까? (단, 각각의 사과의 무게는 같습니다.)

16 캔 한 개만의 무게는 70g입니다. 220g의 내용물이 담긴 캔을 그림과 같이 상자 안에 2층으로 넣었을 때, 상자 전체의 무게는 몇 kg 몇 g입니까?
(단, 상자만의 무게는 1.2kg입니다.)

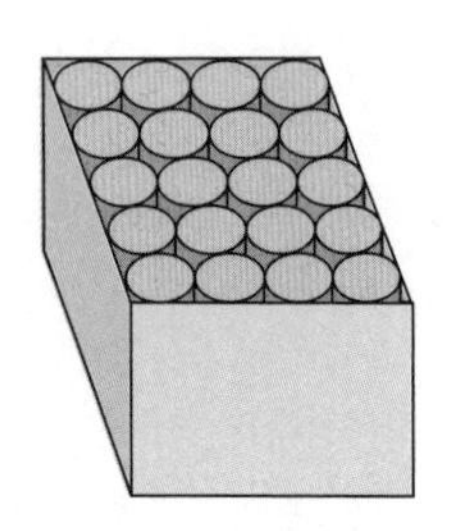

17 3개의 수도관으로 3시간 동안 27000kg의 물을 받을 수 있습니다. 같은 수도관을 5개 더 늘린다면 7시간 동안 받을 수 있는 물의 양은 몇 t입니까?

18 ㉮ 바구니에 담긴 배의 무게는 ㉯ 바구니에 담긴 배의 무게의 3배이고, ㉮ 바구니에서 배 30kg을 꺼내어 ㉯ 바구니에 담는다면 두 바구니에 담긴 배의 무게가 같게 됩니다. 두 바구니에 담긴 배의 무게를 각각 구하시오.

19 똑같은 귤이 있습니다. 귤 전체의 무게는 873kg이었고 이 중 30개를 뺀 나머지의 무게가 864kg이었습니다. 귤은 모두 몇 개 있습니까?

20 오이 2kg과 배추 3kg의 값은 6500원이고, 같은 오이 6kg과 배추 3kg의 값은 10500원입니다. 배추 10kg의 값은 얼마입니까?

왕중왕 문제

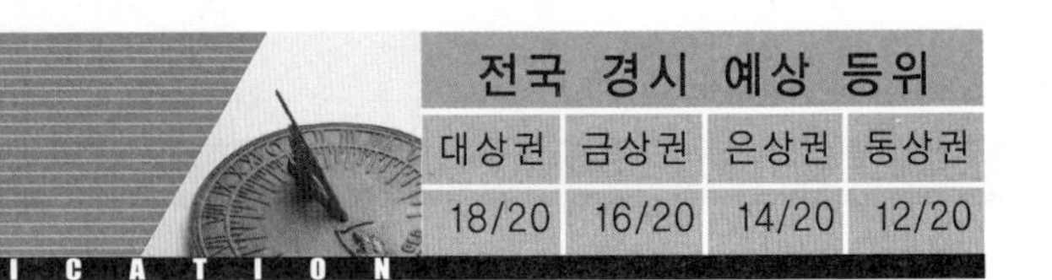

1 다음과 같은 3종류의 컵에 물을 가득 채워 ㉮컵으로는 9번, ㉯컵으로는 12번, ㉰컵으로는 18번 부으면 양동이에 물이 가득 차게 됩니다. 물을 가득 채워 ㉮컵으로 4번, ㉰컵으로 7번 부었다면 ㉯컵으로 물을 가득 채워 몇 번 더 부으면 이 양동이에 물이 가득 차겠습니까?

2 12L 400mL의 기름이 있습니다. 이것을 큰 병에는 작은 병보다 2L 600mL 많게 나누어 담으려고 합니다. 큰 병과 작은 병에는 각각 얼마씩 나누어 담으면 되겠습니까?

3 신영이는 7L 300mL의 우유를 매일 400mL씩 마시고, 웅이는 5L 600mL의 우유를 매일 300mL씩 마십니다. 두 사람이 같은 날 우유를 마시기 시작했다면, 며칠 동안 마셔야 두 사람이 마시고 남은 우유의 양이 같아지겠습니까?

4 큰 물통에 작은 컵으로 물을 가득 담아 8번 넣은 후, 다시 5400mL의 물을 넣었습니다. 이 물을 12개의 작은 물통에 나누어 담았더니 작은 물통 한 개에 530mL씩 담겨졌습니다. 작은 컵의 들이를 구하시오.

5 ㉮통에 석유 12 L 400 mL, ㉯통에 석유 7600 mL가 들어 있습니다. ㉮통과 ㉯통에 들어 있는 석유의 양이 같아지려면 ㉮통에서 ㉯통으로 몇 L 몇 mL를 옮기면 됩니까?

6 ㉮, ㉯ 두 그릇의 들이의 합은 78 L 600 mL이고 ㉯, ㉰ 두 그릇의 들이의 합은 69 L 800 mL입니다. ㉮, ㉯, ㉰ 세 그릇의 들이의 합이 107 L 600 mL일 때, ㉯ 그릇의 들이는 몇 L 몇 mL입니까?

7 주스와 우유가 있습니다. 주스의 양은 우유의 양보다 680 mL 적고, 주스와 우유를 각각 700 mL씩 마셨더니 우유의 양이 주스의 양의 3배가 되었습니다. 처음에 있었던 주스와 우유의 양을 각각 구하시오.

8 식용유 3 L를 갑, 을, 병 세 사람에게 나누어 주려고 합니다. 갑은 을보다 200 mL 많게, 을은 병보다 200 mL 많게 나누어 준다면, 갑, 을, 병 세 사람에게 각각 몇 mL씩의 식용유를 나누어 주어야 합니까?

9 우유 500mL의 값이 주스 400mL의 값과 같다고 합니다. 어머니가 주스 800mL와 우유 600mL를 사는 데 모두 7680원을 냈다고 합니다. 우유와 주스의 100mL의 값은 각각 얼마입니까?

10 ㉮, ㉯, ㉰ 세 개의 컵에 물이 담겨 있습니다. 세 컵의 물의 양의 합은 1L 200mL입니다. ㉰컵에서 ㉯컵으로 200mL, ㉮컵으로 100mL의 물을 옮기면 세 개의 컵에 담긴 물의 양은 같아진다고 합니다. 각각의 컵에 처음에 들어 있던 물의 양을 구하시오.

11 효근, 석기, 가영 세 사람의 몸무게의 합은 106kg 600g입니다. 가영이는 석기보다 7kg 700g 더 가볍고, 석기는 효근이보다 4.8kg 더 가볍습니다. 효근, 석기, 가영이의 몸무게는 각각 얼마입니까?

12 가지 5kg의 가격은 오이 4kg의 가격과 같습니다. 어머니께서 오이 6kg과 가지 8kg을 사는 데 모두 37200원을 냈을 때, 가지 1kg과 오이 1kg의 가격은 각각 얼마입니까?

13 큰 물통에 물이 가득 들어 있습니다. 이 물을 모양과 크기가 같은 몇 개의 작은 물통에 나누어 담으려고 합니다. 500g씩 나누어 담으면 3kg이 남고 900g씩 나누어 담으면 200g이 남습니다. 큰 물통에 들어 있는 물은 몇 kg 몇 g입니까?

14 석기는 가지고 있는 돈 5000원의 $\frac{3}{4}$을 사용하여 물건 A와 B를 합하여 15kg을 구입했습니다. 물건 A의 1kg 가격은 200원이고 물건 B의 1kg 가격은 물건 A의 1kg 가격의 $1\frac{3}{4}$배라고 한다면 구입한 물건 B는 몇 kg입니까?

15 예슬이는 15kg, 가영이는 9kg의 찰흙을 가지고 있습니다. 두 사람이 미술 시간에 매주 500g씩 사용한다고 할 때, 예슬이의 남은 찰흙이 가영이의 남은 찰흙의 3배가 되는 것은 지금부터 몇 주 후입니까?

16 물통 ㉮와 ㉯에 각각 물이 들어 있습니다. ㉮ 물통과 ㉯ 물통에 들어 있는 물의 무게의 차는 1kg 600g이며, ㉮ 물통의 물의 무게는 ㉯ 물통의 물의 무게의 4배보다 380g 가볍습니다. ㉯ 물통에 들어 있는 물의 무게는 몇 g입니까?

17 두 물통 ㉮, ㉯에 각각 물이 들어 있었는데 ㉮의 물이 ㉯의 물보다 400g 더 많았습니다. ㉮에서 ㉯로 물 500g을 옮겼더니 ㉯의 물이 ㉮의 물의 4배가 되었습니다. 처음 물통에 들어 있던 물의 양은 각각 g입니까?

18 어머니가 어제는 집에 있던 식용유의 $\frac{2}{5}$보다 300g 더 많이 사용했고, 오늘은 나머지 식용유의 $\frac{1}{2}$보다 200g 더 적게 사용했습니다. 남은 식용유가 800g이라면, 어제 어머니가 사용하기 전 집에 있던 식용유는 몇 kg 몇 g입니까?

19 2kg 500g의 과자를 A, B, C 3사람이 나누어 먹었는데 B는 C의 2배보다 100g을 더 먹었고 A는 B의 2배보다 100g을 더 먹었습니다. B가 먹은 과자의 무게는 몇 g입니까?

20 어느 쌀 가게에서 쌀 750kg을 들여 왔습니다. 쌀을 들여 온 첫 주에 쌀을 몇 kg 팔았고, 다음 주에 나머지 쌀의 $\frac{3}{5}$을 팔았고, 그 다음 주에 나머지 쌀의 $\frac{5}{8}$를 팔았더니 쌀이 75kg 남았습니다. 첫 주에는 몇 kg의 쌀을 팔았습니까?

정삼각형과 삼각형 만들기

성냥개비 8개를 사용하여 정사각형 2개, 삼각형 4개를 만들어 보시오. 단, 성냥개비를 꺾어서는 안됩니다.

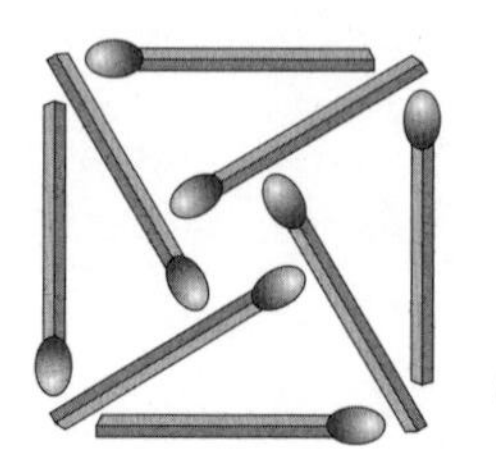

Ⅳ 자료와 가능성

1. 자료 정리하기

APPLICATION

응용왕수학

핵심내용 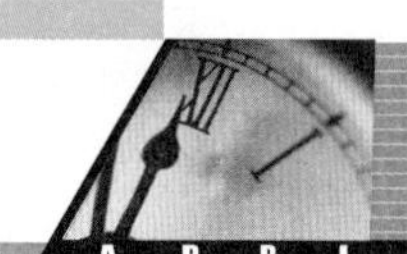

1 자료 정리하기

1 표에서 알 수 있는 내용 알아보기

마을별 초등학생 수

마을	무궁화	진달래	개나리	난초	합계
학생 수(명)	32	24	27	22	105

· 초등학생 수가 가장 많은 마을은 무궁화 마을입니다.
· 4개의 마을에서 사는 초등학생 수는 105명입니다.
· 초등학생 수가 가장 많은 마을부터 순서대로 쓰면 무궁화, 개나리, 진달래, 난초 마을입니다.

2 자료를 보고 표로 나타내기

〈좋아하는 과목〉

학생	과목	학생	과목	학생	과목	학생	과목	학생	과목	학생	과목
상연	수학	석기	체육	예슬	음악	웅이	음악	한솔	수학	동민	음악
영수	체육	용희	수학	신영	체육	가영	수학	규형	체육	지훈	수학
윤수	음악	주희	미술	유승	수학	지혜	미술	효근	미술	은지	체육

〈좋아하는 과목별 학생 수〉

과목	수학	음악	미술	체육	합계
학생 수(명)	6	4	3	5	18

➡ 자료를 정리하여 표로 나타내면 학생들이 가장 좋아하는 과목이 무엇인지, 합계가 얼마인지를 쉽게 알 수 있습니다.

3 그림그래프 알아보기

조사한 수를 그림으로 나타낸 그래프를 그림그래프라고 합니다.

〈과수원별 사과 생산량〉

과수원	꿈	사랑	우정
생산량(상자)	150	210	180

4 그림그래프 그리기

① 그림을 몇 가지로 나타낼 것인지 정합니다.
② 어떤 그림으로 나타낼 것인지 정합니다.
③ 조사한 수에 맞도록 그림을 그립니다.
④ 그림그래프에 알맞은 제목을 붙입니다.

〈과수원별 사과 생산량〉

과수원	사과 생산량
꿈	🍎 ●●●●●
사랑	🍎🍎 ●
우정	🍎 ●●●●●●●●

🍎 100상자 ● 10상자

Search 탐구

오른쪽 그림그래프는 네 과수원의 일주일 동안의 사과 생산량을 나타낸 것입니다. 물음에 답하시오.

(1) 네 과수원에서 일주일 동안 생산하는 사과 총생산량을 구하시오.

(2) 일주일 동안 가장 많은 사과를 생산하는 과수원과 가장 적은 사과를 생산하는 과수원의 생산량의 차를 구하시오.

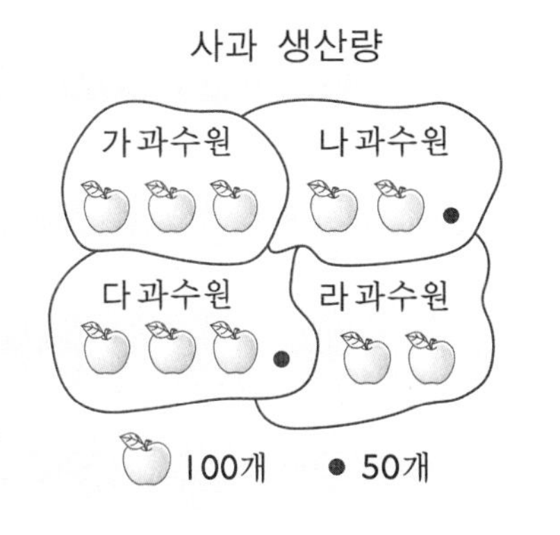

풀이

(1) □+□+□+□=□(개)

(2) □−□=□(개)

답 (1) □개 (2) □개

EXERCISE

오른쪽은 각 마을에 살고 있는 3학년 학생 수를 조사하여 그림그래프로 나타낸 것입니다. 물음에 답하시오. (**1**~**2**)

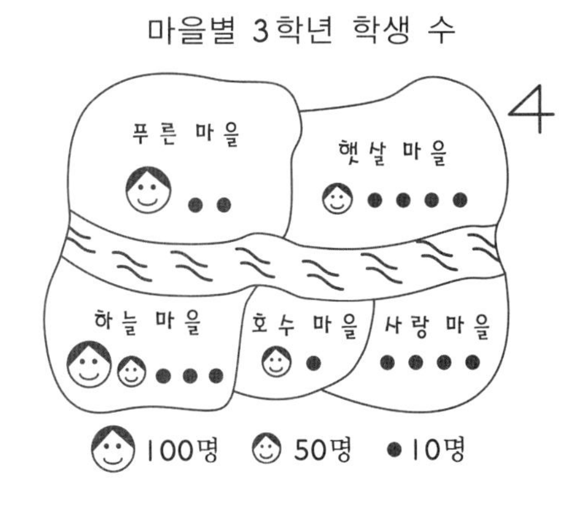

1 3학년 학생들이 가장 많이 살고 있는 마을부터 차례로 쓰시오.

2 강의 북쪽에 살고 있는 3학년 학생 수와 강의 남쪽에 살고 있는 3학년 학생 수의 차를 구하시오.

왕 문제

APPLICATION

전국 경시 예상 등위			
대상권	금상권	은상권	동상권
19/20	18/20	17/20	16/20

신영이네 마을 학생들이 가장 좋아하는 색깔을 조사하여 만든 표입니다. 물음에 답하시오. (1~2)

좋아하는 색깔별 학생 수

색깔	빨간색	주황색	노란색	초록색	파란색	남색	보라색	합계
학생 수(명)	10	5		5		3	8	42

1 노란색을 가장 좋아하는 학생이 파란색을 가장 좋아하는 학생보다 1명 더 많다면 노란색을 가장 좋아하는 학생은 몇 명입니까?

2 가장 많은 학생들이 좋아하는 색깔부터 차례로 3가지를 쓰시오.

3 마을마다 키우는 돼지 수를 조사하여 만든 표입니다. 돼지를 가장 많이 키우는 마을은 어느 마을입니까?

마을별 돼지 수

마을	㉮	㉯	㉰	㉱	㉲	합계
돼지 수(마리)	40	35	30	49		210

4 표는 석기네 학교 3학년과 4학년 학생 수를 조사한 것입니다. ㉠, ㉡, ㉢, ㉣에 알맞은 수를 구하시오.

3학년과 4학년 학생 수

(단위 : 명)

학년 \ 성별	남학생	여학생	합계
3	22	㉠	42
4	23	21	44
합계	㉡	㉢	㉣

표는 동민이네 반 학생들의 국어와 수학 시험의 결과입니다. 물음에 답하시오. (5~8)

번호	국어(점)	수학(점)	번호	국어(점)	수학(점)	번호	국어(점)	수학(점)
1	60	90	7	90	60	13	80	50
2	80	50	8	70	60	14	90	60
3	30	20	9	50	30	15	80	80
4	90	70	10	70	70	16	20	60
5	60	40	11	60	70	17	40	30
6	60	80	12	90	100	18	40	60

5 국어와 수학 성적에 대해, 표를 완성하시오.

점수(점)	0~20	30~40	50~60	70~80	90~100
국어(명)					
수학(명)					

6 국어 시험에서 60점보다 높은 점수를 받은 학생들은 전체의 몇 분의 몇입니까?

7 국어 시험에서 70점보다 낮은 점수를 받은 학생 수와 수학 시험에서 50점보다 낮은 점수를 받은 학생 수의 차는 몇 명입니까?

8 동민이네 반 학생들의 성적은 국어와 수학 중 어느 것이 더 좋다고 생각합니까? 또 그렇게 생각한 이유를 설명하시오.

9 지혜와 친구들이 저금한 돈을 나타낸 그림그래프입니다. 4명이 저금한 돈은 모두 얼마입니까?

지혜와 친구들의 저금액

이름	저금액
지혜	◎◎◎◎ ●●●
웅이	◎◎◎○ ●●●
효근	◎◎◎○ ●●●●
신영	◎◎◎ ●●●

◎ 1000원
○ 500원
● 100원

10 9번 그림그래프에서 저금을 가장 많이 한 사람과 저금을 가장 적게 한 사람의 저금액의 차는 얼마입니까?

마을별 3학년 학생 수를 조사하여 그림그래프로 나타낸 것입니다. 가 마을의 학생 수는 다마을의 학생 수의 2배이고 전체 학생 수가 150명일 때, 물음에 답하시오. (**11**~**12**)

마을별 3학년 학생 수

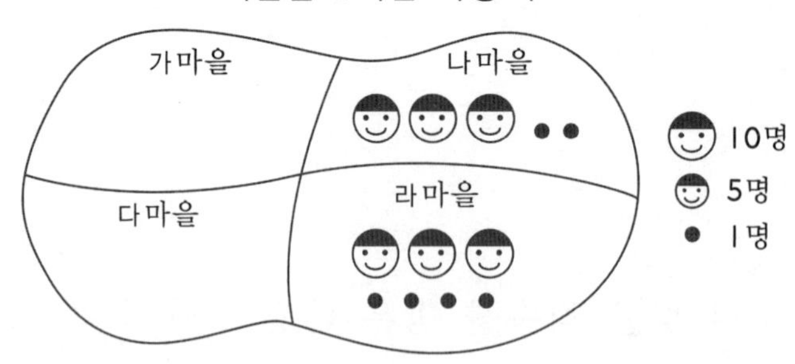

11 위의 그림그래프를 완성하시오.

12 위의 그림그래프를 보고 표를 완성하시오.

마을별 학생 수

마을	가	나	다	라
학생 수(명)				

13 유승이네 학교 학생 100명이 가장 좋아하는 음식을 조사하여 나타낸 그림그래프입니다. 치킨을 좋아하는 학생 수는 피자를 좋아하는 학생 수보다 12명 더 많다고 합니다. 치킨을 좋아하는 학생은 몇 명입니까?

좋아하는 음식별 학생 수

음식	빵	피자	햄버거	치킨	김밥
학생 수					

10명 1명

14 상연이네 모둠 학생들이 가지고 있는 구슬 수를 조사하여 그림그래프를 나타낸 것입니다. 상연이가 가진 구슬은 예슬이가 가진 구슬보다 9개 적고 석기가 가진 구슬은 가영이와 예슬이가 가진 구슬의 $\frac{3}{4}$이라고 합니다. 구슬을 가장 많이 가진 사람과 가장 적게 가진 사람의 개수의 차를 구하시오.

학생별 구슬 수

학생	구슬 수
상연	
예슬	○○○○○
석기	
가영	○○○○○○○

○ 5개
○ 1개

학생들이 가장 좋아하는 색깔을 조사하여 표와 그림그래프로 나타낸 것입니다. 물음에 답하시오. (단, ●>▲>★ 입니다.) (**15~17**)

좋아하는 색깔별 학생 수

색깔	빨간색	노란색	파란색	초록색	합계
학생 수(명)	14	18			

좋아하는 색깔별 학생 수

빨간색	●★★★★
노란색	●▲★★★
파란색	▲★★★
초록색	●▲★

15 조사에 참여한 학생은 모두 몇 명입니까?

16 가장 많은 학생들이 좋아하는 색깔과 가장 적은 학생들이 좋아하는 색깔의 학생 수의 차를 구하시오.

17 노란색을 가장 좋아하는 학생은 전체 학생 수의 몇 분의 몇입니까?

유승, 한솔, 예슬이의 몸무게에 대한 설명입니다. 물음에 답하시오. (18~19)

- 유승이의 몸무게의 $\frac{5}{7}$는 20 kg입니다.
- 한솔이의 몸무게의 $\frac{1}{2}$과 유승이의 몸무게의 $\frac{3}{4}$은 같습니다.
- 예슬이의 몸무게의 $\frac{7}{9}$과 한솔이의 몸무게의 $\frac{2}{3}$는 같습니다.

18 유승, 한솔, 예슬이의 몸무게를 차례로 구하시오.

19 학생별 몸무게를 그림그래프로 나타내시오.

학생별 몸무게

이름	몸무게
유승	
한솔	
예슬	

□ 10 kg
□ 1 kg

20 오른쪽은 가영이네 학교 3학년 학생 106명의 혈액형을 조사하여 나타낸 그림그래프입니다. 혈액형이 O형인 학생 수는 B형인 학생 수의 2배보다 19명 더 적습니다. 그림그래프를 완성하시오.

혈액형별 학생 수

혈액형	학생 수
A	
B	
O	
AB	

10명
1명

왕중왕문제

APPLICATION

전국 경시 예상 등위			
대상권	금상권	은상권	동상권
16/18	14/18	12/18	10/18

표는 용희네 학교에서 일주일 동안 지각한 학생 수를 학년별로 조사하여 나타낸 것입니다. 물음에 답하시오. (**1**~**3**)

지각한 학생 수

(단위 : 명)

학년 \ 요일	월	화	수	목	금	합계
1	20	25	18	20	18	
2	11	22	18	27	17	
3	17	6	24	16	19	
4	22	18	24	28	18	
5	15	12	15	14	13	
6	9	8	14	21	16	
합계						㉮

1 지각을 한 학생 수가 가장 적은 날은 무슨 요일입니까?

2 지각을 한 학생 수가 가장 많은 학년은 몇 학년입니까?

3 ㉮의 수는 얼마이며 무엇을 나타냅니까?

4 45명의 3학년 학생 수를 마을별로 조사하여 나타낸 그림그래프입니다. 무궁화 마을에 사는 학생은 국화 마을에 사는 학생보다 7명 더 많고, 국화 마을과 난초 마을에 사는 학생은 14명이라고 할 때 매화 마을에 사는 학생은 몇 명입니까?

마을별 학생 수

마을	학생 수
무궁화	● ■ ▲
국화	■ ▲ ▲
난초	●
매화	● ● ▲ ▲

● ?명
■ ?명
▲ ?명

표는 효근이네 학년 40명의 학생들이 국어와 수학 시험을 본 결과를 나타낸 것입니다. 물음에 답하시오. (5～7)

국어와 수학 시험 결과

(단위 : 명)

수학 \ 국어	60점	70점	80점	90점	100점	합계
60점	1	2				3
70점		2	4	3		9
80점			6	6		12
90점		2	4	5	2	13
100점				2	1	3
합계	1	6	14	16	3	40

5 국어와 수학 점수가 모두 같은 학생은 몇 명입니까?

6 수학 점수가 국어 점수보다 높은 학생은 몇 명입니까?

7 수학의 평균 점수는 몇 점입니까? (단, (평균)=(총점)÷(전체 인원 수)입니다.)

8 유승이네 모둠 친구들이 각각 10개의 고리를 던졌을 때 걸린 고리의 수를 조사하여 나타낸 그림그래프입니다. 걸린 고리는 하나에 10점씩 얻고 걸리지 않은 고리는 4점씩 잃는다고 할 때 점수가 가장 높은 사람과 가장 낮은 사람의 점수의 차를 구하시오.

학생별 걸린 고리 수

이름	유승	지혜	상연	예슬
걸린 고리 수(개)	◯○○○	◯	◯○	○○○

◯ 5개
○ 1개

표는 가영이네 반 학생 20명의 미술과 음악의 수행평가 결과를 나타낸 것입니다. 물음에 답하시오. (9~11)

미술과 음악의 수행평가

(단위 : 명)

미술 \ 음악	10점	9점	8점	7점	6점
10점	2	1			
9점	5	㉮	㉯	2	
8점	1			3	1
7점					1

9 미술 수행평가에서 9점을 받은 학생은 모두 몇 명입니까?

10 미술 수행평가의 총점은 몇 점입니까?

11 음악 수행평가의 총점이 170점이라면 ㉮, ㉯의 학생 수는 각각 몇 명입니까?

12 유승이네 반 학생들이 좋아하는 색깔을 조사하여 나타낸 자료가 찢어져 보이지 않습니다. 빨강을 좋아하는 학생 수는 노랑을 좋아하는 학생 수와 같고, 파랑을 좋아하는 학생 수보다 많습니다. ㉠, ㉡, ㉢에 알맞은 수를 차례로 구하시오.

초록	분홍	초록	분홍	초
분홍	노랑	빨강	초록	분
노랑	초록	분홍	파랑	
초록	노랑	초록	분홍	

좋아하는 색깔별 학생 수

색깔	빨강	파랑	노랑	초록	분홍	합계
학생 수(명)	㉠	㉡	㉢	7	6	23

다음은 제과점별로 일주일 동안 식빵을 만드는 데 사용한 밀가루의 양을 조사하여 나타낸 그림그래프입니다. 밀가루 1 kg으로 식빵을 4개씩 만든다고 할 때, 물음에 답하시오. (**13**~**14**)

제과점별 밀가루 사용량

제과점	사용량
맛나	
또와	⊞⊞□□□□□
달콤	⊞⊞⊞□□□□□□
대박	

⊞ 100 kg
□ 10 kg

13 달콤제과점에서 만든 식빵의 수는 또와 제과점에서 만든 식빵의 수보다 몇 개 더 많습니까?

14 4개의 제과점에서 일주일 동안 생산한 식빵은 5000개입니다. 밀가루를 가장 많이 사용한 대박 제과점은 밀가루를 가장 적게 사용한 맛나 제과점보다 250 kg 더 사용했다고 할 때, 대박 제과점에서 일주일 동안 만든 식빵은 몇 개입니까?

15 반별로 안경을 쓴 학생 수를 조사하여 그림그래프로 나타내었습니다. 2반의 안경을 쓴 학생 수는 1반의 안경을 쓴 학생 수의 $\frac{3}{5}$이고, 4반의 안경을 쓴 학생 수는 3반과 5반의 안경을 낀 학생 수의 합의 $\frac{4}{7}$입니다. 안경을 쓴 전체 학생 수를 구하시오.

반별 안경을 쓴 학생 수

반	1	2	3	4	5
학생 수	●●●		●●		●●•

● 5명 • 1명

어떤 경연에서 심사위원 9명이 1점에서 10점까지의 점수를 줄 수 있고, 가장 높은 점수와 가장 낮은 점수를 제외한 7명의 점수의 합을 그 참가자의 득점으로 결정합니다. 점수표에서 5번째 심사위원의 점수가 보이지 않습니다. 물음에 답하시오. (16~17)

점수표

심사위원 참가자	1	2	3	4	5	6	7	8	9
한별	7	10	9	8		9	8	7	8
상연	9	9	9	9		9	8	8	8
지혜	10	8	9	9		10	8	9	8

16 한별이가 받을 수 있는 최소 득점과 최대 득점을 차례로 구하시오.

17 세 사람 중에서 최대로 얻을 수 있는 점수가 가장 높은 순서대로 이름을 쓰시오.

18 집에서 동물을 기르는 학생의 수를 조사한 표입니다. 한 가지 동물만 기르는 학생은 13명, 두 가지 동물만 기르는 학생은 10명, 세 가지 동물만 기르는 학생은 4명, 네 가지 동물을 모두 기르고 있는 학생은 3명입니다. 집에서 고양이를 기르고 있는 학생은 몇 명입니까?

기르는 동물별 학생 수

동물	개	고양이	금붕어	새
학생 수(명)	24		16	7

V 규칙성과 대응

1. 합차산
2. 환원산
3. 식목산
4. 방진산
5. 학거북산

APPLICATION

Search 탐구 1. 합과 차의 관계를 이용해 해결하는 문제 (합차산)

어느 학교의 3학년 학생 수는 41명이고, 남학생은 여학생보다 3명이 더 많습니다. 남학생과 여학생은 각각 몇 명입니까?

풀이

남학생 수와 여학생 수를 각각 선분의 길이로 나타내 생각해 봅니다.

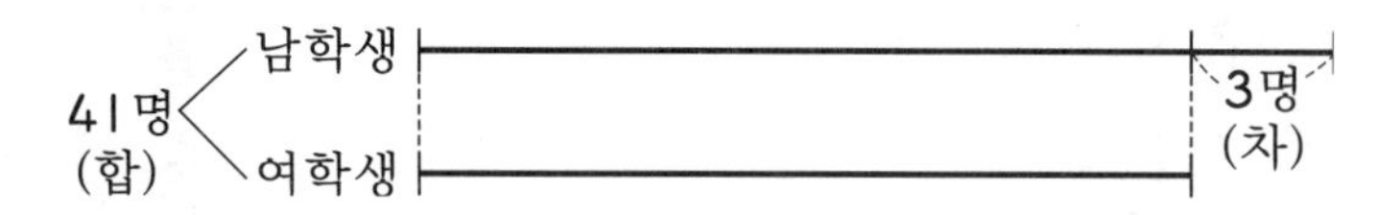

따라서 여학생 수는 $(41-3)\div\square=\square$(명), 남학생 수는 $\square+3=\square$(명)입니다.

답 남학생 : □명, 여학생 : □명

Point

두 수의 합과 차가 주어졌을 때

(작은 수)=(합−차)÷2, (큰 수)=(합+차)÷2

EXERCISE

서로 다른 자연수 A와 B가 있습니다. A와 B의 합은 52, 차는 16이라면 A와 B는 각각 얼마인지 구하시오. (단, A는 B보다 큽니다.) (**1**~**3**)

1 A와 B를 각각 선분으로 나타내어 보려고 합니다. □ 안에 알맞은 수를 써넣으시오.

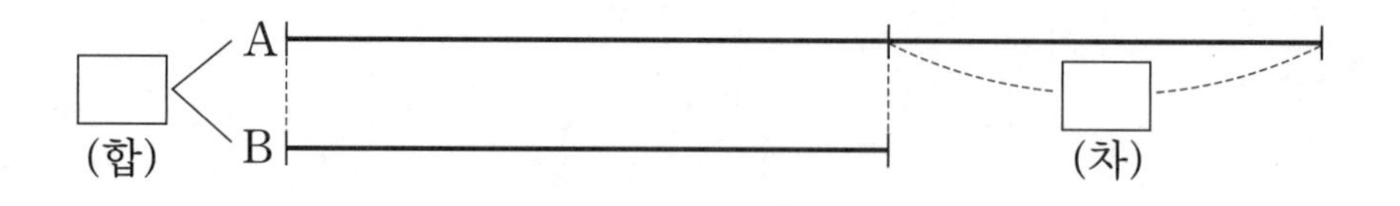

2 두 수의 합과 차의 관계를 이용하여 A를 구하시오.

3 두 수의 합과 차의 관계를 이용하여 B를 구하시오.

왕 문제

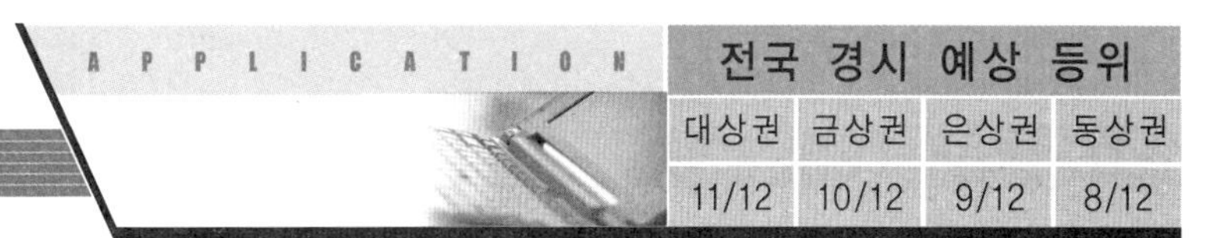

전국 경시 예상 등위			
대상권	금상권	은상권	동상권
11/12	10/12	9/12	8/12

1 학생 36명 중 안경을 낀 학생은 안경을 끼지 않은 학생보다 24명이 적습니다. 안경을 낀 학생은 몇 명입니까?

2 구슬 85개를 지혜와 용희가 나누어 가졌습니다. 지혜가 용희보다 구슬을 11개 더 가졌다면 지혜는 구슬을 몇 개 가졌습니까?

3 아버지에게 형과 동생이 각각 용돈을 받았습니다. 두 사람이 받은 용돈의 합은 12000원이고, 형이 동생보다 1000원 더 많이 받았다면, 형이 받은 용돈은 얼마입니까?

4 길이가 1 m 50 cm인 철사를 석기와 예슬이가 나누어 가지려고 합니다. 석기가 예슬이보다 16 cm 더 짧게 가지려면, 석기는 몇 cm를 가지면 됩니까?

5 연필 한 자루와 공책 한 권의 값의 합은 950원입니다. 공책이 연필보다 150원 비싸다면 연필은 얼마입니까?

6 노란 구슬과 파란 구슬이 모두 240개 있습니다. 파란 구슬이 노란 구슬보다 36개 적다면 노란 구슬은 몇 개입니까?

7 동민이와 규형이는 각각 사탕을 몇 개씩 가지고 있습니다. 동민이가 규형이보다 사탕 수가 5개 더 많고, 두 사람의 사탕 수의 합이 43개라면 규형이는 몇 개를 가지고 있습니까?

8 어느 학교의 3학년 학생 수는 모두 128명입니다. 남학생이 여학생보다 12명 더 많다면 남학생은 몇 명입니까?

9 어느 왕수학 학원에서 KMA 수학학력평가에 120명이 응시하였습니다. 이 중 상장을 받은 학생이 상장을 받지 못한 학생보다 36명 더 많았다면 상장을 받은 학생은 몇 명입니까?

10 석기는 가지고 있던 색종이 82장 중 몇 장을 사용하여 미술 작품을 만들었습니다. 남은 색종이 수가 사용한 색종이 수보다 6장 적다면 사용한 색종이는 몇 장입니까?

11 어느 마라톤 대회에 참가한 사람 수는 1250명입니다. 출발하여 뛰는 도중 포기한 사람이 완주한 사람보다 124명 더 많았다면 완주한 사람은 몇 명입니까?

12 한별이와 한솔이의 몸무게의 합은 88 kg입니다. 한별이가 한솔이보다 4 kg 더 무겁다면 한솔이의 몸무게는 몇 kg입니까?

왕중왕 문제

APPLICATION

전국 경시 예상 등위			
대상권	금상권	은상권	동상권
11/12	10/12	9/12	8/12

1 어머니께서 주신 용돈 15000원을 규형이와 한별이가 나누어 가졌습니다. 규형이가 한별이보다 2400원 덜 가졌다면 규형이는 얼마를 가졌습니까?

2 어느 초등학교의 학생 수는 1256명입니다. 이 중에서 수학을 좋아하는 학생과 기타 과목을 좋아하는 학생 수의 차는 408명입니다. 수학을 좋아하는 학생은 몇 명입니까? (단, 수학을 좋아하는 학생은 500명보다 작습니다.)

3 길이가 68 cm인 철사를 구부려 가로의 길이가 세로의 길이보다 6 cm 더 긴 직사각형을 만들었습니다. 만들어진 직사각형의 넓이를 구하시오.

4 상, 하 두 권이 한 세트로 된 책이 있습니다. 이 책을 3세트 사고 21000원을 냈습니다. 상권 한 권의 값이 하권 한 권의 값보다 300원 더 비싸다면 하권 한 권의 값은 얼마입니까?

5 낮이 밤보다 3시간 20분 긴 날은 낮이 몇 시간 몇 분입니까?

6 율기와 가영이가 가지고 있는 용돈의 합은 6000원이고, 두 사람이 가지고 있는 용돈의 차를 용돈의 합에서 빼면 4800원입니다. 율기의 용돈이 가영이의 용돈보다 많다면 율기는 용돈을 얼마 가지고 있습니까?

7 A 지역과 B 지역은 24 km 떨어져 있습니다. 웅이가 A 지역에서 B 지역으로, 석기가 B 지역에서 A 지역을 향하여 동시에 출발한다면, 두 사람은 4시간 후에 만납니다. 웅이의 빠르기가 석기의 빠르기보다 한 시간에 0.4 km 빠르다면 웅이는 한 시간에 몇 km를 갑니까?

8 A, B, C 3개의 수가 있습니다. A와 B의 합은 35, B와 C의 합은 45이고, B는 C보다 5 작습니다. A는 어떤 수입니까?

9 율기와 동민이가 가지고 있던 돈의 합은 5000원이었습니다. 율기는 가지고 있던 돈을 모두 냈고, 동민이는 율기보다 300원을 더 내어 4500원짜리 인형 하나를 샀습니다. 동민이가 처음에 가지고 있던 돈은 얼마입니까?

10 형과 동생이 가지고 있던 돈의 합은 9000원이었습니다. 어머니께 형은 1500원을, 동생은 3500원을 더 받았더니 두 사람이 가진 돈이 서로 같아졌습니다. 두 사람이 처음에 가지고 있던 돈은 각각 얼마입니까?

11 어떤 두 수를 더해야 할 것을 잘못하여 뺐더니 12가 되었습니다. 이것은 바르게 계산했을 때의 정답과 40만큼의 차이가 납니다. 어떤 두 수를 각각 구하시오.

12 형은 2800원, 동생은 1500원을 가지고 있습니다. 형이 동생에게 얼마를 주면 형은 동생보다 360원이 많게 됩니다. 형이 동생에게 얼마를 주면 됩니까?

Search 탐구　2. 거꾸로 계산하여 해결하는 문제 (환원산)

35에서 어떤 수를 빼고 2를 곱한 뒤 12를 더하여 8로 나눈 수가 9입니다. 어떤 수를 구하시오.

풀이

어떤 수를 ■라 하고, 문제를 그림으로 나타내면 다음과 같습니다.

35	−■ → ← +■	가	×2 → ← ÷2	나	+12 → ← −12	다	÷8 → ← ×8	9

다에 들어갈 수는 9×□=□, 나에 들어갈 수는 □−12=□, 가에 들어갈 수는 □÷2=□입니다. 따라서 ■=35−□=□입니다.

답 □

Point

주어진 결과로부터 거꾸로 계산하여 해결합니다.

EXERCISE

48에서 어떤 수를 빼고 4를 곱한 뒤 26을 빼고 2로 나눈 수가 37입니다. 어떤 수를 구하시오. (**1**~**2**)

1 어떤 수를 ■라 하고, 문제를 그림으로 나타내면 다음과 같습니다. ㉮, ㉯, ㉰에 알맞은 수를 구하시오.

48	−■ → ← +■	㉮	×4 → ← ÷4	㉯	−26 → ← +26	㉰	÷2 → ← ×2	37

2 어떤 수는 얼마입니까?

왕문제

APPLICATION

전국 경시 예상 등위			
대상권	금상권	은상권	동상권
11/12	10/12	9/12	8/12

1 55에 어떤 수를 더하여 7로 나눈 뒤 40을 더하여 5를 곱한 수가 555입니다. 어떤 수를 구하시오.

2 어떤 수를 12로 나눈 뒤 32를 빼고 3을 곱하여 45를 뺀 수가 159입니다. 어떤 수를 구하시오.

3 어떤 수에서 74를 뺀 뒤 15를 곱하여 5로 나눈 뒤 16을 더한 수가 58입니다. 어떤 수를 구하시오.

4 18에 어떤 수를 더하여 3으로 나눈 뒤 10을 더하여 5로 나눈 수가 4입니다. 어떤 수를 구하시오.

5 어떤 수에 12를 더한 뒤 4로 나누었더니 몫이 12이고 나머지가 3이 되었습니다. 어떤 수를 구하시오.

6 어떤 수를 4로 나누고 25를 더한 뒤 3을 곱하였더니 150이 되었습니다. 어떤 수를 구하시오.

7 지혜는 가지고 있던 돈의 반보다 200원 많은 돈으로 학용품을 사고, 그 나머지 돈의 반보다 300원 많은 돈을 저축하였더니 350원이 남았습니다. 지혜가 처음에 가지고 있던 돈은 얼마입니까?

8 어떤 수의 3배를 5로 나눈 뒤 220을 빼고 4를 곱하였더니 320이 되었습니다. 어떤 수를 구하시오.

9 어떤 수에 3을 더하고 5를 곱한 뒤 8로 나누었더니 몫이 156이고 나머지가 2였습니다. 어떤 수를 구하시오.

10 어떤 수에 5를 곱해야 할 것을 잘못하여 15를 곱하였더니 45가 되었습니다. 바르게 계산한 답을 구하시오.

11 52에 어떤 수를 더하여 3을 곱한 뒤 60을 빼고 8로 나누었더니 15가 되었습니다. 어떤 수를 구하시오.

12 어떤 수에 2를 곱한 뒤 45를 빼야 할 것을 잘못하여 어떤 수를 2로 나누고 45를 더하였더니 85가 되었습니다. 바르게 계산한 값을 구하시오.

왕중왕문제

APPLICATION

전국 경시 예상 등위			
대상권	금상권	은상권	동상권
11/12	10/12	9/12	8/12

1 어떤 수의 $\frac{3}{4}$에서 25를 빼고 7로 나눈 뒤 50을 더하면 100이 됩니다. 어떤 수를 구하시오.

2 석기는 가지고 있던 사탕의 $\frac{1}{2}$을 예슬이에게 주고, 그 나머지의 $\frac{1}{3}$을 동민이에게 주었더니 12개가 남았습니다. 석기는 처음에 몇 개의 사탕을 가지고 있었습니까?

3 한초는 가지고 있던 색 테이프의 $\frac{1}{5}$을 사용하여 미술 작품을 만들고, 그 나머지의 $\frac{3}{4}$을 가영이에게 주었습니다. 남은 색 테이프의 길이가 1 m 50 cm라면, 한초가 처음에 가지고 있던 색 테이프의 길이는 몇 m 몇 cm입니까?

4 신영이는 어머니께서 주신 용돈의 $\frac{1}{2}$을 저축하고, 그 나머지의 $\frac{3}{8}$으로 학용품을 샀더니 2500원이 남았습니다. 신영이가 저축한 돈은 얼마입니까?

5 영수가 효근이에게 200원, 효근이가 웅이에게 500원, 웅이가 영수에게 1000원을 차례로 주었더니, 세 사람이 갖게 된 돈은 각각 2000원씩입니다. 처음에 각각 가지고 있던 돈은 얼마입니까?

6 율기는 어제 가지고 있던 돈의 $\frac{2}{5}$보다 300원 더 사용하였고, 오늘 나머지 돈의 $\frac{1}{2}$보다 200원 적게 사용하였습니다. 남은 돈이 800원이라면, 율기가 어제 가지고 있던 돈은 얼마입니까?

7 신영이는 가지고 있던 사탕의 $\frac{1}{2}$을 용희에게 주고, 남은 사탕의 $\frac{1}{3}$보다 5개 많이 한초에게 주었습니다. 남은 사탕이 5개라면, 신영이는 처음에 몇 개의 사탕을 가지고 있었습니까?

8 예슬이는 가지고 있던 색종이 수의 $\frac{1}{4}$보다 10장 많게 가영이에게 주고, 나머지 색종이의 $\frac{3}{5}$보다 5장 적게 상연이에게 주고, 그 나머지 색종이에서 12장을 미술 작품을 만드는 데 사용하고 나니 13장이 남았습니다. 예슬이는 처음에 색종이를 몇 장 가지고 있었습니까?

9 용희는 미술 시간에 사용할 철사를 사 왔습니다. 처음에는 철사 길이의 $\frac{3}{8}$을 사용하고, 다음에는 나머지 철사의 $\frac{1}{3}$을 사용하고, 그 다음에는 또 나머지 철사의 $\frac{4}{5}$를 사용하였더니 남은 철사의 길이가 1 m 20 cm였습니다. 용희가 처음에 산 철사의 길이는 몇 cm입니까?

10 구슬 몇 개를 율기, 효근, 신영이가 나누어 가지려고 합니다. 율기는 전체 구슬의 $\frac{3}{4}$과 5개를, 효근이는 나머지 구슬의 $\frac{4}{5}$와 2개를, 신영이는 그 나머지 구슬의 $\frac{5}{6}$와 1개를 가졌더니 나머지 구슬은 없게 되었습니다. 구슬 전체의 개수를 구하시오.

11 어느 과일 가게에서 사과 750개를 들여왔습니다. 사과를 들여온 첫째 주에 몇 개를 팔았고, 둘째 주에 나머지 사과의 $\frac{3}{5}$을 팔았고, 셋째 주에 또 나머지 사과의 $\frac{5}{8}$를 팔았더니, 사과가 75개 남았습니다. 첫째 주에는 몇 개의 사과를 팔았습니까?

12 웅이, 영수, 효근이는 각각 구슬을 몇 개씩 가지고 있었습니다. 차례대로 웅이는 영수에게 5개, 영수는 효근이에게 10개, 효근이는 웅이에게 7개를 주었더니, 세 사람 모두 구슬이 20개씩 되었습니다. 세 사람이 처음에 가지고 있던 구슬의 수를 각각 구하시오.

Search 탐구 3. 간격의 수와 크기를 고려하여 해결하는 문제 (식목산)

100 m 길이의 도로에 10 m 간격으로 나무를 심으려고 합니다. 도로의 처음과 끝에도 나무를 심는다고 할 때, 물음에 답하시오.

(1) 도로 한쪽에만 심는다면 몇 그루가 필요합니까?

(2) 도로 양쪽에 모두 심는다면 몇 그루가 필요합니까?

풀이

(1) 100 m 길이의 도로라면 간격의 수는 100÷☐=☐(개)이므로 필요한 나무의 수는 ☐+☐=☐(그루)입니다.

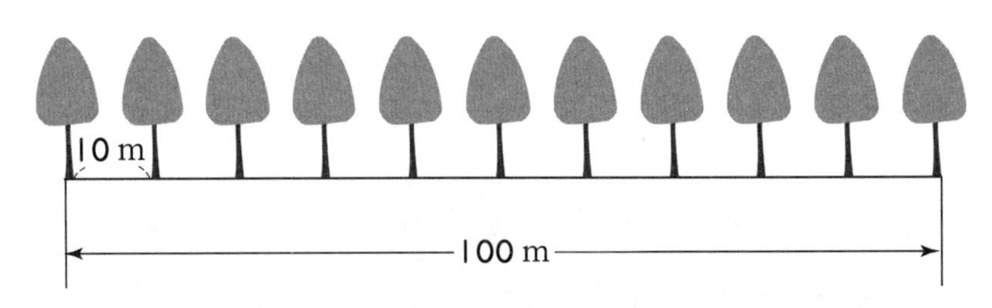

(2) 도로 양쪽에 필요한 나무 수는 ☐×☐=☐(그루)입니다.

답 (1) ☐그루 (2) ☐그루

Point

- 처음과 끝에 나무를 심을 때 : (나무의 수)=(간격의 수)+1
- 처음과 끝에 나무를 심지 않을 때 : (나무의 수)=(간격의 수)−1
- 둥근 연못 등에 나무를 심을 때 : (나무의 수)=(간격의 수)

EXERCISE

길이가 **2575** m인 도로의 양쪽에 **25** m 간격으로 가로수를 심으려고 합니다. 가로수는 모두 몇 그루가 필요합니까? (단, 도로의 처음과 끝에도 가로수를 심습니다.) (**1**～**2**)

1 도로 한쪽에 심을 가로수는 몇 그루입니까?

2 도로 양쪽에 심을 가로수는 몇 그루입니까?

왕 문제

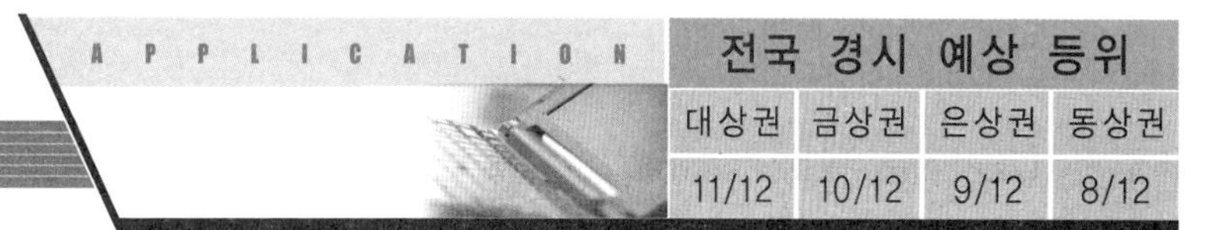

대상권	금상권	은상권	동상권
11/12	10/12	9/12	8/12

1 길이가 800 m인 도로의 한쪽에 20 m 간격으로 은행나무를 심으려고 합니다. 도로의 처음과 끝에도 나무를 심는다고 할 때, 은행나무는 몇 그루가 필요합니까?

2 길이가 2 m 50 cm인 막대가 있습니다. 이 막대를 잘라 25 cm짜리 막대를 여러 개 만들려고 합니다. 이 막대를 몇 번 잘라야 합니까?

3 길이가 30 cm인 선분 위에 5 cm 간격으로 점을 찍으려고 합니다. 선분의 처음과 끝에는 점을 찍지 않을 때, 점은 몇 번 찍어야 합니까?

4 둘레가 200 m인 운동장 트랙을 따라 20 m 간격으로 깃발을 꽂으려고 합니다. 준비된 깃발이 12개라면, 깃발은 몇 개 남습니까? 또, 부족하다면 몇 개 부족합니까?

5 강의 다리 위에 가로등이 50 m 간격으로 세워져 있습니다. 다리의 총 길이는 1650 m이고, 다리의 처음과 끝에도 가로등이 세워져 있을 때, 다리의 양쪽에 세워진 가로등의 수는 모두 몇 개입니까?

6 원 모양의 산책로를 따라 5 m 간격으로 진달래가 심어져 있습니다. 심어진 진달래가 125그루일 때, 산책로의 둘레는 몇 m입니까?

7 운동장의 직선 주로의 한쪽에 3 m 간격으로 깃발을 30개 꽂았습니다. 직선 주로의 총 길이를 구하시오. (단, 직선 주로의 처음과 끝에도 깃발을 꽂습니다.)

8 길을 따라 석기의 집에서부터 동민이의 집 사이에 있는 전봇대를 세어 보니 모두 20개였습니다. 전봇대와 전봇대 사이의 간격이 25 m라면 석기가 동민이의 집에 갈 때, 몇 m를 걸어야 합니까? (단, 석기의 집과 동민이의 집 앞에는 전봇대가 없고 각 집에서 처음 전봇대까지의 거리는 25 m입니다.)

9 원 모양의 연못을 따라 30 m 간격으로 버드나무가 심어져 있습니다. 연못의 둘레가 1 km 200 m라면, 버드나무는 모두 몇 그루 심어진 것입니까?

10 소를 기르는 목장에서 원 모양의 울타리를 만들기 위해 4 m 간격으로 35개의 말뚝을 박았습니다. 만들어진 울타리의 둘레의 길이를 구하시오.

11 길이가 1500 m인 도로의 한쪽에 25 m 간격으로 가로수를 심으려고 합니다. 가로수는 몇 그루가 필요합니까? (단, 도로의 처음과 끝에도 나무를 심습니다.)

12 길이가 960 m인 도로의 양쪽에 30 m 간격으로 가로등을 설치하려고 합니다. 도로의 처음과 끝에는 가로등을 설치하지 않는다고 할 때, 가로등은 몇 개가 필요합니까?

전국 경시 예상 등위			
대상권	금상권	은상권	동상권
11/12	10/12	9/12	8/12

1 길이가 2 m 80 cm인 철사가 있습니다. 이 철사를 40 cm 길이로 모두 자른다면, 모두 몇 번 잘라야 합니까?

2 둘레가 1 km 500 m인 산책로를 따라 꽃을 30 m 간격으로 심으려고 합니다. 꽃 한 송이의 값이 5000원일 때, 필요한 꽃을 사는 데 드는 비용은 얼마입니까?

3 가로가 3 m 20 cm인 게시판에 가로가 30 cm인 그림을 일렬로 붙이려고 합니다. 게시판과 그림 사이, 그림과 그림 사이의 간격을 모두 같게 하여 6개를 붙이려면 간격은 몇 cm로 하여야 합니까?

4 가로가 18 m, 세로가 24 m인 직사각형 모양의 땅이 있습니다. 네 모퉁이에는 반드시 말뚝을 박기로 하고 같은 간격으로 땅의 둘레에 말뚝을 박을 때, 최소한 몇 개의 말뚝이 필요합니까?

5 서로 20 m 떨어져 있는 은행나무와 은행나무 사이에 진달래가 같은 간격으로 7송이 심어져 있습니다. 은행나무와 진달래 사이의 간격이 1 m라면, 진달래와 진달래 사이의 간격은 몇 m입니까?

6 가로가 30 cm, 세로가 2 cm인 종이 테이프 15장을 연결하여 길게 만들었습니다. 연결할 때 풀칠 부분의 겹쳐진 부분의 길이가 2 cm라면, 만들어진 종이 테이프의 전체 길이는 몇 cm입니까?

7 열차가 역을 출발하여 일정한 빠르기로 달리고 있습니다. 선로를 따라 전봇대가 40 m 간격으로 늘어서 있으며, 열차의 차창 밖으로 15째 번 전봇대를 스쳐 지난 후부터 52째 번 전봇대를 스쳐 지나기까지 1분 14초가 걸렸습니다. 이 열차의 빠르기는 매초 몇 m입니까?

8 길이가 18 cm인 종이 테이프 12장을 겹치는 부분의 길이가 같도록 풀로 붙여서 둥근 고리 모양을 만들었습니다. 이 둥근 고리 모양의 둘레의 길이가 210 cm라면, 겹쳐진 부분의 길이는 몇 mm씩입니까?

9 운동장에 깃발이 2 m 간격으로 직선으로 꽂혀 있고 처음 깃발에서 마지막 깃발까지의 거리는 72 m입니다. 깃발을 3 m 간격으로 다시 꽂으려 할 때, 뽑지 않고 그냥 놓아 두어도 되는 깃발은 몇 개입니까? (단, 처음 깃발에서 마지막 깃발까지의 거리는 처음과 같습니다.)

10 가로가 24 cm, 세로가 16 cm인 종이를 2 cm 폭으로 잘라 0.5 cm씩 겹쳐지게 이어 붙여 종이 테이프를 만들려고 합니다. 가로 방향으로 잘라 만들 때와 세로 방향으로 잘라 만들 때의 종이 테이프의 길이의 차를 구하시오.

11 안쪽의 지름이 5 cm, 바깥쪽의 지름이 7 cm인 고리가 여러 개 있습니다. 이러한 고리 30개를 아래 그림과 같이 팽팽하게 연결하였을 때, 총 길이를 구하시오.

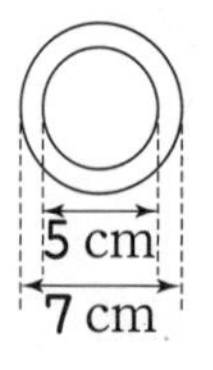

12 둘레가 400 m인 운동장 트랙을 따라 4 m 간격으로 빨강, 파랑, 노랑의 3가지 색의 깃발을 빨강, 파랑, 빨강, 노랑의 순서로 꽂으려고 합니다. 3가지 색의 깃발을 각각 몇 개씩 준비하면 되겠습니까?

Search 탐구

4. 물체를 규칙적으로 늘어놓고 부분 또는 전체를 생각하는 문제 (방진산)

바둑돌을 한 변의 개수가 5개인 정사각형이 되도록 빈틈없이 규칙적으로 늘어 놓았습니다. 둘레에 놓인 바둑돌의 개수는 몇 개입니까?

풀이

다음 그림과 같이 둘레에 놓인 바둑돌을 4등분하여 생각합니다.

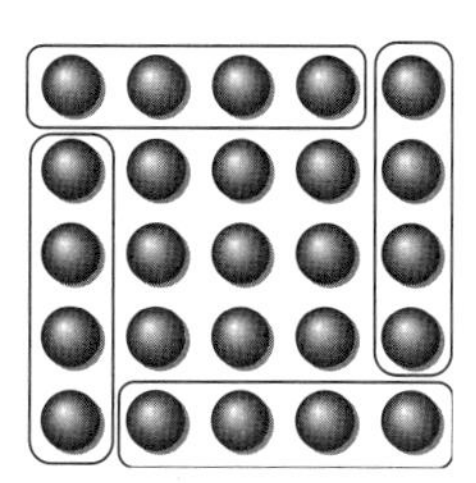

따라서 둘레에 놓인 바둑돌의 개수는

(5－☐)×☐＝☐(개)입니다.

답 ☐개

Point

- 정사각형으로 늘어놓을 때

  (둘레의 개수)＝{(한 변의 개수)－1}×4

  (한 변의 개수)＝{(둘레의 개수)÷4}＋1

- 직사각형으로 늘어놓을 때

  (둘레의 개수)＝{(가로의 개수)＋(세로의 개수)－2}×2

EXERCISE

크기가 같은 구슬을 가로와 세로 모두 12개씩 빈틈없이 늘어놓아 정사각형을 만들었습니다. 둘레에 놓인 구슬의 개수를 구하시오. (**1**～**3**)

1 한 변에 놓인 구슬은 몇 개입니까?

2 둘레에 놓인 구슬을 4등분 하여 생각할 때, 한 등분에는 몇 개의 구슬이 있습니까?

3 둘레에 놓인 구슬의 개수는 몇 개입니까?

전국 경시 예상 등위			
대상권	금상권	은상권	동상권
11/12	10/12	9/12	8/12

1 바둑돌을 한 변이 6개인 정사각형이 되도록 빈틈없이 규칙적으로 늘어놓았습니다. 둘레에 놓인 바둑돌의 개수는 몇 개입니까?

2 정사각형 모양의 색종이를 가로와 세로 모두 10장씩 빈틈없이 늘어놓아 정사각형을 만들었습니다. 둘레에 놓인 색종이의 수를 구하시오.

3 크기가 같은 동전을 빈틈없이 규칙적으로 늘어놓아 정사각형을 만들었습니다. 둘레에 놓인 동전의 개수가 36개였다면, 가장 바깥쪽의 한 변에 놓인 동전의 개수는 몇 개입니까?

4 바둑돌을 빈틈없이 규칙적으로 늘어놓아 정사각형을 만들었습니다. 둘레에 놓인 바둑돌의 개수가 84개였다면, 가장 바깥쪽의 한 변에 놓인 바둑돌의 개수는 몇 개입니까?

5 몇 개의 바둑돌을 빈틈없이 규칙적으로 늘어놓아 정사각형을 만들었습니다. 둘레에 놓인 바둑돌의 개수가 96개였다면, 바둑돌 전체의 개수는 몇 개입니까?

6 정사각형 모양의 카드를 빈틈없이 규칙적으로 늘어놓아 큰 정사각형을 만들었습니다. 둘레에 놓인 카드의 개수가 240개였다면, 사용한 카드 전체의 개수는 몇 개입니까?

7 크기가 같은 구슬 몇 개를 가지고 한 변이 8개가 되도록 빈틈없이 늘어놓아 정사각형을 만들었습니다. 이 정사각형 둘레에 구슬을 놓아 또 한 번 에워싸도록 만들 때, 구슬은 몇 개가 더 필요합니까?

8 100원짜리 동전 몇 개를 가지고 한 변이 10개가 되도록 빈틈없이 늘어놓아 정사각형을 만들었습니다. 이 정사각형 둘레에 100원짜리 동전을 놓아 또 한 번 에워싸도록 만들 때, 돈은 얼마가 더 필요합니까?

9 100원짜리 동전을 가로로 6개씩, 세로로 4개씩 빈틈없이 늘어놓아 직사각형을 만들었습니다. 둘레에 놓인 동전의 금액은 얼마입니까?

10 바둑돌을 가로로 4개씩, 세로로 8개씩 빈틈없이 늘어놓아 직사각형을 만들었습니다. 둘레에 놓인 바둑돌은 몇 개입니까?

11 정사각형 모양의 색종이를 가로와 세로 모두 10장씩 빈틈없이 늘어놓아 정사각형을 만들었습니다. 둘레에 놓인 색종이의 색깔은 빨간색이고, 안쪽에 놓인 색종이의 색깔은 노란색일 때, 노란 색종이는 모두 몇 장입니까?

12 바둑돌을 빈틈없이 늘어놓아 정사각형을 만들었습니다. 둘레에 놓인 바둑돌의 개수가 52개라면, 가장 바깥쪽의 한 변에 놓인 바둑돌의 개수는 몇 개입니까?

왕중왕문제

APPLICATION

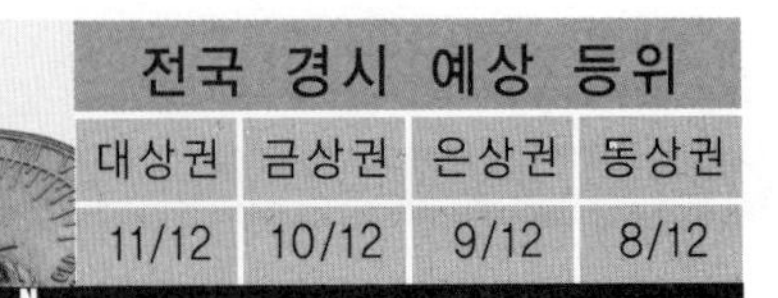

전국 경시 예상 등위			
대상권	금상권	은상권	동상권
11/12	10/12	9/12	8/12

1 100원짜리 동전을 빈틈없이 늘어놓아 정사각형을 만들었습니다. 둘레에 놓인 동전의 금액이 6000원이었다면, 정사각형을 만드는 데 필요한 동전의 총 금액은 얼마입니까?

2 크기가 같은 구슬 몇 개를 가지고 한 변이 12개가 되도록 빈틈없이 늘어놓아 정사각형을 만들었습니다. 이 정사각형 둘레에 구슬을 놓아 또 한 번 에워싸도록 만들 때, 구슬은 몇 개가 더 필요합니까?

3 정사각형 모양의 카드가 여러 장 있습니다. 이 카드를 빈틈없이 늘어놓아 정사각형을 만들고 보니 36장이 남아서, 가로 한 변과 세로 한 변을 1열씩 늘렸더니 아직도 3장이 남았습니다. 카드는 모두 몇 장입니까?

4 몇 개의 바둑돌을 가지고 빈틈없이 늘어놓아 정사각형을 만들고 나니 12개의 바둑돌이 남았습니다. 만약 7개의 바둑돌이 더 있다면 만들어진 정사각형의 각 변의 개수를 한 개씩 늘어나게 할 수 있습니다. 지금 가지고 있는 바둑돌은 모두 몇 개입니까?

5 몇 개의 작은 정사각형 타일을 가지고 빈틈없이 늘어놓아 큰 정사각형을 만들고 보니 20개의 타일이 남아서 가로 한 변과 세로 한 변을 1열씩 늘리려 하였더니 9개의 타일이 부족하였습니다. 타일의 개수는 몇 개입니까?

6 100원짜리 동전 몇 개를 가지고 가로, 세로 3열씩 늘어놓아 그림과 같이 속이 빈 정사각형 모양이 되게 하였습니다. 바깥쪽 한 변의 동전의 개수가 13개라면, 사용된 동전의 총 금액은 얼마입니까?

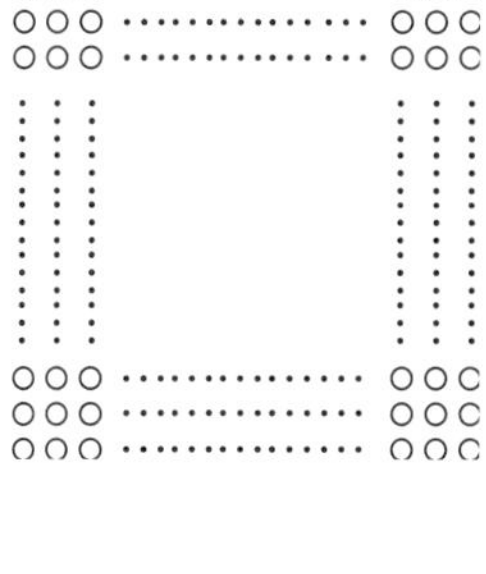

7 480명의 학생들이 같은 간격으로 가로, 세로 6열씩 늘어서서 속이 빈 정사각형 모양의 대형을 만들었습니다. 비어 있는 속을 채우려면 몇 명의 학생이 더 필요하겠습니까?

8 몇 명의 학생들이 정사각형 모양으로 빈틈없이 정열하여 서고 보니 6명이 남았습니다. 그래서, 가로 한 변과 세로 한 변을 1열씩 늘리려 하였지만 11명이 부족하였습니다. 이 학생들을 7열로 세운다면 1열에 몇 명씩 서겠습니까?

9 다음 그림과 같은 방법으로 속이 빈 정삼각형과 정사각형을 만듭니다. 동전 154개를 사용하여 정삼각형과 정사각형의 한 변에 놓이는 동전의 개수가 같아지도록 늘어놓을 때, 한 변에는 몇 개씩 늘어놓으면 됩니까?

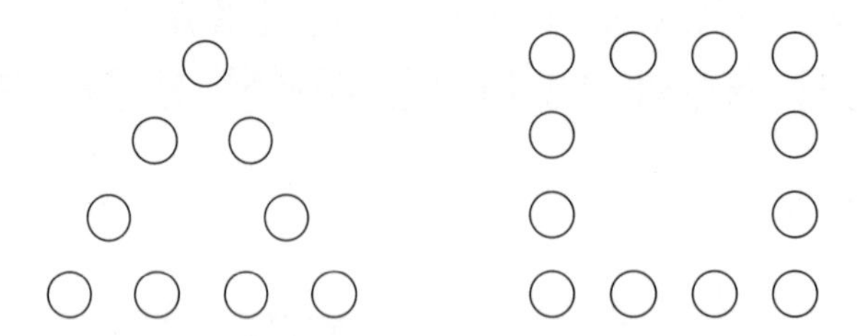

10 학생 몇 명을 정사각형 모양으로 빈틈없이 줄을 세웠더니 둘레의 학생 수가 60명이었습니다. 이 학생들을 가로, 세로 4열씩 줄을 세워 속이 빈 정사각형 모양으로 만들 때, 가장 바깥쪽 한 변에 서는 학생 수는 몇 명이 됩니까?

11 몇 개의 바둑돌을 가지고 직사각형 모양으로 빈틈없이 늘어놓았습니다. 이 직사각형의 가로에 놓인 바둑돌의 개수가 세로보다 5개 많고, 둘레에 놓인 바둑돌의 개수가 34개라면 바둑돌은 모두 몇 개입니까?

12 규형이는 정사각형 모양의 카드를 여러 장 가지고 있습니다. 이 카드를 빈틈없이 늘어놓아 큰 정사각형 모양을 만들었더니 3장의 카드가 남았습니다. 만든 정사각형의 가로 한 변과 세로 한 변을 2열씩 늘리려면 45장의 카드가 더 필요하다고 합니다. 규형이는 카드를 몇 장 가지고 있습니까?

Search 탐구 5. 전체를 한쪽으로 가정하여 해결하는 문제 (학거북산)

돼지와 닭이 합하여 8마리가 있습니다. 다리 수를 모두 세어 보니 22개였다면 돼지와 닭은 각각 몇 마리씩 있습니까?

풀이

우선 8마리 모두 닭이라고 가정하면 다리 수는 8×□=□(개)입니다.

그러나 실제로는 22개이므로 22−□=□(개) 차이가 납니다.

닭을 한 마리씩 줄이고 돼지를 한 마리씩 늘일 때마다 다리는 4−□=□(개)씩 늘어나므로 돼지는 □÷□=□(마리)가 됩니다.

즉, 모두 닭이라고 가정할 때 돼지는 (22−8×□)÷(4−□)=□(마리)이고, 닭은 8−□=□(마리)입니다.

답 돼지 : □마리, 닭 : □마리

Point

한쪽으로 가정한 값과 실제값의 차를 개별의 차로 나누어 다른 쪽을 구합니다.

EXERCISE

동물원에 사자와 공작새가 합하여 12마리 있습니다. 다리 수를 모두 세어 보니 38개였습니다. 사자는 몇 마리인지 구하시오. (1～3)

1 모두 공작새라고 가정하면 다리는 몇 개입니까?

2 가정한 다리 수와 실제 다리 수와의 차는 몇 개입니까?

3 동물원에 있는 사자는 몇 마리입니까?

왕 문제

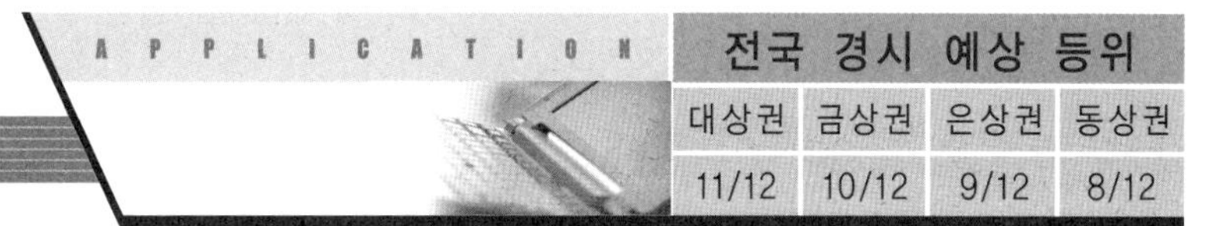

전국 경시 예상 등위			
대상권	금상권	은상권	동상권
11/12	10/12	9/12	8/12

1 마당에서 강아지와 병아리가 합하여 10마리가 놀고 있습니다. 다리 수를 세어 보니 모두 30개였습니다. 병아리는 몇 마리입니까?

2 동물원에 사슴과 거위가 합하여 30마리 있습니다. 다리 수를 세어 보니 모두 102개였습니다. 사슴은 몇 마리입니까?

3 오토바이와 승용차가 합하여 24대 있습니다. 바퀴의 수를 세어 보니 모두 80개였습니다. 오토바이는 몇 대입니까?

4 한 개에 300원인 과자와 500원인 과자를 합하여 8개를 사고 3000원을 냈습니다. 한 개에 500원인 과자는 몇 개 샀습니까?

5 동민이는 10원짜리 동전과 100원짜리 동전을 합하여 15개 가지고 있습니다. 총 금액이 780원이라면 100원짜리 동전은 몇 개를 가지고 있습니까?

6 석기는 하루에 30분씩 공부한 날과 45분씩 공부한 날을 합하여 일주일 동안 공부를 하였습니다. 공부한 총 시간이 4시간이라면 30분씩 공부한 날은 며칠입니까?

7 물건 A는 2500원, 물건 B는 3500원입니다. A와 B를 섞어서 14개를 사고 43000원을 냈습니다. A는 몇 개 샀습니까?

8 사과 1상자에 20개짜리와 30개짜리 상자를 합쳐 12상자를 사서 사과를 낱개로 세어 보니 모두 310개였습니다. 30개짜리 상자는 몇 상자를 샀습니까?

9 어느 가정에서 6월 1일부터 1500원짜리 우유를 매일 한 개씩 배달하여 먹고 있었는데, 중간에 값이 올라 1600원씩에 먹고 있습니다. 6월 한 달 동안의 우유값으로 46200원을 냈다면 우유는 6월 며칠부터 값이 올랐습니까?

10 상연이는 계획을 세워 1년 동안 저금을 하기로 하였습니다. 처음 몇 달 간은 매달 3500원씩 저금을 하다가 나머지 몇 달은 4200원씩 저금을 하였더니 모두 44800원이었습니다. 3500원씩 저금한 달은 몇 개월입니까?

11 예슬이는 100원짜리 동전과 500원짜리 동전을 합하여 20개 가지고 있습니다. 총 금액이 8800원이라면 500원짜리 동전은 몇 개를 가지고 있습니까?

12 귤 1상자에 50개짜리와 70개짜리 상자를 합쳐 18상자를 샀습니다. 이 귤을 낱개로 세어 보니 모두 1020개였다면, 70개짜리 상자는 몇 상자를 산 것입니까?

왕중왕 문제

APPLICATION

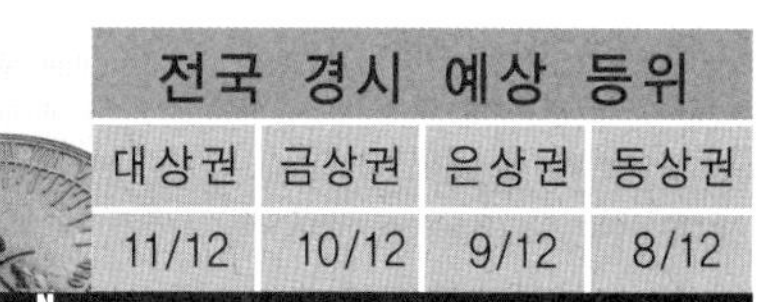

전국 경시 예상 등위			
대상권	금상권	은상권	동상권
11/12	10/12	9/12	8/12

1 석기는 가지고 있던 돈 16000원의 $\frac{4}{5}$보다 2800원 적은 돈으로 800원짜리 바나나와 400원짜리 키위를 합하여 18개 샀습니다. 바나나를 사는 데 든 돈은 얼마인지 구하시오.

2 어느 가정에서 3월 1일부터 450원짜리 우유를 매일 한 개씩 배달하여 먹고 있는 데, 중간에 값이 올라 500원씩에 먹고 있습니다. 3월달 우유값으로 14500원을 냈다면 우유는 3월 며칠부터 값이 올랐습니까?

3 동민이는 4000원을 가지고 문방구점으로 가서 300원짜리 공책과 200원짜리 지우개를 합하여 12개 사고 800원을 거슬러 받았습니다. 동민이는 지우개를 몇 개 샀습니까?

4 한별이는 1분 동안 보통 걸음으로는 80 m, 빠른 걸음으로는 120 m의 속도로 걷습니다. 처음 얼마간은 보통 걸음으로 걷다가, 도중에 빠른 걸음으로 걷기 시작하여 목적지에 도착하는 데 걸린 시간이 총 18분이었고 총 거리는 1760 m였습니다. 빠른 걸음으로 걸은 거리를 구하시오.

5 공장에서 어떤 제품을 하나 만들어 팔면 900원의 이익이 생기지만 불량품일 때는 하나에 2500원의 손해가 발생합니다. 이 제품을 500개 만들어 몇 개의 불량품을 제외한 나머지 제품을 팔았더니 총 이익금은 399000원이었습니다. 불량품은 몇 개입니까?

6 10원짜리, 50원짜리, 100원짜리 동전이 모두 12개 있습니다. 총 금액을 조사하였더니 500원이었습니다. 10원짜리와 50원짜리의 개수는 같다고 할 때, 100원짜리 동전의 개수는 몇 개입니까?

7 한별이는 하루에 1시간씩 독서한 날과 1시간 20분씩 독서한 날을 합하여 15일 동안 독서를 하였습니다. 독서한 총 시간이 16시간 40분이라면 1시간씩 독서한 날은 며칠입니까?

8 2180개의 귤이 있습니다. 이것을 200개짜리와 150개짜리 상자에 담아 모두 12상자가 되도록 하였더니 30개의 귤이 남았습니다. 200개짜리 상자는 몇 상자입니까?

9 A와 B 2대의 기계가 있습니다. A는 1분당 7개씩, B는 1분당 9개씩의 제품을 생산합니다. 처음 몇 분 동안 A를 가동시키다가 A를 멈추고 곧바로 B를 가동시켰습니다. 가동시킨 지 30분 후 제품의 개수가 226개였다면 B를 가동시킨 것은 몇 분 동안입니까?

10 25개들이 사탕 봉지와 36개들이 사탕 봉지를 합하여 16봉지가 있습니다. 500개의 사탕을 이 두 종류의 사탕 봉지에 담아 보니 사탕 봉지가 모자랐고 남은 사탕은 처음 사탕 수의 $\frac{17}{250}$이 되었습니다. 36개들이 사탕 봉지는 몇 봉지였습니까?

11 구형 기계와 신형 기계가 각각 1대씩 있습니다. 구형 기계는 1분당 20개의 제품을 생산하고, 신형 기계는 1분당 30개의 제품을 생산하고 있습니다. 처음 몇 분 동안 구형 기계를 가동시켰다가 멈춘 뒤 곧 바로 신형 기계를 가동시켰습니다. 기계를 가동시킨지 40분 뒤 제품의 개수가 980개였다면, 구형 기계를 가동시킨 시간은 몇 분인지 구하시오.

12 농장에 소, 돼지, 닭이 모두 합하여 120마리 있습니다. 이 동물들의 다리 수를 세어 보니 모두 360개였습니다. 닭의 수가 소의 수의 4배라면 각각의 동물은 몇 마리입니까?

초등
왕수학

영재교육원,
전국 수학 올림피아드 만점 대비서

응용 왕수학

정답과 풀이

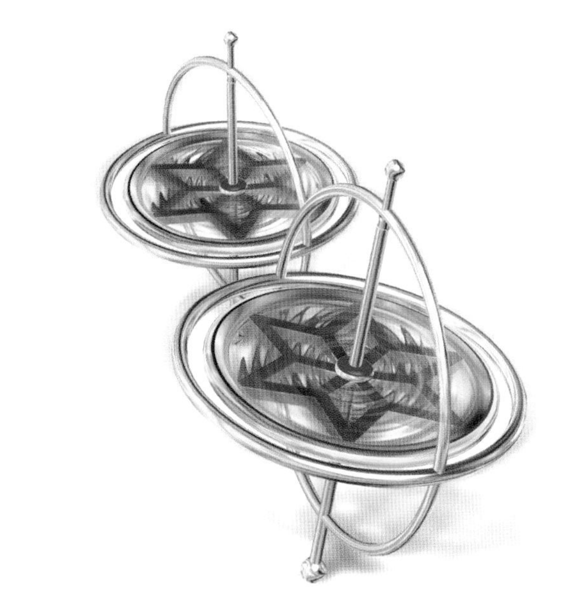

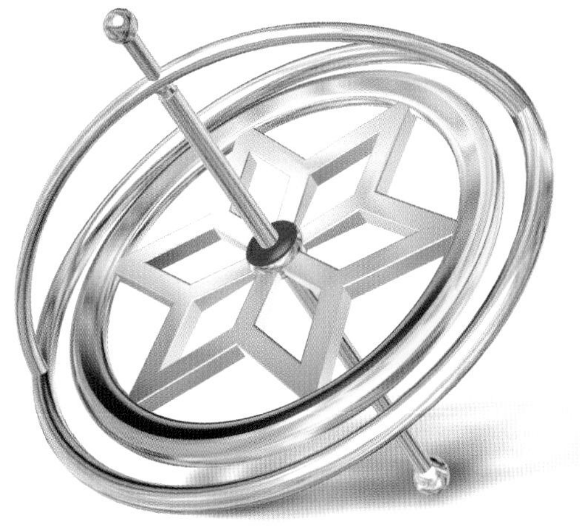

3 학년

www.왕수학.com

APPLICATION

정답 & 풀이

I 수와 연산

1. 덧셈과 뺄셈

search 탐구 7

풀이

(1) 672, 850, 885, 788, 다

(2) 1514, 1681, 1681, 1514, 167

답 (1) 다 (2) 167

EXERCISE 1

1 ④

2 (1) 2, 8, 8　　(2) 6, 9, 3

[풀이]

1 ① 540+360=900

② 514+276=790

③ 242+458=700

④ 936−136=800

⑤ 954−145=809

2 (1)

$$\begin{array}{r} {\scriptstyle 1\ \ 1\ \ \ } \\ \boxed{2}\ 3\ \boxed{8} \\ +\ 4\ \boxed{8}\ 6 \\ \hline 7\ 2\ 4 \end{array}$$

(2)

$$\begin{array}{r} {\scriptstyle 8\ \ 10\ \ \ } \\ \not{9}\ 2\ \boxed{6} \\ -\ 5\ \boxed{9}\ 3 \\ \hline \boxed{3}\ 3\ 3 \end{array}$$

search 탐구 8

풀이

1353, 1162, 1353, 1162, 191

답 석기네, 191

EXERCISE 2

1 (1) <　　(2) <

2 9417

[풀이]

1 (1) 1459−478=981

541+879=1420

(2) 4572−1984+596=3184

2 5468+4936−987=9417

왕 문제 9~14

1 7, 3, 8, 1　　2 126

3 986　　4 0, 1, 2, 3, 4

5 1023　　6 ㉮ 68, ㉯ 445

7 ㉠ : 2, ㉡ : 9, ㉢ : 0

8 569명　　9 12 cm

10 522, 204　　11 1322명

12 599개　　13 6071

14 6730원

15 용희 : 5500원, 동생 : 3500원

16 ㉠ : 156, ㉡ : 121, ㉢ : 459

17 763

18 5000원

19 150 cm, 248 cm, 373 cm

20 514명

[풀이]

1

$$\begin{array}{r} {\scriptstyle 1\ \ 2\ \ \ } \\ 2\ 6\ \boxed{7} \\ 4\ \boxed{3}\ 8 \\ +\ \boxed{8}\ 4\ 7 \\ \hline \boxed{1}\ 5\ 5\ 2 \end{array}$$

2 [2], [3], [5] 로 만든 가장 큰 세 자리 수 : 532

[4], [0], [6] 으로 만든 가장 작은 세 자리 수 : 406

따라서 두 수의 차는 532−406=126입니다.

3 ㉯ 695−329=366

㉮ 366+254=620

따라서 ㉮+㉯=620+366=986입니다.

4 6153−3404=2749이므로 27□8<2749이어야 합니다. 따라서 □ 안에는 0, 1, 2, 3, 4가 들어갈 수 있습니다.

5 (어떤 수)−273=477,

(어떤 수)=477+273=750입니다.

따라서 바르게 계산하면 750+273=1023입니다.

6 ㉯=890+151−596=445

㉮=445−226−151=68

7 세 자리 수의 뺄셈의 결과가 가장 큰 값이 되려면 가장 큰 수에서 가장 작은 수를 빼면 됩니다.

따라서 920에서 209를 빼는 경우 결과가 가장 크게 됩니다.

8 처음에 있던 승객의 수를 □명이라 하면

□−263+419=725

□=725−419+263, □=569(명)

9 테이프 3개를 이으면 겹쳐지는 부분은 2군데가 생깁니다.
따라서 217+217+217−627=24이고, 겹치지는 부분이 2군데이므로 24÷2=12(cm)입니다.

10 계산식을 이용하여 각각의 □ 안에 들어갈 숫자들을 직접 찾아봅니다.

별해 큰 수 ——— 318 ——— } 726
작은 수 ———

(작은 수)=(726−318)÷2=204
(큰 수)=726−204=522

11 (여자 초등학생 수)=536명
(남자 초등학생 수)=1518+525−1257
=786(명)
(초등학생 수)=536+786=1322(명)

12 (처음에 있던 배의 수)=1238+374=1612(개)
팔린 사과의 수를 □개라고 하면
(1238−□)+(1612+276)=2527
□=1238+1888−2527=599(개)

13 (가장 큰 세 자리 수)=432
(두 번째로 큰 세 자리 수)=431
(가장 작은 네 자리 수)=1023
(어떤 수)−1023=4617,
(어떤 수)=4617+1023=5640
따라서 바르게 계산하면
5640+431=6071입니다.

14 12일에 남은 돈 : 5850+2950=8800(원)
17일에 남은 돈 : 8800−5260=3540(원)
25일에 남은 돈 : 3540+3190=6730(원)

15 사용하고 남은 돈은 각각
{9000−(3200+1200)}÷2=2300(원)이므로
처음에 용희는 3200+2300=5500(원), 동생은
1200+2300=3500(원)을 나누어 가졌습니다.

16 ㉠=930−423−194−157=156
㉡=930−156−157−496=121
㉢=930−194−156−121=459

17 (바꾼 수)+356=723
(바꾼 수)=723−356=367
(처음 수)=763

18 학용품 / 과자 / 1250원
(과자를 산 돈)=1250(원)
(학용품을 산 돈)=1250+1250=2500(원)
(처음에 가지고 있었던 돈)=2500+2500
=5000(원)

19

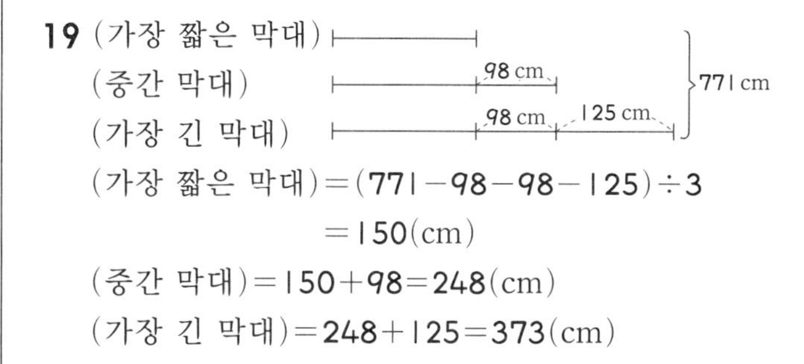

(가장 짧은 막대)=(771−98−98−125)÷3
=150(cm)
(중간 막대)=150+98=248(cm)
(가장 긴 막대)=248+125=373(cm)

20

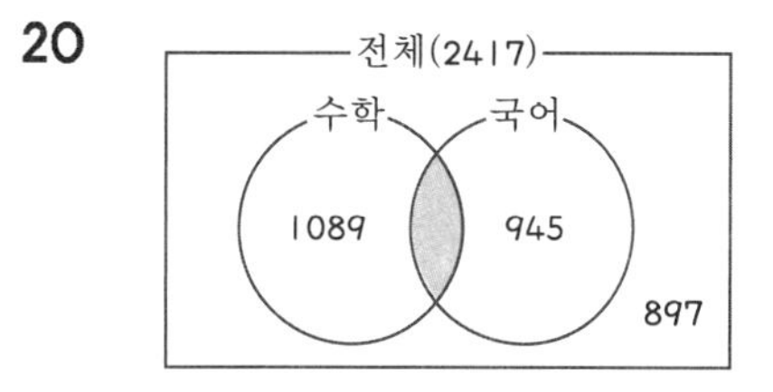

(수학 또는 국어를 좋아하는 학생)
=2417−897=1520(명)
(수학과 국어를 모두 좋아하는 학생)
=1089+945−1520=514(명)

왕중왕 문제 15~20

1 360	**2** 21명
3 396	**4** 689
5 4, 2, 5, 7, 8	**6** 333
7 43	**8** 1046 m
9 249명	**10** 5519
11 석기 : 5000원, 예슬 : 5500원	
12 888	
13 사과 : 528개, 배 : 772개, 귤 : 1200개	
14 12630 m	**15** 157
16 129	**17** 4090원
18 1727	**19** 1008
20 6497, 3267, 3584, 4851	

[풀이]

1 십의 자리 숫자와 백의 자리 숫자를 바꾼 수는 500−237=263입니다.
따라서 처음 세 자리 수는 623이므로
두 수의 차는 623−263=360입니다.

2 3학년과 5학년을 합한 학생 수와 4학년과 6학년을 합한 학생 수가 같으므로 5학년과 6학년의 학생 수의 차는 3학년과 4학년의 학생 수의 차와 같습니다.
따라서 217−196=21(명)입니다.

3 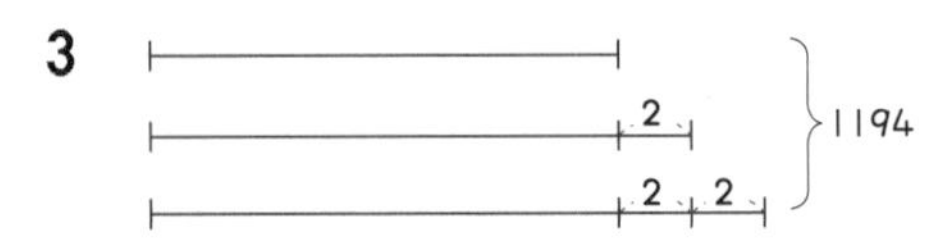

따라서 연속된 세 짝수 중 가장 작은 수는 (1194−2−2−2)÷3=396입니다.

4 ■=850−457=393
▲=850−393−296=161
★=850−161=689

5

㉠	9	㉡
3	㉢	㉣
㉤	1	6

백의 자리 숫자는 2, 십의 자리 숫자는 6으로 공통이므로 일의 자리 숫자만 비교하면 됩니다.
㉠+3+㉤=㉤+1+6이므로 ㉠=4입니다.
㉠+9+㉡=㉡+㉣+6에서 ㉠=4이므로
4+9+㉡=㉡+㉣+6에서 ㉣=7입니다.
㉠+㉡+㉢+㉣+㉤=26이므로
㉡+㉢+㉤=15이고, ㉡, ㉢, ㉤은 대각선에 놓인 수이므로 가로, 세로, 대각선의 합은 15가 됩니다.
따라서 ㉡=2, ㉢=5, ㉤=8입니다.

6 287+□+584=1200이라 가정하면 □=329입니다. □의 십의 자리 숫자와 일의 자리 숫자가 같으면서 329에 가장 가까운 수는 322와 333 중 333이므로 □ 안에 알맞은 수는 333입니다.

7 어떤 두 자리 수를 △□라고 하면 △□의 오른쪽에 5를 붙인 세 자리 수는 △□5입니다.
△□5−△□=392가 되어야 하므로
△=4, □=3입니다.
따라서 처음 두 자리 수는 43입니다.

8 설악산을 기준으로 하여 그림으로 나타내면 다음과 같습니다.

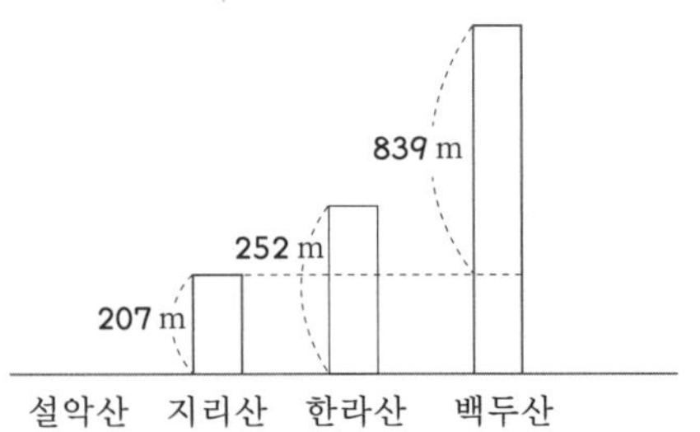

따라서 설악산과 백두산의 높이의 차는 207+839=1046(m)입니다.

9 수학을 좋아하는 학생을 □명이라 하면
285+□−94+12=452 ➔ □=249(명)

10 (가장 큰 짝수)=6542
(가장 작은 홀수)=1023
➔ 6542−1023=5519

11 배의 값을 □원이라고 하면
석기가 가진 돈은 (□−2000)원이고
예슬이가 가진 돈은 (□−1500)원입니다.
두 사람의 돈을 더하면 (□+3500)원이므로
(□−2000)+(□−1500)=□+3500과 같습니다. 따라서 □=7000이므로 석기는 5000원, 예슬이는 5500원을 갖고 있습니다.

12 어떤 수를 □라고 하면,
(바른 계산)=□−1264이고,
(잘못된 계산)=□−2152입니다.
따라서 바르게 계산한 답과 잘못 계산한 답의 차는 2152−1264=888입니다.

13 (사과의 수)+(배의 수)=1300 … ①
(사과의 수)+(귤의 수)=1728 … ②
(사과의 수)+(배의 수)+(귤의 수)
=2500 … ③
(귤의 수)=③−①=2500−1300=1200(개)
(배의 수)=③−②=2500−1728=772(개)
(사과의 수)=2500−1200−772=528(개)입니다.

14 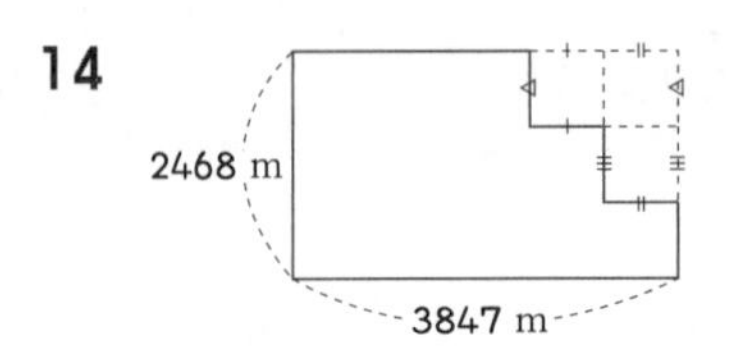

땅의 둘레는 직사각형 모양의 둘레와 같으므로

$(2468+3847)\times 2=12630$(m)입니다.

15

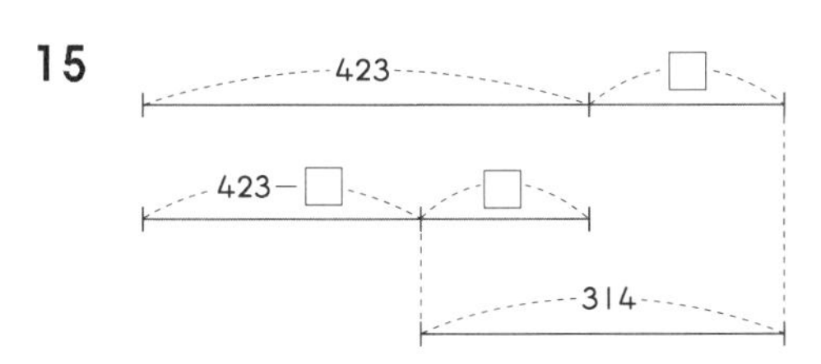

따라서 □$=314\div 2=157$입니다.

16 세 장의 숫자 카드를 ㉠, ㉡, ㉢이라고 할 때 만들 수 있는 세 자리 수는 ㉠㉡㉢, ㉠㉢㉡, ㉡㉠㉢, ㉡㉢㉠, ㉢㉠㉡, ㉢㉡㉠으로 6개입니다.
따라서 만든 세 자리 수의 각 자리의 숫자의 합은 $72\div 6=12$이므로 만든 세 자리 수 중 가장 작은 수는 129입니다.

17 $7980-5200+(5200-3890)=4090$(원)

18 $1113+1967+$□$-257-315=4235$
$2508+$□$=4235$
□$=4235-2508=1727$(m)

19 1부터 9까지의 숫자의 합이 45이므로 백의 자리 숫자의 합이 8, 십의 자리 숫자의 합이 19, 일의 자리 숫자의 합이 18인 경우가 네 자리 수 중 가장 작은 짝수를 만들 수 있습니다.

예

$$\begin{array}{r} 134 \\ 276 \\ +\ 598 \\ \hline 1008 \end{array} \qquad \begin{array}{r} 152 \\ 367 \\ +\ 489 \\ \hline 1008 \end{array}$$

따라서 세 수의 합이 가장 작은 경우는 1008입니다.

20 주어진 수의 앞의 두 자리와 뒤의 두 자리 수를 바꾼 후 두 수의 차를 구합니다.

2. 곱셈

search 탐구 22

풀이
3, 7, 3, 33, 33, 1089, 7, 77, 77, 5929, 7

답 7

EXERCISE

1 8 **2** (1) 1836 (2) 9504
3 618

[풀이]

1 ㉮와 ㉮의 곱의 일의 자리의 숫자는 4이므로 ㉮가 될 수 있는 숫자는 2 또는 8입니다.
그런데 $22\times 2=44$, $88\times 8=704$이므로 ㉮는 8입니다.

2 (1) $36◎15=(36+15)\times 36$
$=51\times 36=1836$
(2) $8◎4=(8+4)\times 8=12\times 8=96$
$96◎3=(96+3)\times 96=99\times 96=9504$

3 $\begin{vmatrix} 48 & 18 \\ 35 & 26 \end{vmatrix}=1248-630=618$

왕문제 23~28

1 819, 91	**2** 6
3 342	**4** 28
5 (1) 1, 2, 3, 4, 5, 6	(2) 1, 2, 3, 4
6 930cm	**7** 8
8 16	**9** 912
10 6상자	**11** 482점
12 2555	**13** 168
14 693	**15** 2200개
16 95점	**17** 680m
18 풀이 참조	**19** 1411cm
20 31개	

[풀이]

1 거꾸로 풀어 봅니다.
$13\times 7=91$ ➔ $91\times 9=819$

2 같은 수를 세 번 곱한 곱의 일의 자리 숫자가 곱한 수와 같은 숫자를 알아봅니다.
$1\times 1\times 1=1$, $4\times 4\times 4=64$, $5\times 5\times 5=125$, $6\times 6\times 6=216$, $9\times 9\times 9=729$이므로 □ 안에 알맞은 숫자는 6입니다.

3 ㉠ : 87, ㉡ : 30
$(㉠-㉡)\times 6=(87-30)\times 6=57\times 6=342$

4 $84=21\times 4$이므로 $84\times 2=21\times 4\times 2=21\times 8$입니다. $21\times 8>21\times$□에서 □ 안에 들어갈 수 있는 수는 1부터 7까지이므로 $1+2+3+4+5+6+7=28$입니다.

5 (1) $57\times7=399$이고, $65\times6=390$, $65\times7=455$ 이므로 □ 안에 들어갈 수 있는 수는 1, 2, 3, 4, 5, 6입니다.

(2) $55\times4=11\times5\times4=44\times5$이므로 □ 안에 들어갈 수 있는 수는 1, 2, 3, 4입니다.

6 (벽의 가로의 길이)$=170\times5+80=930$(cm)

7 $47\times7=329$이므로 □ 안에 들어갈 수 중 가장 큰 수는 328이고 가장 작은 수는 $328-15=313$입니다.
따라서 $39\times★=312$이므로 ★에 알맞은 수는 8입니다.

8 나는 가의 반이므로 가=나×2이고,
다는 나의 4배이므로 다=나×4입니다.

가 ├───┼───┤
나 ├───┤
다 ├───┼───┼───┼───┤

가+나+다=56이므로 나×7=56이 됩니다.
따라서 나=8, 가=8×2=16입니다.

9 두 자연수 중 큰 수는
{(두 수의 합)+(두 수의 차)}÷2에서
$(62+14)\div2=38$이고
두 자연수 중 작은 수는
{(두 수의 합)−(두 수의 차)}÷2에서
$(62-14)\div2=24$이므로
$38\times24=912$입니다.

10 (사과의 개수)$=46\times19=874$(개)
(귤의 개수)$=1894-874=1020$(개)
(귤의 상자 수)$\times170=1020$(개)이므로
귤은 6상자입니다.

11 $47\times2+35\times5+29\times4+17\times5+6\times2$
$=94+175+116+85+12$
$=482$(점)

12 셋째로 큰 수 : 73, 셋째로 작은 수 : 35
➜ $73\times35=2555$

13 ㉮$=83\times64=5312$, ㉯$=643\times8=5144$
➜ ㉮−㉯$=5312-5144=168$

14 $43*34=(43-34)\times(43+34)$
$=9\times77=693$

15 1시간 20분은 80분이고 이것은 10분의 8배입니다. 따라서 만들 수 있는 사탕은 모두 $275\times8=2200$(개)입니다.

16 (5회까지의 총점)$=77\times5=385$(점)
(6회까지의 총점)$=80\times6=480$(점)
따라서 $80\times6-77\times5=95$(점)을 받아야 합니다.

17 (동쪽에 있는 호수의 둘레)$=96\times10=960$(m)
(서쪽에 있는 호수의 둘레)$=82\times20=1640$(m)
따라서 두 호수의 둘레의 차는
$1640-960=680$(m)입니다.

18

	7	8	×
4	4/2	4/8	6
12	6/3	7/2	9
	18	2	

$78\times69=5382$

$4000+1200+180+2=5382$

19 겹쳐진 부분은 63군데이므로
(전체의 길이)$=25\times64-3\times63$
$=1600-189$
$=1411$(cm)

20 $1\times1=1$, $2\times2=4$, $3\times3=9$, ……,
$30\times30=900$, $31\times31=961$, $32\times32=1024$
이므로 1000보다 작은 제곱수는 1부터 31까지의 제곱수이므로 모두 31개입니다.

왕중왕 문제 29~34

1 11	**2** 441
3 385	**4** 341
5 187쪽	**6** 238명
7 14	**8** 455
9 (1) 2377	(2) 10
10 (1) 2, 2, 3, 9, 2, 1, 1, 0	
(2) 8, 3, 4, 7, 2, 4, 5, 1	
11 3	**12** 108개
13 8개	**14** 2401 m
15 7, 27	**16** 6장
17 521	**18** 110
19 1700개	**20** 4344

[풀이]

1 ㉯×6을 계산하여 일의 자리의 숫자가 ㉯가 되는 경우는 2×6=12, 4×6=24, 6×6=36, 8×6=48의 4가지이고 74×6=444이므로 ㉮=7, ㉯=4입니다.
따라서 ㉮와 ㉯의 합은 7+4=11입니다.

2 곱이 가장 큰 경우 : 52×8=416
곱이 가장 작은 경우 : 25×1=25
따라서 두 곱의 합은 416+25=441입니다.
|참고|
(두 자리 수)×(한 자리 수)의 곱셈식을 만들 때 곱이 가장 큰 값을 얻기 위해서는 가장 큰 숫자를 ㉢에 놓고, 둘째 번으로 큰 숫자를 ㉠에, 셋째 번으로 큰 숫자를 ㉡에 놓습니다.

$\begin{array}{r} ㉠㉡ \\ \times\quad ㉢ \\ \hline \end{array}$

또, 곱이 가장 작은 값을 얻기 위해서는 가장 작은 숫자를 ㉢에 놓고, 둘째 번으로 작은 숫자를 ㉠에 셋째 번으로 작은 숫자를 ㉡에 놓습니다.

3 7+14+21+ ⋯ +70
=7×1+7×2+7×3+ ⋯ +7×10
=7×(1+2+3+ ⋯ +10)=7×55=385

4 (20×19)−(20+19)=341

5 1쪽에서 9쪽까지 사용한 숫자 : 9개
10쪽에서 99쪽까지 사용한 숫자 :
90×2=180(개)
100쪽부터 사용한 숫자는
453−(9+180)=264(개)이므로
264÷3=88에서 187쪽까지 썼습니다.

6 12명씩 앉히면 50석이 남고, 8명씩 앉히면 46석이 모자라는 이유는 하나의 긴 의자에 4명씩 덜 앉혔기 때문입니다.
(의자 수)=(50+46)÷4=24(개)이고,
(학생 수)=12×24−50=238(명)입니다.

7 똑같은 수를 세 번 곱하여 일의 자리의 숫자가 4가 나오는 경우는 4×4×4=64이므로 일의 자리의 숫자는 4입니다. 14×14×14=2744

8 392÷7=56이므로 처음 수는 65입니다.
따라서 바르게 계산하면 65×7=455입니다.

9 (1) 45∗88=45×45+88×4
=2025+352=2377

(2) □∗20=180
□×□+20×4=180
□×□=100이므로 □=10입니다.

10 (1)
$\begin{array}{r} 4\,6 \\ \times\quad \boxed{2}\,5 \\ \hline \boxed{2}\,\boxed{3}\,0 \\ \boxed{9}\,\boxed{2} \\ \hline \boxed{1}\,\boxed{1}\,5\,\boxed{0} \end{array}$

(2)
$\begin{array}{r} 6\,\boxed{8} \\ \times\quad \boxed{3}\,7 \\ \hline \boxed{4}\,\boxed{7}\,6 \\ \boxed{2}\,0\,\boxed{4} \\ \hline 2\,\boxed{5}\,\boxed{1}\,6 \end{array}$

11 (40+□)×(40−□)=1591에서 곱의 일의 자리 숫자가 1이므로 40+□와 40−□의 일의 자리 숫자의 곱은 1×1, 3×7, 7×3, 9×9 중 하나입니다. 그런데 일의 자리 숫자가 서로 다른 수이어야 하므로
43×37=1591, 47×33=1551에서
40+□=43, □=3입니다.

12 한솔이가 가진 구슬 수를 □개라고 하면 유승이가 가진 구슬 수는 □×3, 영수가 가진 구슬 수는 □−15입니다.
□+□×3+□−15=165에서
□×5=165+15=180,
36×5=180이므로 □=36(개)입니다.
따라서 유승이가 가진 구슬은 36×3=108(개)입니다.

13 30문제를 다 맞았을 때 점수 : 30×5=150(점)
29문제를 맞고 1문제를 틀렸을 때 점수 :
29×5−2×1=143(점)
28문제를 맞고 2문제를 틀렸을 때 점수 :
28×5−2×2=136(점)
따라서 한 문제를 틀릴 때마다 7점씩 낮아지므로 틀린 문제는 (150−94)÷7=8(개)입니다.

14 전봇대 사이의 간격 수는 49개이므로
49×49=2401(m)입니다.

15 189=3×3×3×7이므로 두 수의 합이 34가 되도록 두 수를 찾으면 27과 7입니다.

16 남학생 수가 여학생 수의 2배이므로
여학생 수는 24÷3=8(명)입니다.
따라서 여학생 한 명이 가진 색종이는
(50−2)÷8=6(장)입니다.

17 3, 10, 17, 24, ⋯, □
+7 +7 +7 　 75번째 수

(1번째 수)$=7\times1-4=3$
(2번째 수)$=7\times2-4=10$
(3번째 수)$=7\times3-4=17$
⋮
(75번째 수)$=7\times75-4=521$

18 일의 자리 숫자끼리 곱한 (㉡, ㉠)의 일의 자리 숫자가 4이므로 (㉠, ㉡)은 (1, 4), (2, 7), (3, 8), (4, 6), (6, 9) 중 하나입니다.
$14\times41=574$, $27\times72=1944$,
$38\times83=3154$, $46\times64=2944$,
$69\times96=6624$, ……
이므로 ㉠㉡×㉡㉠$=46\times64=2944$이고
㉠㉡+㉡㉠$=46+64=110$입니다.

19 (5주일 동안 일하는 날수)
$=5\times5=25$(일)
(4명이 하루 동안 만드는 물건 수)
$=17\times4=68$(개)
따라서 $68\times25=1700$(개)를 만들 수 있습니다.

20 (큰 수)$=(137+29)\div2=83$
(작은 수)$=(137-29)\div2=54$이므로
사용한 숫자 카드는 8, 3, 5, 4입니다.
따라서 만들 수 있는 (세 자리 수)×(한 자리 수) 중에서 가장 큰 값은 $543\times8=4344$입니다.

3. 나눗셈

search 탐구 36

풀이
80, 85, 90, 95, 78, 84, 90, 96, 76, 83, 90, 97, 90

답 90

EXERCISE

1 24, 84 **2** 9자루
3 2550원

[풀이]

1 3과 4로 나누면 나누어떨어지는 두 자리 수
: 12, 24, 36, 48, 60, 72, 84, 96
이 중에서 5로 나누면 나머지가 4인 수는 24와 84입니다.

2 $(12\times6)\div8=72\div8=9$(자루)

3 (연필 한 자루 값)$=920\div4=230$(원)
(색연필 한 자루 값)$=840\div3=280$(원)
(연필 5자루의 값)+(색연필 5자루의값)
$=(230+280)\times5=2550$(원)

왕 문제 37~42

1 1, 4, 7, 6, 2, 7, 2	**2** 9, 81
3 몫: 11, 나머지: 1	**4** 82
5 13 cm	**6** 36송이
7 52분	**8** 31
9 16	**10** 15
11 15	**12** 25초
13 60명	**14** 360
15 12개, 3개	**16** 92 cm
17 검은색	**18** 8개
19 6자루	**20** 6개

[풀이]

1
$$\begin{array}{r} \boxed{1}\boxed{4} \\ 6\,)\overline{\;8\;\boxed{7}} \\ \boxed{6}\phantom{\boxed{7}} \\ \hline \boxed{2}\boxed{7} \\ \boxed{2}\;4 \\ \hline 3 \end{array}$$

2 뒤에서부터 거꾸로 계산합니다.
$27\times3=81$, $81\div9=9$

3 (어떤 수)$=7\times12+5=89$
$89\div8=11\cdots1$

4 만일 7개의 자연수를 1, 2, 3, 4, 5, 6, 7이라 하면 $1+2+3+4+5+6+7=28$이므로 연속된 7개의 수의 합은 (가운데 수)×7과 같습니다.
따라서 (가운데 수)$=595\div7=85$이므로 7개의 수 중 가장 작은 수는 $85-3=82$입니다.

5 접힌 부분은 ㉠이 3번 겹쳐져 있으므로
$68+$㉠$+$㉠$=94$입니다.
따라서 ㉠의 길이는
$(94-68)\div2=13$(cm)입니다.

6 길 한쪽에 심는 꽃은
(68÷4)+1=18(송이)이므로
꽃은 모두 36송이 필요합니다.

7 180 cm인 통나무를 30 cm씩 자르면 모두 6도막이 됩니다. 6도막이 되려면 5번 자르고 4번 쉬어야 하므로 걸리는 시간은
(8×5)+(4×3)=40+12=52(분)입니다.

8 48∗45=(48+45)÷(48−45)
=93÷3
=31

9 만들 수 있는 나눗셈식은 24÷3=8, 27÷3=9, 42÷3=14, 72÷3=24입니다.
따라서 몫이 가장 큰 나눗셈의 몫과 몫이 가장 작은 나눗셈의 몫의 차는 24−8=16입니다.

10 4□8보다 2 작은 수인 4□6은 8로 나누어떨어지는 수입니다.
416÷8=52, 456÷8=57, 496÷8=62이므로
□ 안에 알맞은 숫자의 합은 1+5+9=15입니다.

11 9×10=6×□
□=90÷6=15

12 형이 동생보다 1초에 2 m씩 더 빨리 달리므로 두 사람 사이의 거리는 1초에 2 m씩 줄어듭니다. 따라서 형이 동생을 만나는 데 걸린 시간은
50÷2=25(초)입니다.

13 전체 모둠의 수는 72÷6=12(모둠)이므로
여학생 수는 12×5=60(명)입니다.

14 9로 나눌 때 나머지는 1부터 8까지 나올 수 있으므로 구하는 두 자리 수는 9×1+1=10,
9×2+2=20, 9×3+3=30, ……,
9×8+8=80입니다.
따라서 9로 나눌 때 몫과 나머지가 같은 두 자리 수의 합은 10+20+30+…+80=360입니다.

15 전체 오이 수는 16×7=112(개)이고 썩어서 버리고 남은 오이 수는 112−13=99(개)입니다. 따라서 99÷8=12…3이므로 한 봉지에 12개씩 나누어 담고, 3개의 오이가 남습니다.

16 가로로 자르면 34÷4=8…2에서 8개를 만들 수 있으므로 세로를 자르면 24÷8=3(개)가 나와야 합니다.
세로의 길이는 4×3=12(cm)이므로 자르기 전 직사각형의 둘레는
34×2+12×2=68+24=92(cm)입니다.

17 바둑돌은 ● ○ ● ● ○ ● ●이 규칙적으로 반복되고 있습니다.
60÷7=8…4이므로 60째 번 바둑돌은 4째 번 바둑돌과 같은 검은색 바둑돌입니다.

18 9□5÷5<197에서 197×5=985이므로
9□5<985이면 됩니다. 따라서 □ 안에 들어갈 수 있는 숫자는 0, 1, 2, 3, 4, 5, 6, 7로 8개입니다.

19 전체 연필 수는 12×13=156(자루)이고
156÷9=17…3이므로 9명에게 똑같이 나누어 주려면 9−3=6(자루)가 더 있어야 합니다.

20 조건에 맞는 수는 52, 60, 68, 76, 84, 92로 6개입니다.

왕중왕 문제 43~48

1 몫 : 93, 나머지 : 4	**2** 5개
3 32	**4** 8
5 14일	**6** 4
7 63자루	**8** 4, 2, 3
9 ×, ÷, ÷, ×	**10** 57
11 42	**12** 12
13 14	**14** 351
15 84	**16** 651, 654
17 96	**18** 375, 735
19 62	**20** 341

[풀이]

1 (어떤 수)=6×124+4=748
➔ 748÷8=93…4

2 5로 나누어떨어지려면 일의 자리의 숫자가 0 또는 5이어야 합니다.
- 일의 자리의 숫자가 0인 두 자리 수
  : 50, 20, 30
- 일의 자리의 숫자가 5인 두 자리 수
  : 25, 35

따라서 모두 5개입니다.

3 3이나 5로 나누면 나머지가 2인 두 자리 수는 17, 32, 47, 62, 77, 92이고 이 중에서 8로 나누어떨어지는 수는 32입니다.

4 어떤 수를 두 수로 나누어 나머지가 같다면 나누는 두 수 중 큰 수는 작은 수의 2배, 3배, 4배, …인 수입니다. 따라서 가는 8입니다.

5 한 명이 하루에 하는 일의 양을 1이라 하면 7명이 18일 동안 한 일의 양은 $7\times18=126$입니다.
남은 일의 양도 126이므로 9명이 하면
$126\div9=14$(일)이 걸립니다.

6 가÷나=9…13이므로 가=9×나+13입니다.
9×나는 9로 나누어떨어지고, $13=9+4$이므로
가를 9로 나누면 나머지는 4입니다.

7 가영이가 가지고 있는 연필의 수는 36자루와 96자루 사이입니다. 36과 96 사이의 수 중에서 7로 나누어떨어지는 수는 42, 49, 56, 63, 70, 77, 84, 91이고 이 중에서 5로 나누면 3이 남는 수는 63입니다.

8 □□÷□−5=9 ➔ □□÷□=14
따라서 만족하는 식은 $42\div3=14$입니다.

9 $9\times6\div3\div3\times18=108$

10 35보다 크고 70보다 작은 수 중에서 6으로 나누면 나머지가 3인 수는 39, 45, 51, 57, 63, 69입니다. 이 중에서 8로 나누면 나머지가 1인 수는 57입니다.

11 ㉮÷㉯=8에서 ㉮=㉯×8입니다.
㉮+㉯=㉯×8+㉯=㉯×9=54에서
㉯=54÷9=6이므로 ㉮=6×8=48입니다.
따라서 ㉮−㉯=48−6=42입니다.

12 3㉠6÷6=6㉡…2에서
6㉡×6=3㉠6−2=3㉠4입니다.
㉡×6의 일의 자리 숫자가 4가 되려면
㉡은 4 또는 9가 되어야 합니다.
$64\times6=384$ (○), $69\times6=414$(×)이므로
㉠=8, ㉡=4입니다.
따라서 ㉠+㉡=12입니다.

13 12÷㉠=㉡÷4 ➔ ㉠×㉡=12×4=48
㉠과 ㉡의 곱이 48이 되는 수는 (1, 48), (2, 24), (3, 16), (4, 12), (6, 8)이며
㉠과 ㉡의 합이 가장 작은 경우는 $6+8=14$입니다.

14 □ 안의 수가 가장 작게 하려면 몫은 가장 작고 나머지는 가장 커야 합니다. 8로 나누는 수이므로 나머지는 7이고 몫이 43일 때
□$=8\times43+7=351$입니다.

15 ㉮÷㉯=21 ➔ ㉮=㉯×21
㉯÷㉰=4 ➔ ㉯=㉰×4
따라서 ㉮=㉰×4×21=㉰×84이므로
㉮÷㉰=㉰×84÷㉰=84입니다.

16 ○5☆이 4로 나누어떨어지려면 ☆=2 또는 6이고, ☆은 5보다 크므로 ☆=6입니다.
또한, 65○가 3으로 나누어떨어져야 하므로
○=1 또는 4가 됩니다.
따라서 구하려는 세 자리 수는 651, 654입니다.

17 □♧8=(□÷8)+(8÷2)=16
□÷8+4=16
□÷8=12
□=96

18 2, 3, 5, 7로 만든 세 자리 수 중에서 5로 나누어떨어지는 수는 235, 275, 325, 375, 725, 735입니다. 이 중에서 3으로 나누어떨어지는 수는 375, 735입니다.

19 작은 수 |—|
큰 수 |—|—|—|—|—|—|—|—|—| 6

두 수의 합은 69이므로
(작은 수)$=(69-6)\div9=7$,
(큰 수)$=7\times8+6=62$입니다.

20 ㉮가 가장 크기 위해서는 ㉯와 ㉰도 가장 커야 합니다.
한 자리 수 중 가장 큰 수는 9이고 나머지 ㉰는 8이므로 ㉮=37×9+8=341입니다.

4. 분수와 소수

search 탐구 50

풀이

8, 3, 5, 3, $\frac{3}{5}$, $\frac{3}{8}$

답 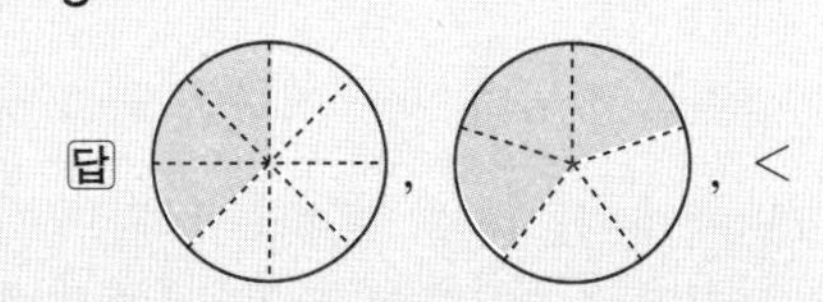 , <

EXERCISE

1 (1) <　　(2) <　　(3) >

2 $\frac{4}{5}$　　3 0.8

[풀이]

1 (1) $\frac{1}{4}$

0　1

$\frac{1}{3}$

0　1

➔ 4>3이므로 $\frac{1}{4}<\frac{1}{3}$입니다.

(2)

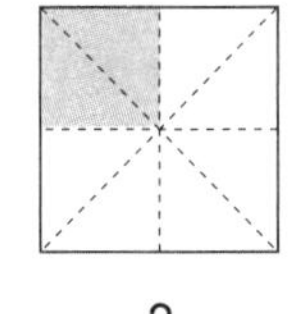

$\frac{2}{8}$

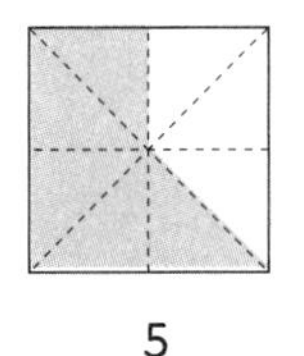

$\frac{5}{8}$

➔ 2<5이므로 $\frac{2}{8}<\frac{5}{8}$입니다.

(3) $\frac{4}{5}$

0　1

$\frac{4}{6}$

0　1

➔ 5<6이므로 $\frac{4}{5}>\frac{4}{6}$입니다.

2 걸은 거리　버스를 타고 간 거리

0　1

따라서 버스를 타고 간 거리는 전체의 $\frac{4}{5}$입니다.

3 ($\frac{1}{10}$이 3개인 수)$=\frac{3}{10}=0.3$

(0.1이 5개인 수)=0.5

따라서 구하는 수는 0.3보다 0.5 큰 0.8입니다.

왕 문제 51~56

1 $\frac{2}{4}$, $\frac{4}{5}$, $\frac{1}{6}$　　2 $\frac{9}{24}$

3 0.9 cm, 8 mm, $\frac{7}{10}$ cm, 5 mm, $\frac{1}{10}$ cm

4 0.6 m　　5 16명

6 0.5

7 빨간색 구슬 : 6개, 파란색 구슬 : 12개, 노란색 구슬 : 6개

8 1.4 m　　9 25

10 ④

11 0.3 L　　12 신영, 석기, 웅이

13 $\frac{4}{9}$　　14 $\frac{1}{7}$

15 18　　16 $\frac{3}{5}$

17 20통　　18 2 L

19 3시간 12분　　20 12개

[풀이]

1 $\left(\frac{1}{2}\right)$, $\left(\frac{1}{3}, \frac{2}{3}\right)$, $\left(\frac{1}{4}, \frac{2}{4}, \frac{3}{4}\right)$, … 과 같이 묶어서 생각합니다.

2 1보다 작은 분수는 (분모)>(분자)이므로 분모는 두 자리 수이고 분자는 한 자리 수입니다.
가장 큰 분수가 되려면 분모는 가장 작고 분자는 가장 커야 하므로 $\frac{9}{24}$입니다.

3

0　$\frac{1}{10}$cm　5mm　$\frac{7}{10}$cm　8mm　0.9cm　1cm

4 1200원은 200원의 6배입니다. 따라서 0.1m의 6배인 0.6m를 살 수 있습니다.

5 (안경을 쓰는 학생)=72의 $\frac{1}{3}$=24(명)
(안경을 쓰고 아파트에 사는 학생)
=24의 $\frac{2}{3}$=16(명)

6 $\frac{4}{10}$보다 크고 0.1이 9개인 수인 0.9보다 작은 수는 0.5, 0.6, 0.7, 0.8입니다. 이 중에서 0.9보다 0.3 작은 수인 0.6보다 작은 수는 0.5입니다.

7 (빨간색 구슬의 수)=24의 $\frac{1}{4}$=6(개)

(파란색 구슬의 수)$=6+6=12$(개)
(노란색 구슬의 수)$=24-6-12=6$(개)

8 나의 키는 동생보다 0.2 m 더 크므로 1.3 m이고, 형의 키는 나보다 0.1 m 더 크므로 1.4 m입니다.

9 □는 전체 길이의 $\frac{5}{8}$에 해당하므로 40의 $\frac{5}{8}$인 25입니다.

10 ④ 0.7보다 0.3 큰 수는 1입니다.

11 가영이가 마신 우유의 양은 0.3 L이므로 수직선에 나타내면 다음과 같습니다.

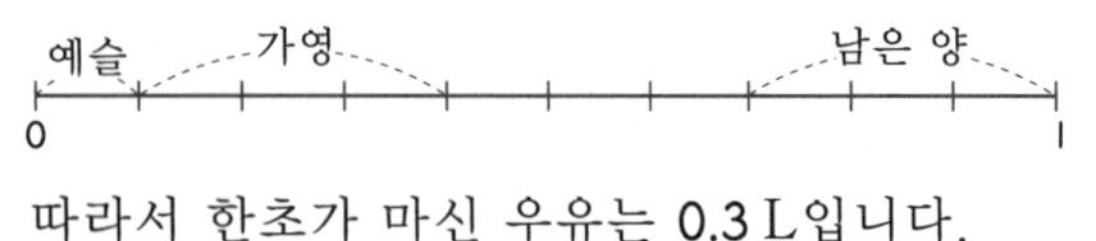

따라서 한초가 마신 우유는 0.3 L입니다.

12 $\frac{1}{3}>\frac{1}{4}>\frac{1}{5}$이므로 동화책을 가장 많이 읽은 순서대로 이름을 쓰면 신영, 석기, 웅이입니다.

13 $\frac{1}{9}$, $\frac{4}{9}$, $\frac{7}{9}$

14 양초는 30분 동안 전체 길이의 $\frac{3}{7}$이 타므로 남은 초는 전체의 $\frac{1}{7}$이 됩니다.

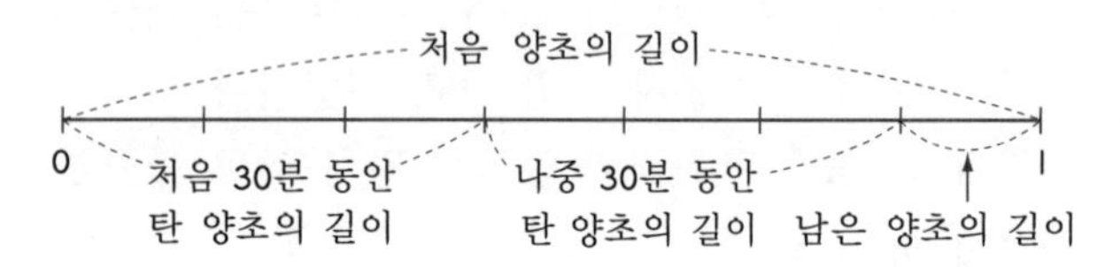

15 ㉠ 0.4<0.□ ➔ □=5, 6, 7, 8, 9
㉡ 6.□<6.8 ➔ □=1, 2, 3, 4, 5, 6, 7
㉢ 3.□<□.4 ➔ □=3, 4, 5, 6, 7, 8, 9
따라서 공통으로 들어갈 숫자의 합은
$5+6+7=18$입니다.

16 1보다 큰 수는 1.7, 1.4입니다. ➔ $1.7>1.4>1$
$\frac{3}{5}>\frac{3}{8}$이고 $\frac{1}{5}<\frac{1}{4}$이므로
큰 수부터 차례로 쓰면
$1.7>1.4>1>\frac{3}{5}>\frac{3}{8}>\frac{1}{4}>\frac{1}{5}$입니다.
따라서 4번째 놓이는 수는 $\frac{3}{5}$입니다.

17 (집 안을 칠하는 데 필요한 페인트)
$=3\times4=12$(통)
(집 바깥을 칠하는 데 필요한 페인트)
$=12$의 $\frac{4}{6}=8$(통)
따라서 페인트는 모두 $12+8=20$(통)이 필요합니다.

18 처음 1주일 / 나중 1주일 / 남아 있는 기름 (0 ~ 5L)

따라서 남아 있는 기름은 $5-2-1=2$(L)입니다.

19 기계 한 대가 인형을 1개 만드는 데 걸리는 시간은 0.4시간입니다. 기계 5대로 인형 40개를 만들려면 기계 1대가 8개를 만들면 되므로 시간은 3.2시간인 3시간 12분이 걸립니다.

20 구슬 전체의 $\frac{1}{4}$이 9개이므로 전체 구슬의 수는 36개입니다. 따라서 한별이가 가진 구슬의 수는 36개의 $\frac{2}{6}$인 12개입니다.

왕중왕문제 57~62

1 168	**2** 150개
3 9	**4** 31.1 cm
5 40일	**6** 10
7 9살	**8** 9살
9 128 mL	**10** 600원
11 300송이	**12** 140 cm
13 가 : 1.2 L, 나 : 0.5 L, 다 : 0.6 L	
14 빨간색 구슬 : 72개, 파란색 구슬 : 24개, 하얀색 구슬 : 12개	
15 608명	**16** ㉠ : $\frac{2}{12}$ ㉡ : $\frac{3}{12}$
17 10000원	**18** 1시간 30분 후
19 240 cm	**20** 72 g

[풀이]

1 ㉮의 $\frac{3}{7}$은 45이므로 ㉮$=45\div3\times7=105$입니다.
㉯는 105의 $\frac{3}{5}$이므로 ㉯$=105\div5\times3=63$입니다.
따라서 ㉮+㉯$=105+63=168$입니다.

2 사과의 개수가 5개이면 배의 개수는 3개입니다.

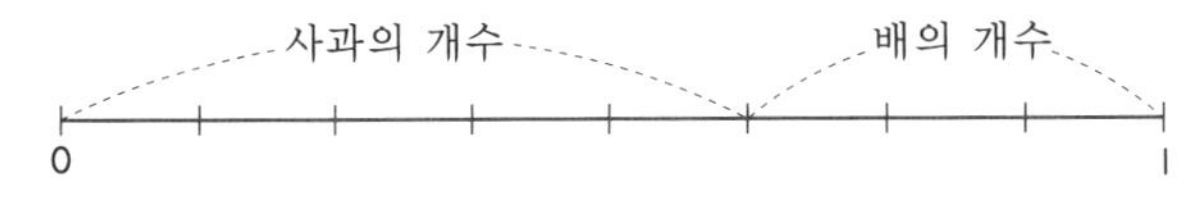

따라서 사과의 개수는 240의 $\frac{5}{8}$인 150개입니다.

3 ㉠은 4부터 6까지 3개, ㉡은 4부터 9까지 6개이므로 ▲+■=3+6=9입니다.

4 cm를 mm로 고친 후 계산합니다.
8.5 cm=85 mm, 7.8 cm=78 mm
$(85+78)\times2-(5\times3)=326-15$
$=311(\text{mm})$
$=31.1(\text{cm})$

5 한 사람이 하루 동안에 하는 일의 양을 1이라 하면 4사람이 5일 동안 한 일의 양은 20이고 이것이 전체의 $\frac{1}{3}$이므로 남은 일의 양은 40입니다.
따라서 한 사람이 남은 일을 모두 마치려면 40일이 걸립니다.

6
- 12를 4묶음으로 나누면 한 묶음은 3이고, 9를 3씩 묶으면 3이므로 9는 12의 $\frac{3}{4}$입니다.
- 15를 3묶음으로 나누면 한 묶음은 5이고, 35를 5씩 묶으면 7이므로 15는 35의 $\frac{3}{7}$입니다.

따라서 ㉠=3, ㉡=7이므로 ㉠+㉡=10입니다.

7
아버지의 나이 / 영수의 나이
0 / 1

따라서 영수의 나이는 48의 $\frac{3}{16}$인 9살입니다.

8 아들의 나이를 □살이라 하고 아버지와 아들의 나이의 관계를 수직선에 나타내면 다음과 같습니다.

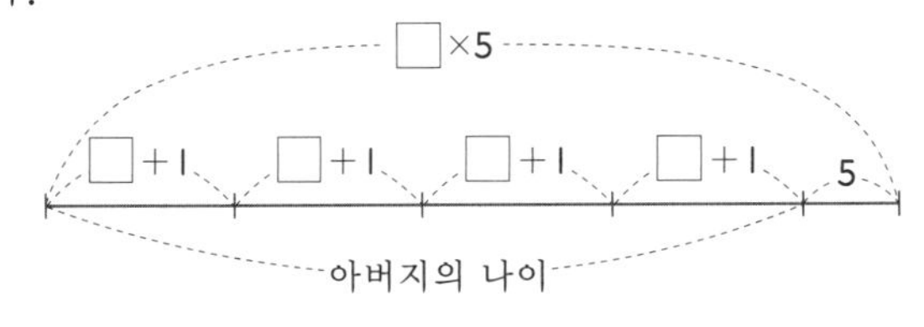

□×5=□×4+4+5
□=9
따라서 아들의 나이는 9살입니다.

9 (1시간 후 남은 물의 양)$=250-\left(250\text{의 }\frac{1}{5}\right)$
$=250-50$
$=200(\text{mL})$
(2시간 후 남은 물의 양)$=200-\left(200\text{의 }\frac{1}{5}\right)$
$=200-40$
$=160(\text{mL})$
(3시간 후 남은 물의 양)$=160-\left(160\text{의 }\frac{1}{5}\right)$
$=160-32$
$=128(\text{mL})$

10 색칠한 부분은 전체의 $\frac{3}{16}$이므로 3200원의 $\frac{3}{16}$인 600원입니다.

11 새벽에 들여온 꽃의 $\frac{3}{5}$이 180송이므로
새벽에 들여온 꽃은 $(180\div3)\times5=300$(송이)입니다.

12 10.5 m=1050 cm입니다.

㉮ 막대 (유승이의 키, ㉮ 막대의 $\frac{2}{3}$)
㉯ 막대 (㉯ 막대의 $\frac{2}{5}$)
㉰ 막대 (㉰ 막대의 $\frac{2}{7}$)

㉮ 막대를 3칸으로 나누면 ㉯ 막대는 5칸 ㉰ 막대는 7칸이고 15칸이 1050 cm이므로 한 칸의 길이는 $1050\div15=70$(cm)입니다.
따라서 유승이의 키는 $70\times2=140$(cm)입니다.

13 (가 물통)+(나 물통)=1.7 L … ①
(가 물통)+(다 물통)=1.8 L … ②
(가 물통)+(나 물통)+(다 물통)=2.3 L … ③
(가 물통)=①+②−③
$=1.7+1.8-2.3=1.2$(L)
(나 물통의 들이)=③−②$=2.3-1.8=0.5$(L)
(다 물통의 들이)=③−①$=2.3-1.7=0.6$(L)

14

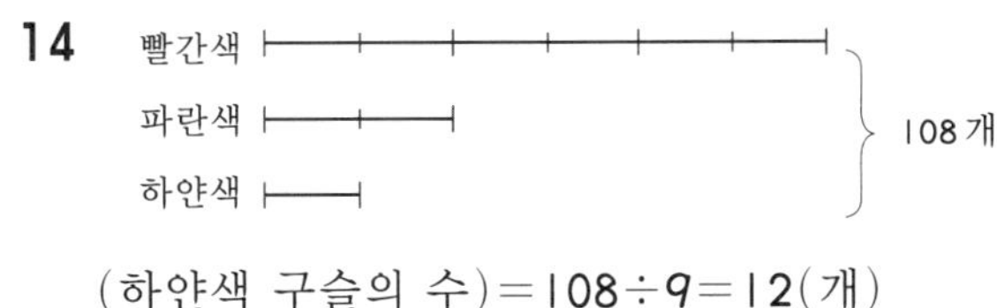

(하얀색 구슬의 수)$=108\div9=12$(개)
(파란색 구슬의 수)$=12\times2=24$(개)
(빨간색 구슬의 수)$=24\times3=72$(개)

15 여학생 전체의 $\frac{1}{8}$이 38명이므로 여학생 전체의 수는 304명입니다. 따라서 여학생의 수가 전체 학생의 $\frac{1}{2}$이므로 석기네 학교의 전체 학생은 모두 $304 \times 2 = 608$(명)입니다.

16

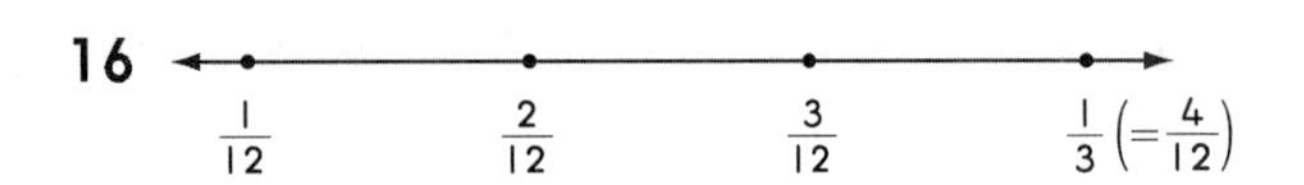

17

책 저금 2500원
0 1

따라서 상연이가 처음에 가지고 있었던 돈은 $2500 \times 4 = 10000$(원)입니다.

18

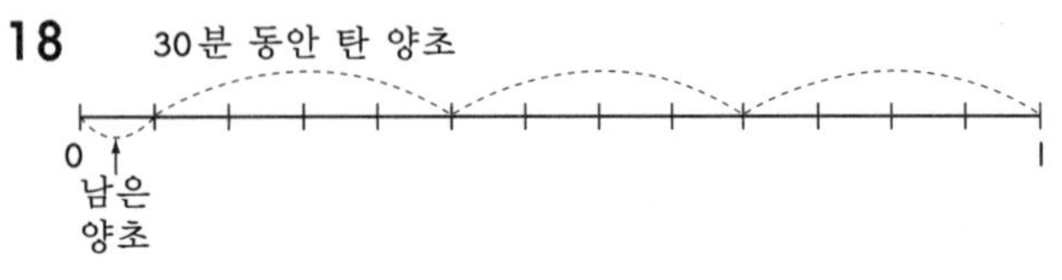

따라서 30분씩 3번 탄 것과 같으므로 1시간 30분 후가 됩니다.

19

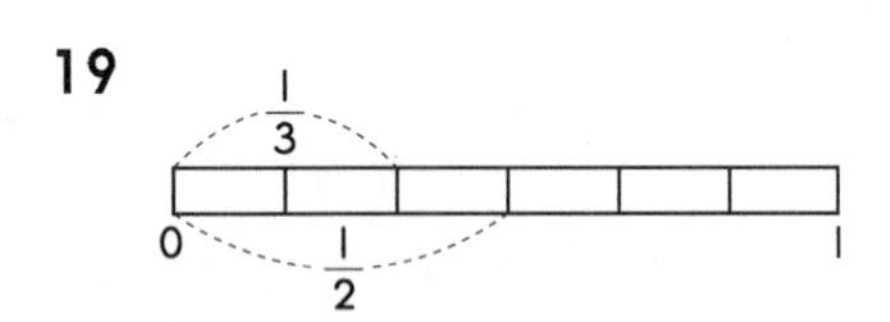

테이프의 $\frac{1}{2}$과 $\frac{1}{3}$의 차이는 테이프의 $\frac{1}{6}$과 같으므로 테이프의 길이는 $40 \times 6 = 240$(cm)입니다.

20

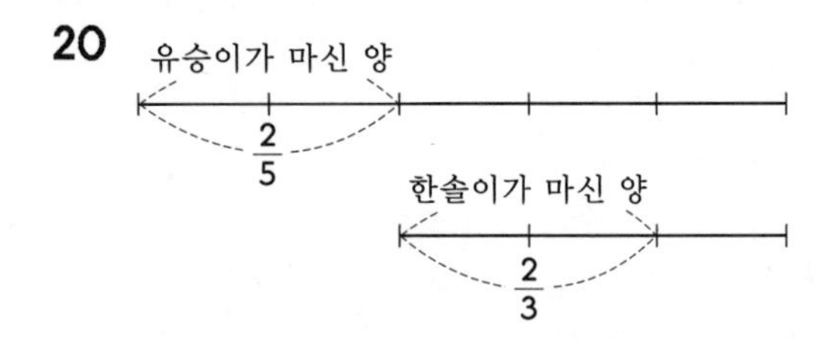

(한솔이가 마신 물의 양)$=144-96=48$(g)
(한솔이가 마시고 남은 물의 양)
$=48 \div 2 = 24$(g)
(병만의 무게)$=96-24=72$(g)

5. 여러 가지 분수

search 탐구 64

풀이

$2\frac{3}{4}$, $2\frac{3}{5}$, $2\frac{4}{5}$, $3\frac{2}{4}$, $3\frac{2}{5}$, $3\frac{4}{5}$, $4\frac{2}{3}$, $4\frac{2}{5}$, $4\frac{3}{5}$, $5\frac{2}{3}$, $5\frac{2}{4}$, $5\frac{3}{4}$, 12

답 12

EXERCISE 1

1 (1) $\frac{3}{4}$, $\frac{11}{12}$ (2) $\frac{7}{5}$, $\frac{9}{9}$, $\frac{20}{8}$
(3) $1\frac{2}{3}$, $10\frac{5}{8}$

2 6개

[풀이]

2 분모가 3일 때 : $\frac{5}{3}$, $\frac{7}{3}$, $\frac{9}{3}$(3개)
분모가 5일 때 : $\frac{7}{5}$, $\frac{9}{5}$(2개)
분모가 7일 때 : $\frac{9}{7}$(1개)
따라서 모두 $3+2+1=6$(개)를 만들 수 있습니다.

search 탐구 65

풀이

15, 16, 17, 17, 16, 15, 석기, 신영, 유승

답 석기, 신영, 유승

EXERCISE 2

1 3, 4, 5, 6 **2** 지하철
3 7개

[풀이]

1 $\frac{13}{5}=2\frac{3}{5}$, $\frac{33}{5}=6\frac{3}{5}$이므로 □ 안에 알맞은 수는 3, 4, 5, 6입니다.

2 $\frac{8}{6}=1\frac{2}{6}$시간이므로 $1\frac{5}{6} > \frac{8}{6}$입니다. 더 빨리 가려면 시간이 더 적게 걸려야 하므로 지하철을 타면 더 빨리 갈 수 있습니다.

3 $3=\frac{12}{4}$, $5=\frac{20}{4}$이므로 $\frac{12}{4}$보다 크고 $\frac{20}{4}$보다 작은 가분수는 $\frac{13}{4}$부터 $\frac{19}{4}$까지의 분수이므로 $19-13+1=7$(개)입니다.

왕 문제 66~71

1 8개

2 $\frac{30}{5}$, $\frac{23}{5}$, $4\frac{2}{5}$, $3\frac{2}{5}$, $\frac{15}{5}$

3 (1) $\frac{6}{2}$, $\frac{2}{6}$ (2) $6\frac{4}{5}$, $\frac{6}{5}$

4 130

5 $3\frac{4}{5}$

6 $\frac{5}{6}$

7 $\frac{25}{13}$

8 3조각

9 $\frac{49}{5}$

10 ㉮

11 4개

12 3개

13 6개

14 11

15 $\frac{79}{21}$

16 $\frac{52}{13}$

17 11개

18 36개

19 $7\frac{8}{13}$

20 $\frac{71}{15}$

[풀이]

1 가분수는 분자가 분모와 같거나 분모보다 큰 분수이므로 3보다 작으면서 분모가 4인 가분수는 $\frac{4}{4}$, $\frac{5}{4}$, $\frac{6}{4}$, $\frac{7}{4}$, $\frac{8}{4}$, $\frac{9}{4}$, $\frac{10}{4}$, $\frac{11}{4}$로 모두 8개입니다.

2 $\frac{23}{5}=4\frac{3}{5}$, $\frac{15}{5}=3$, $\frac{30}{5}=6$이므로
$\frac{30}{5}>\frac{23}{5}>4\frac{2}{5}>3\frac{2}{5}>\frac{15}{5}$입니다.

3 (1) 가장 큰 가분수 ➔ $\frac{(\text{가장 큰 숫자})}{(\text{가장 작은 숫자})}=\frac{6}{2}$
(2) 가장 큰 대분수
➔ (가장 큰 자연수)+(가장 큰 진분수)
$=6\frac{4}{5}$

4 $6=\frac{30}{5}$, $7=\frac{35}{5}$이므로 $\frac{30}{5}$과 $\frac{35}{5}$ 사이의 가분수는 $\frac{31}{5}$, $\frac{32}{5}$, $\frac{33}{5}$, $\frac{34}{5}$입니다.
따라서 분자들의 합은 130입니다.

5 나는 가장 작은 수, 가는 가장 큰 수이어야 합니다.
따라서 가장 큰 분수는 $\frac{19}{5}$이므로 구하는 분수는 $3\frac{4}{5}$입니다.

6 $\frac{1}{2}$, $1=\frac{2}{2}$, $\frac{1}{3}$, $\frac{2}{3}$, $1=\frac{3}{3}$, $\frac{1}{4}$, $\frac{2}{4}$, $\frac{3}{4}$, $1=\frac{4}{4}$, ……로 나타낼 수 있습니다.
분모가 2인 분수는 2개, 분모가 3인 분수는 3개, 분모가 4인 분수는 4개, ……이고,
$2+3+4+5+6=20$이므로 19번째 수는 분모가 6인 분수 중 5번째 수인 $\frac{5}{6}$입니다.

7 (분자)$=(38+12)\div2=25$
(분모)$=38-25=13$
따라서 구하는 가분수는 $\frac{25}{13}$입니다.

8 남자가 먹은 양 : 한 판의 $\frac{2}{3}$
따라서 여자는 9조각의 $\frac{2}{3}$인 6조각을 먹고, $9-6=3$(조각)을 남겼습니다.

9 만들 수 있는 가장 큰 대분수는 $9\frac{4}{5}$이므로 가분수로 나타내면 $\frac{9\times5+4}{5}=\frac{49}{5}$입니다.

10 ㉮의 $\frac{3}{4}$은 ㉮의 $\frac{6}{8}$과 같으므로
(㉮의 $\frac{6}{8}$)=(㉯의 $\frac{7}{8}$)입니다.
$\frac{6}{8}<\frac{7}{8}$이므로 ㉮>㉯입니다.

11 분모가 2일 때 : $\frac{9}{2}$, $\frac{10}{2}$, $\frac{13}{2}$(3개)
분모가 3일 때 : $\frac{13}{3}$(1개)
➔ $3+1=4$(개)

12 1과 크기가 같은 분수는 분모와 분자의 크기가 같은 가분수입니다.
따라서 조건을 만족하는 분수는 $\frac{5}{5}$, $\frac{10}{10}$, $\frac{15}{15}$로 3개입니다.

13 $\frac{\square}{8}$인 가분수 중에서 3보다 크고 5보다 작은 분수는 $\frac{25}{8}$, $\frac{26}{8}$, …, $\frac{38}{8}$, $\frac{39}{8}$입니다.
이 중에서 대분수로 나타내면 분자가 4보다 큰 분수는

$\frac{29}{8}=3\frac{5}{8}$, $\frac{30}{8}=3\frac{6}{8}$, $\frac{31}{8}=3\frac{7}{8}$, $\frac{37}{8}=4\frac{5}{8}$,

$\frac{38}{8}=4\frac{6}{8}$, $\frac{39}{8}=4\frac{7}{8}$로 6개입니다.

14 $8\times\square+3=91$에서 $\square=(91-3)\div8$, $\square=11$ 입니다.

15 분모는 1씩 증가하므로 20번째에 놓이는 분수의 분모는 $2+1\times19=21$입니다.
분자는 4씩 증가하므로 20번째에 놓이는 분수의 분자는 $3+4\times19=79$입니다.
따라서 20번째에 놓이는 분수는 $\frac{79}{21}$입니다.

16 ㉮+㉯=65, ㉮×4=㉯이므로
㉮+㉮×4=65, ㉮×5=65, ㉮=65÷5=13 입니다.
㉯=13×4=52이므로 $\frac{㉯}{㉮}=\frac{52}{13}$입니다.

17 분모가 12이고 자연수 부분과 분자가 같은 분수 중 20보다 작은 분수는 $1\frac{1}{12}$, $2\frac{2}{12}$, ⋯, $11\frac{11}{12}$로 모두 11개입니다.

18 분자가 50보다 작은 $\frac{49}{8}$를 대분수로 나타내면 $6\frac{1}{8}$입니다.
가분수는 $\frac{8}{8}$, $\frac{9}{8}$, $\frac{10}{8}$, ⋯, $\frac{49}{8}$까지이며 모두 $49-8+1=42$(개)이며 이 중에서 $\frac{8}{8}=1$, $\frac{16}{8}=2$, ⋯, $\frac{48}{8}=6$으로 자연수가 되는 수는 6개입니다. 따라서 대분수로 나타낼 수 있는 수는 $42-6=36$(개)입니다.

19 분수의 분모를 □라 하면 $7\frac{8}{\square}=\frac{99}{\square}$입니다.
$7\times\square+8=99$, $7\times\square=99-8=91$이므로 $\square=91\div7=13$입니다.
따라서 $\frac{99}{13}=7\frac{8}{13}$입니다.

20 4와 5 사이의 분수이고 분모는 15이므로 $4\frac{\square}{15}$입니다. 대분수의 분자 중 12보다 작으면서 가장 큰 분자는 11이므로 구하는 대분수는 $4\frac{11}{15}$이므로 가분수로 나타내면 $\frac{71}{15}$입니다.

왕중왕문제 72~77

1 $\frac{24}{40}$	2 $\frac{75}{2}$
3 $\frac{47}{6}$	4 $\frac{101}{8}$
5 12개	6 $\frac{22}{15}$
7 13가지	8 279번째 수
9 90개	10 20개
11 114	12 36개
13 75	14 330
15 61	16 270
17 100	18 26개
19 10개	20 45째 번

[풀이]

1 분자 : 앞 분수의 분모의 분자의 차
분모 : 앞 분수의 분모와 분자의 합
따라서 ㉠에 들어갈 분수는 $\frac{32-8}{32+8}=\frac{24}{40}$입니다.

2 (어떤 수)$=7\times5+\frac{5}{2}=35+\frac{5}{2}=\frac{75}{2}$

3 (분자)=(분모)×7+5, (분자)+(분모)=53이므로 (분모)×7+5+(분모)=53입니다.
따라서 (분모)×8=53−5=48에서 (분모)=48÷8=6이고 (분자)=6×7+5=47 이므로 가분수는 $\frac{47}{6}$입니다.

4 25는 홀수이고 홀수번째는 가분수이므로 늘어놓은 분수를 모두 가분수로 고치면
$\frac{5}{8}$, $\frac{9}{8}$, $\frac{13}{8}$, $\frac{17}{8}$, $\frac{21}{8}$, $\frac{25}{8}$, $\frac{29}{8}$, ⋯로 분모는 8이고 분자는 5부터 4씩 늘어나는 규칙이 있습니다.
따라서 25번째의 분수는 $\frac{5+4\times24}{8}=\frac{101}{8}$입니다.

5 1과 크기가 같은 가분수는 $\frac{4}{4}$, $\frac{8}{4}$, $\frac{12}{4}$, ⋯이고 50÷4=12⋯2에서 12개입니다.

6 가운데 분자를 □라 하면
$(\square-1)+\square+(\square+1)=69$에서
$\square\times3=69$, $\square=69\div3=23$입니다.
따라서 가장 작은 가분수는 $\frac{23-1}{15}=\frac{22}{15}$입니다.

7 가분수로 나타내려면 ㉮<㉯인 수를 찾습니다.

㉮가 4일 때 ㉯는 6, 7, 8, 9로 4개
㉮가 5일 때 ㉯는 6, 7, 8, 9로 4개
㉮가 6일 때 ㉯는 7, 8, 9로 3개
㉮가 7일 때 ㉯는 8, 9로 2개
따라서 가분수로 나타낼 수 있는 경우는
$4+4+3+2=13$(가지)입니다.

8 분모가 2인 분수는 1개, 분모가 3인 분수는 2개, 분모가 4인 분수는 3개, …
이므로 분모가 24인 분수는 23개입니다.
또한 $\frac{22}{25}$는 $\frac{24}{25}$부터 3번째 분수이므로
➔ $(1+2+3+\cdots+23)+3$
$=(1+23)\times23\div2+3=279$(번째)

9 ㉮가 1일 때 만들 수 있는 대분수는 $1\frac{1}{2}$, $1\frac{1}{3}$, $1\frac{2}{3}$, $1\frac{1}{4}$, $1\frac{2}{4}$, $1\frac{3}{4}$, $1\frac{1}{5}$, $1\frac{2}{5}$, $1\frac{3}{5}$, $1\frac{4}{5}$, $1\frac{1}{6}$, $1\frac{2}{6}$, $1\frac{3}{6}$, $1\frac{4}{6}$, $1\frac{5}{6}$로 15개이고 ㉮가 2, 3, 4, 5, 6일 때도 각각 15개씩이므로 만들 수 있는 대분수는 $15\times6=90$(개)입니다.

10 범위를 나누어 개수를 알아봅니다.
- $5\frac{3}{8}<□\frac{□}{8}<6$ ➔ $5\frac{4}{8}$, $5\frac{5}{8}$, $5\frac{6}{8}$, $5\frac{7}{8}$ (4개)
- $6<□\frac{□}{8}<7$ ➔ $6\frac{1}{8}$, $6\frac{2}{8}$, …, $6\frac{6}{8}$, $6\frac{7}{8}$ (7개)
- $7<□\frac{□}{8}<8$ ➔ $7\frac{1}{8}$, $7\frac{2}{8}$, …, $7\frac{6}{8}$, $7\frac{7}{8}$ (7개)
- $8<□\frac{□}{8}<8\frac{3}{8}$ ➔ $8\frac{1}{8}$, $8\frac{2}{8}$ (2개)

➔ $4+7+7+2=20$(개)

11 분모가 13인 가분수는 $\frac{13}{13}$, $\frac{14}{13}$, $\frac{15}{13}$, …
자연수 13을 분모가 13인 가분수로 나타내면
$13=\frac{13\times13}{13}=\frac{169}{13}$
그러므로 ㉠은 $\frac{13}{13}$부터 $\frac{168}{13}$까지 156개입니다.
마찬가지로 분모가 7인 가분수 중에서 자연수 7보다 작은 가분수의 개수 ㉡은
$\frac{7}{7}$부터 $\frac{48}{7}$까지 42개입니다.
따라서 ㉠－㉡$=156-42=114$입니다.

12 3장의 숫자 카드를 선택하는 방법은 (3, 4, 5), (3, 4, 6), (3, 5, 6), (4, 5, 6)으로 4가지입니다.
[3], [4], [5] 3장의 숫자 카드로 만들 수 있는 가분수는 $\frac{45}{3}$, $\frac{54}{3}$, $\frac{35}{4}$, $\frac{53}{4}$, $\frac{34}{5}$, $\frac{43}{5}$으로 6가지이고 대분수는 $3\frac{4}{5}$, $4\frac{3}{5}$, $5\frac{3}{4}$으로 3가지입니다.
따라서 만들 수 있는 모든 가분수와 대분수는
$(6+3)\times4=36$(개)입니다.

13
- $\frac{★}{30}$은 진분수이므로 $★<30$입니다.
- $\frac{12}{★}$는 진분수이므로 $★>12$입니다.
- $\frac{★}{18}$은 진분수이므로 $★<18$입니다.

따라서 조건을 모두 만족하는 자연수 ★은 12보다 크고 18보다 작은 수이므로 ★이 될 수 있는 수들의 합은
$13+14+15+16+17=15\times5=75$입니다.

14 ㉡$\frac{㉡}{9}=\frac{㉡\times9+㉡}{9}=\frac{㉠}{9}$이므로
㉠=㉡$\times9+$㉡입니다.
㉡$=1$일 때 ㉠$=10(\times)$
㉡$=2$일 때 ㉠$=2\times9+2=20(\times)$
㉡$=3$일 때 ㉠$=3\times9+3=30$
㉡$=4$일 때 ㉠$=4\times9+4=40$
㉡$=5$일 때 ㉠$=5\times9+5=50$
㉡$=6$일 때 ㉠$=6\times9+6=60$
㉡$=7$일 때 ㉠$=7\times9+7=70$
㉡$=8$일 때 ㉠$=8\times9+8=80$
㉡은 9보다 작아야 하므로 그 다음 수는 없습니다.
➔ $30+40+50+60+70+80=330$

15 $●\times★=38-8=30$이고 ★은 8보다 큰 수입니다.
$●+★=1+30=31$
$=2+15=17$
$=3+10=13$
따라서 ㉮가 될 수 있는 수는 31, 17, 13이므로 합을 구하면 $31+17+13=61$입니다.

16 분모가 30인 가분수는 $\frac{30}{30}$, $\frac{31}{30}$, $\frac{32}{30}$, …,
$\frac{30\times30-1}{30}$이므로 ㉠$=30\times30-1-29=870$입니다.

분모가 25인 가분수는 $\frac{25}{25}$, $\frac{26}{25}$, $\frac{27}{25}$, …,

$\frac{25\times25-1}{25}$이므로 ㉠$=25\times25-1-24=600$

입니다.

따라서 ㉠$-$㉡$=870-600=270$입니다.

17 늘어놓은 분수에서 규칙을 찾아보면 분모는 1씩 커지고 분자는 2씩 커지는 규칙이 있습니다.

따라서 50번째 놓이는 분수는

$\frac{1+2\times49}{2+49}=\frac{99}{51}=1\frac{48}{51}$

➔ ㉠$+$㉡$+$㉢$=1+51+48=100$

18 자연수 부분이 30일 때 $30\frac{1}{2}$, $30\frac{1}{3}$, $30\frac{2}{3}$(3개)

이고 자연수 부분이 31, 32일 때도 3개씩입니다.

자연수 부분이 33일 때 $33\frac{1}{2}$(1개)이고 자연수

부분이 34, 35, …, 49일 때도 한 개씩입니다.

따라서 구하는 대분수는 모두

$3\times3+17=26$(개)입니다.

19 2로 나누어떨어지는 수는 2, 4, 6, 8

2로 나누어떨어지지 않는 수는 1, 3, 5, 7, 9

1보다 큰 분수를 만들어 보면

$\frac{3}{2}$, $\frac{5}{2}$, $\frac{7}{2}$, $\frac{9}{2}$

$\frac{5}{4}$, $\frac{7}{4}$, $\frac{9}{4}$

$\frac{7}{6}$, $\frac{9}{6}$

$\frac{9}{8}$

따라서 모두 10개를 만들 수 있습니다.

20 분자는 (2), (2, 3), (2, 3, 4), (2, 3, 4, 5), …이고, 분모는 (2), (4, 3), (6, 5, 4), (8, 7, 6, 5), …이므로 각 (　)의 끝 수는

$\frac{2}{2}$, $\frac{3}{3}$, $\frac{4}{4}$, $\frac{5}{5}$, $\frac{6}{6}$ 등으로 크기가 1과 같습니다.

2부터 시작해서 10이 되려면 (　)가

$10-1=9$(개)이므로

$1+2+3+4+5+6+7+8+9=45$(째 번)입니다.

Ⅱ 도형

1. 평면도형

search 탐구 81

풀이

3, 4, 5, 2　　답 ④

EXERCISE

1 15개	**2** 12 cm

[풀이]

1 $1+2+3+4+5=15$(개)

2 (가로의 길이)$+$(세로의 길이)$=40\div2=20$(cm)

따라서 세로의 길이는 $20-8=12$(cm)입니다.

왕 문제 82~87

1 16개	**2** 9 cm
3 28 cm	**4** 144개
5 3시, 9시	**6** 45개
7 3 cm, 5 cm	**8** 126 cm
9 6개	**10** 12 cm
11 66개	**12** 216개
13 10개	**14** 30 cm
15 194 cm	**16** ②
17 5 cm, 8 cm	**18** 44개
19 40	**20** 12

[풀이]

1 한 칸짜리 : 4개

두 칸짜리 : 4개

네 칸짜리 : 4개

여섯 칸짜리 : 4개

따라서 모두 16개입니다.

2 사각형의 둘레의 길이는 작은 삼각형의 한 변의 길이 7개가 모인 길이와 같습니다.

➔ $63\div7=9$(cm)

3 (끈의 길이)$=21\times4=84$(cm)

(삼각형의 한 변의 길이)$=84\div3=28$(cm)

4 (가로)$=112\div7=16$(개), (세로)$=63\div7=9$(개)

➔ $16\times9=144$(개)

5  

6 $1+2+3+4+5+6+7+8+9=45$(개)

7

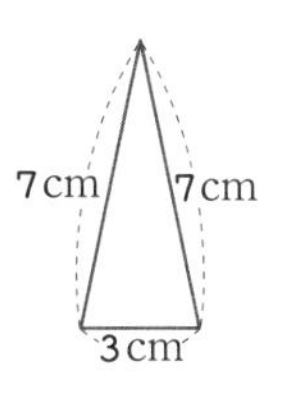

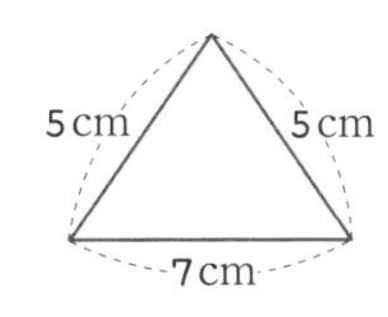

$17-7\times2=3$(cm) $(17-7)\div2=5$(cm)

8 $14\times9=126$(cm)

9

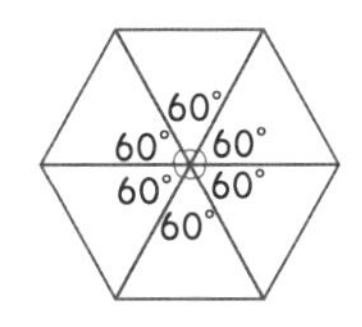

10 삼각형과 사각형의 둘레의 길이의 차는 삼각형의 한 변의 길이의 2배만큼 차이가 나므로 삼각형의 한 변의 길이는 $24\div2=12$(cm)입니다.

11

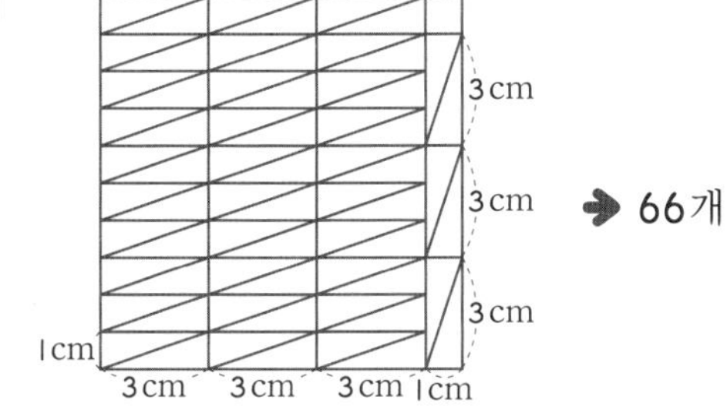

➔ 66개

12 (가로)$=36\div3=12$(개), (세로)$=72\div4=18$(개)

➔ $12\times18=216$(개)

13  ➔ 6개, 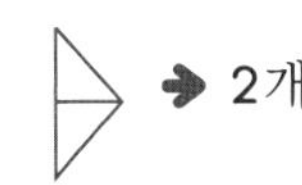 ➔ 2개, 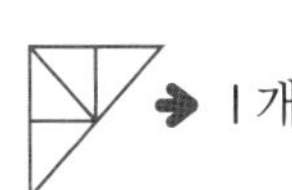 ➔ 1개

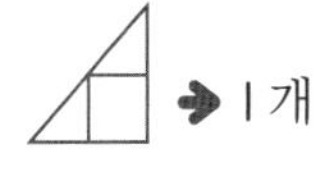 ➔ 1개

따라서 모두 10개입니다.

14

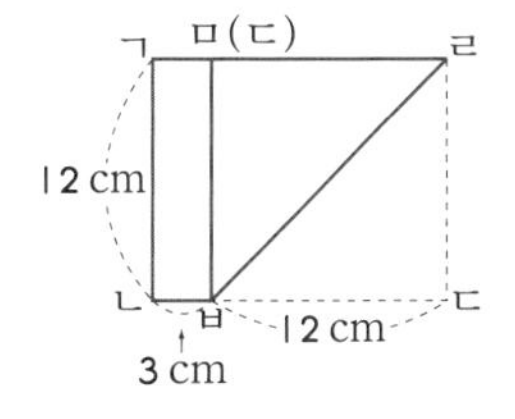

$12\times2+3\times2=30$(cm)

15 가로가 65cm, 세로가 32cm인 직사각형의 둘레와 같습니다.

$65\times2+32\times2=130+64=194$(cm)

16 ① ②  ③ 

④  ⑤ 

17 종이 테이프의 길이 : $9\times3=27$(cm)

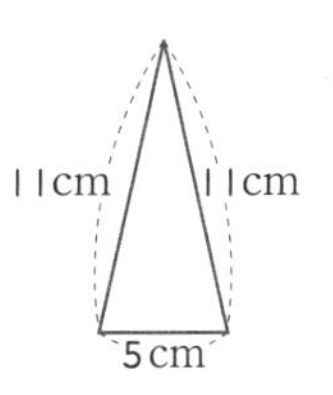

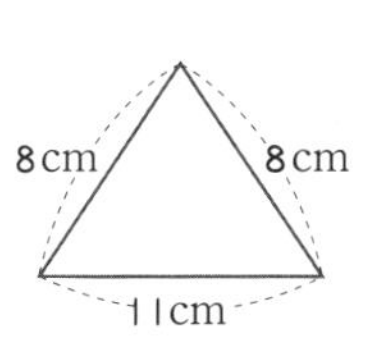

$27-11\times2=5$(cm) $(27-11)\div2=8$(cm)

18 삼각형 1개짜리 : 16개

삼각형 2개짜리 : 16개

삼각형 4개짜리 : 8개

삼각형 8개짜리 : 4개

➔ $16+16+8+4=44$(개)

19 선분의 개수 : 10개, 반직선의 개수 : 20개,

직선의 개수 : 10개

➔ ㉠+㉡+㉢$=10+20+10=40$

20 〈크고 작은 직각삼각형의 개수〉

삼각형 1개짜리 : 16개

삼각형 4개짜리 : 6+1(거꾸로 된 것)=7(개)

삼각형 9개짜리 : 3개

삼각형 16개짜리 : 1개

➔ $16+7+3+1=27$(개)

〈크고 작은 직사각형의 개수〉

삼각형 2개짜리 : 6개

삼각형 4개짜리 : 6개

삼각형 6개짜리 : 2개

삼각형 8개짜리 : 1개

➔ $6+6+2+1=15$(개)

따라서 ㉠−㉡$=27-15=12$입니다.

왕중왕 문제 88~93

1 60개	**2** 31개
3 36 m	**4** 5번
5 30 cm	**6** 65°
7 30개	**8** 48개
9 48개	**10** 28개
11 12개	**12** 80 cm
13 ③	**14** 58 cm
15 18 cm	**16** ②
17 64 cm	**18** 144 cm
19 32개	**20** 192 cm

[풀이]

1 1칸짜리 : 12개　2칸짜리 : 17개
3칸짜리 : 10개　4칸짜리 : 9개
6칸짜리 : 7개　8칸짜리 : 2개
9칸짜리 : 2개　12칸짜리 : 1개
따라서 모두 60개입니다.

2 1칸짜리 : 7개　2칸짜리 : 5개
3칸짜리 : 6개　4칸짜리 : 6개
5칸짜리 : 4개　6칸짜리 : 2개
12칸짜리 : 1개
따라서 모두 31개입니다.

3

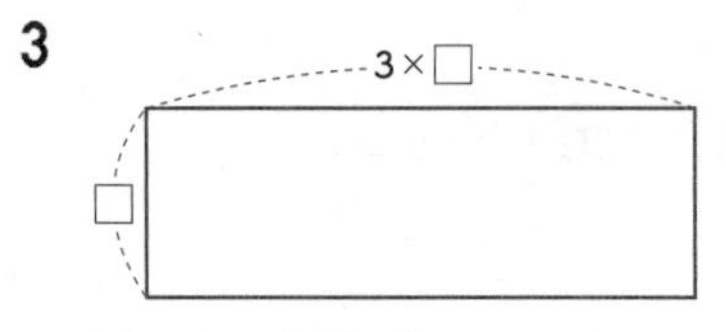

(가로)+(세로)=48 m
(가로의 길이)=(48÷4)×3
=12×3=36(m)

4 한 시간 동안 직각을 2번씩 이루나 3시 정각과 9시 정각에 직각을 한 번씩 이루므로 8시부터 3시간 동안 직각을 이루는 횟수는 다음과 같습니다.
8시 ~ 9시 : 1번, 9시 정각 : 1번
9시 ~ 10시 : 1번
10시 ~ 11시 : 2번
따라서 모두 5번 있습니다.

5

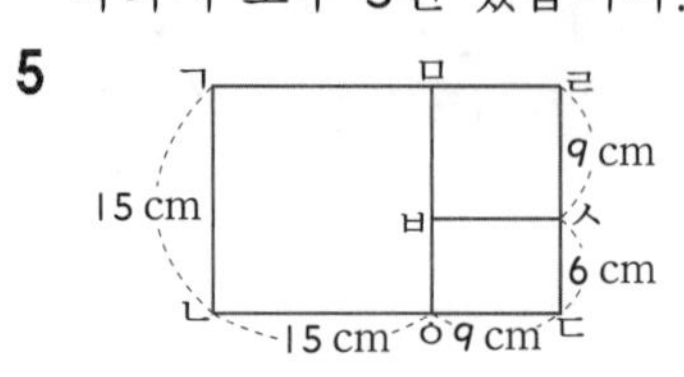

➔ $9\times2+6\times2=30$(cm)

6 짧은바늘은 한 시간(=60분)에 30°를 움직이므로 10분 동안 30°÷6=5°만큼 움직입니다.
따라서 4시 10분에서 두 바늘이 이루는 작은 쪽의 각은 120°+5°−60°=65°입니다.

7 1칸짜리 : 8개　2칸짜리 : 10개
4칸짜리 : 4개　5칸짜리 : 4개
8칸짜리 : 4개
따라서 모두 30개입니다.

8 삼각형 1칸짜리 : 25개
삼각형 4칸짜리 : 13개
삼각형 9칸짜리 : 6개
삼각형 16칸짜리 : 3개
삼각형 25칸짜리 : 1개
따라서 모두 48개입니다.

9

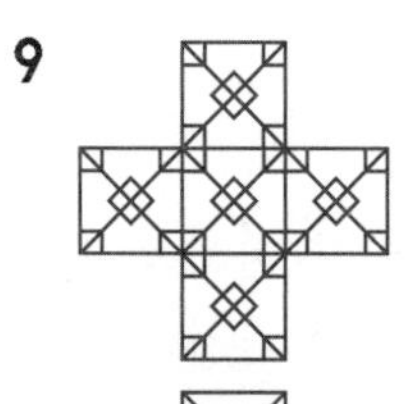

한 개의 정사각형 안에 직각이 8개 있습니다. 5개의 정사각형이 있으므로 직각은 8×5=40(개) 있습니다.

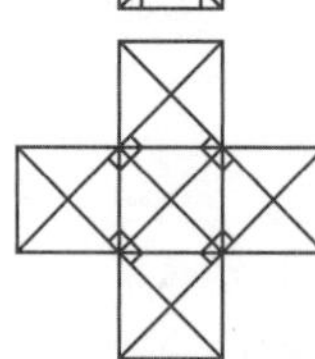

또한, 작은 정사각형의 대각선으로 이루어진 사각형에서 8개의 직각이 있습니다.
따라서 40+8=48(개)입니다.

10

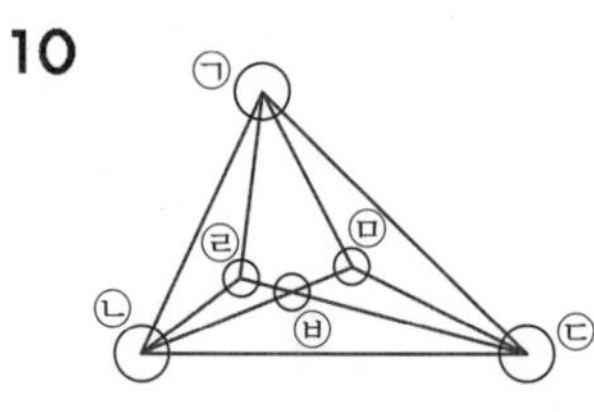

㉠ 6개, ㉡ 6개, ㉢ 6개, ㉣ 3개, ㉤ 3개, ㉥ 4개

➔ $3\times6+2\times3+4=28$(개)

11

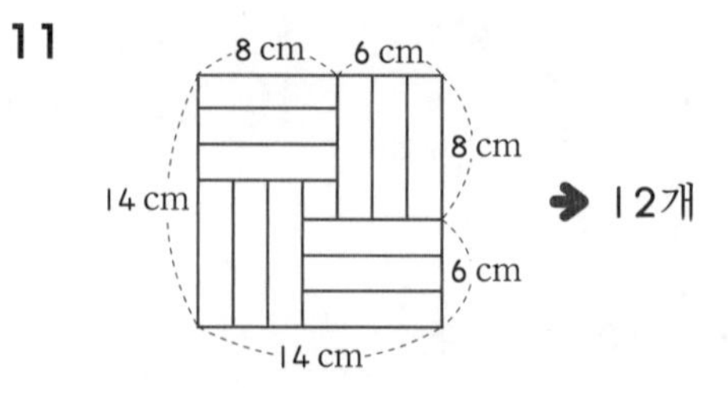

➔ 12개

12

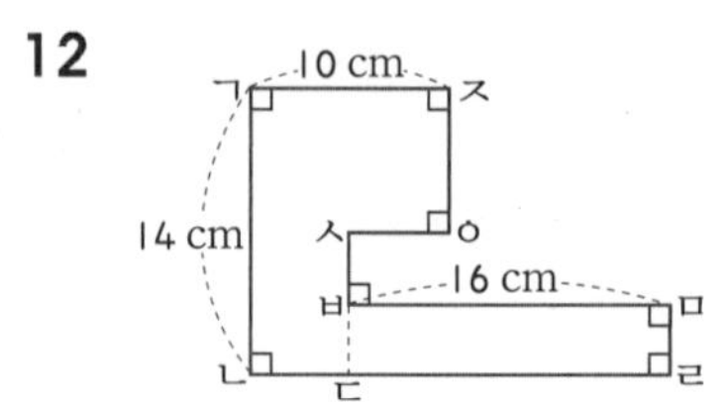

선분 ㄴㄷ과 선분 ㅅㅇ의 길이의 합 : 10 cm

선분 ㅈㅇ과 선분 ㅅㅂ, 선분 ㅁㄹ의 길이의 합 : 14 cm
따라서 이 도형의 둘레는
(14+10+16)×2=80(cm)입니다.

13 ① 9시 30분+2시간 20분=11시 50분
② 4시 20분+4시간 40분=9시
③ 5시 20분−2시간 40분=2시 40분
④ 9시−2시간 10분=6시 50분

14

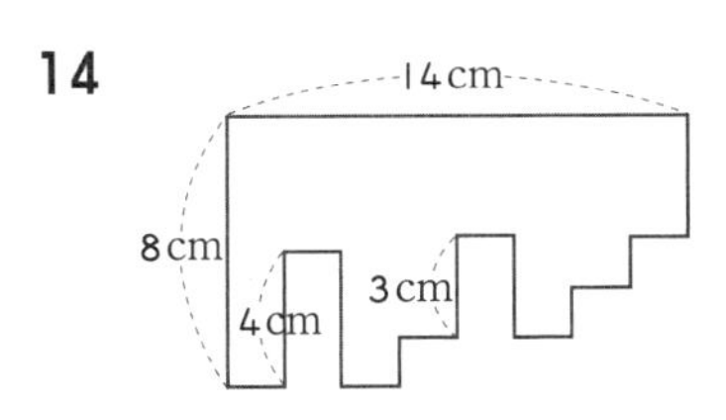

14×2+8×2+4×2+3×2=58(cm)

15 가장 큰 정사각형 3개를 만들려면 직사각형의 가로의 길이를 3등분 하여 다음 그림과 같이 만들어야 합니다.

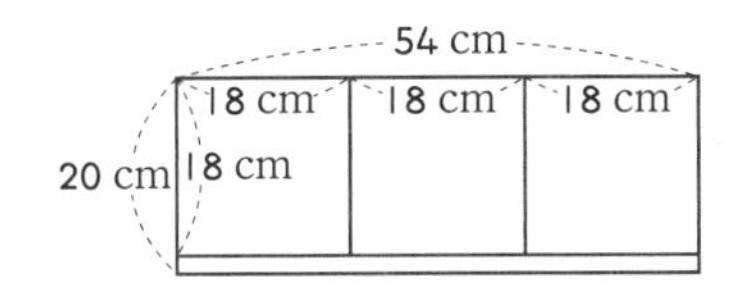

16 ①

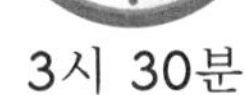

3시 30분

②

5시 30분

③

1시 30분

④

7시

⑤

9시 30분

17 큰 직사각형의 세로의 길이 : 72÷3=24(cm)
큰 직사각형의 가로의 길이 : 24×2=48(cm)

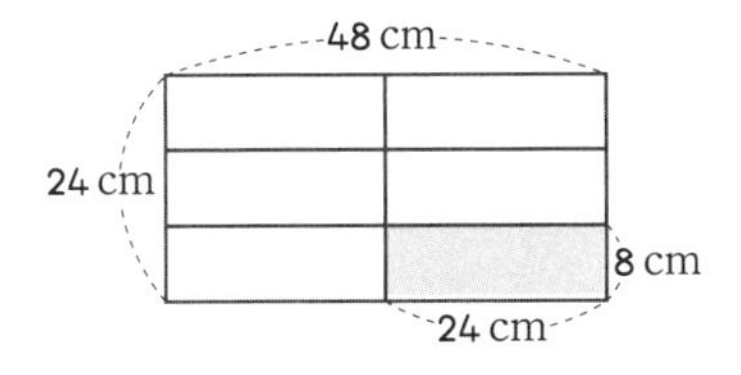

색칠한 직사각형의 둘레 :
24×2+8×2=64(cm)

18

㉠의 한 변의 길이는 12÷3=4(cm),
㉢의 한 변의 길이는 12+4=16(cm),
㉣의 한 변의 길이는 12+16=28(cm)입니다.
따라서 직사각형의 둘레의 길이는
(12+4+28)×2+(12+16)×2
=88+56=144(cm)입니다.

19 작은 사각형 1개짜리 : 1개, 2개짜리 : 4개,
3개짜리 : 3개, 4개짜리 : 6개,
5개짜리 : 1개, 6개짜리 : 6개,
8개짜리 : 4개, 9개짜리 : 2개,
10개짜리 : 2개, 12개짜리 : 2개,
15개짜리 : 1개 ➔ 32개

20 주어진 그림에서 12개의 직사각형 각각의 둘레의 길이의 합은 오른쪽과 같이 전체를 똑같이 잘랐을 때, 작은 정사각형들의 둘레의 길이의 합과 같습니다.

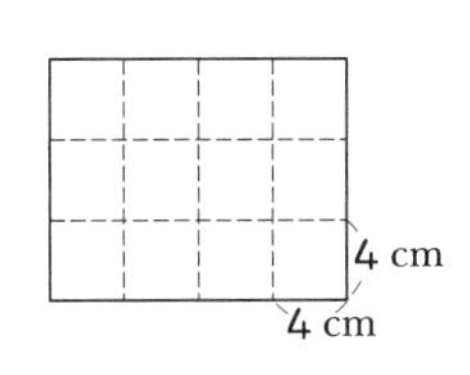

따라서 12개의 직사각형 각각의 둘레의 길이의 합은 (4+4)×2×12=16×12=192(cm)입니다.

2. 원

Search 탐구 95

풀이
49, 98, 7, 98, 7, 14, 14, 28

답 28

EXERCISE

1 10 cm　　2 72 cm
3 126 cm

[풀이]

1 원의 반지름 8개의 길이가 40 cm이므로 원의 반지름은 40÷8=5(cm)입니다.
따라서 원의 지름은 5×2=10(cm)입니다.

2 직사각형의 가로의 길이는 원의 지름의 3배와 같으므로 9×3=27(cm)입니다.

따라서 직사각형의 둘레의 길이는
$(27+9)\times2=72$(cm)입니다.

3 삼각형 ㄱㄴㄷ은 세 변의 길이가 같고, 한 변의 길이는 원의 반지름의 6배와 같으므로
$7\times6=42$(cm)입니다.
따라서 삼각형 ㄱㄴㄷ의 세 변의 길이의 합은
$42\times3=126$(cm)입니다.

왕문제 96~101

1 7개	**2** 14cm
3 16cm	**4** 36cm
5 336cm	**6** 84cm
7 128cm	**8** 108cm
9 4cm	**10** 18cm
11 40cm	**12** 18m
13 260cm	**14** 6cm
15 6개	**16** 20cm
17 160m	**18** 21cm
19 36cm	**20** 2 cm

[풀이]

1 큰 원의 지름은 $24\times2=48$(cm)입니다.
따라서 (작은 원의 반지름의 길이)×(원의 개수+1)=48이고 6×{(원의 개수)+1}=48이므로 구하는 원의 개수는 7개입니다.

2 (선분 ㄱㄴ)+(선분 ㄴㄷ)=18(cm)
(선분 ㄱㄹ)+(선분 ㄹㄷ)=$32-18=14$(cm)
선분 ㄱㄹ과 선분 ㄹㄷ은 모두 작은 원의 반지름이므로 두 길이의 합이 작은 원의 지름의 길이와 같습니다.

3 선분 ㄱㄴ과 선분 ㄱㄷ은 이 원의 반지름으로 삼각형 ㄱㄴㄷ의 둘레의 길이 29 cm에서 선분 ㄴㄷ의 길이 13 cm를 뺀 나머지가 이 원의 지름과 같게 됩니다. ➔ $29-13=16$(cm)

4 작은 원의 지름은 $96\div4=24$(cm)입니다.
따라서 큰 원의 반지름 48 cm와 작은 원의 반지름 12 cm의 차는 $48-12=36$(cm)입니다.

5 굵은 선의 길이는 원의 지름의 24배와 같으므로
$14\times24=336$(cm)입니다.

6 원의 지름이 12cm이면 반지름의 길이는 6cm이고, 사각형의 가로의 길이는 원의 반지름의 5배, 세로의 길이는 원의 반지름의 2배이므로
(가로의 길이)=$6\times5=30$(cm),
(세로의 길이)=$6\times2=12$(cm)입니다.
따라서 둘레의 길이는
$(30+12)\times2=84$(cm)입니다.

7 ㉢의 반지름이 4cm이므로 ㉢의 지름은 8cm,
㉡의 지름은 $8\times2=16$(cm),
㉠의 지름은 $16\times2=32$(cm)이고
㉠의 지름이 정사각형의 한 변의 길이와 같으므로 정사각형의 둘레의 길이는
$32\times4=128$(cm)입니다.

8 (선분 ㄱㄴ의 길이)=$12\times9=108$(cm)

9 (선분 ㄱㄴ)+(선분 ㄴㄷ)=$96\div2=48$(cm)이고 이것은 원의 지름의 6배와 같으므로 원의 지름은 $48\div6=8$(cm)입니다.
따라서 원의 반지름은 $8\div2=4$(cm)입니다.

10 원의 반지름의 길이는 $72\div8=9$(cm)이므로
지름의 길이는 $9\times2=18$(cm)입니다.

11 사각형 ㄱㄴㄷㄹ의 둘레는 원의 지름의 5배와 같으므로 $8\times5=40$(cm)입니다.

12 반지름이 8m인 원의 둘레는
$8\times2\times3=48$(m)이고,
반지름이 5 m인 원의 둘레는
$5\times2\times3=30$(m)이므로
$48-30=18$(m)입니다.

13 굵은 선의 길이는 원의 지름의 26배와 같으므로
$5\times2\times26=260$(cm)가 됩니다.

14 중심이 점 ㄷ인 원의 반지름의 길이를 □cm라 하면 $(3\times4)+(\square\times2)=24$(cm)이므로
$\square\times2=12$(cm)이고, $\square=6$(cm)가 됩니다.

15 하나를 잘라내면 양옆이 같이 떨어져 나가므로 하나 건너 하나씩 6개를 잘라내면 됩니다.

16 정사각형 모양의 철사의 길이는
$15\times4=60$(cm)이고 이것이 원의 둘레가 되며, 원의 지름은 $60\div3=20$(cm)입니다.

17 $50+50+(20\times3)=160$(m)

18 상자의 세로의 길이는 35 cm이고, 세로로 공이 5개 들어 있으므로 이 공 한 개의 지름은 $35 \div 5 = 7$(cm)입니다.
가로로는 공이 3개 들어 있으므로
(가로의 길이) $= 7 \times 3 = 21$(cm)입니다.

19 (선분 ㄱㄷ) $= 12$(cm), (선분 ㄷㄴ) $= 9$ cm
(선분 ㄱㄴ) $= 12 + 9 - 6 = 15$(cm)
따라서 $12 + 9 + 15 = 36$(cm)입니다.

20 직사각형 ㄱㄴㄷㄹ의 네 변의 길이의 합은 큰 원의 지름의 길이의 12배와 같습니다.
또, 큰 원의 지름의 길이는 작은 원의 지름의 길이의 2배입니다.
따라서 작은 원의 반지름은
$96 \div 12 \div 2 \div 2 = 2$(cm)입니다.

왕중왕 문제 102~107

1 84 cm	**2** 100 cm
3 28 cm	**4** 6 cm
5 17개	**6** 540 cm
7 5 cm	**8** 123 cm
9 20 cm	**10** 120 cm
11 10 cm	**12** 11조각
13 336 cm	**14** 45 cm
15 24 cm	**16** 22 cm
17 2 cm	**18** 8 cm
19 212 cm	**20** 6 cm

[풀이]

1 도넛의 전체 길이는 작은 원의 지름 10개와 왼쪽과 오른쪽의 두께의 합과 같습니다.
따라서 $8 \times 10 + (12 - 8) \div 2 \times 2 = 84$(cm)입니다.

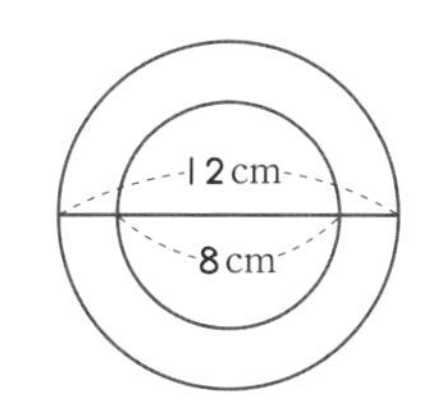

2 17째 번 원의 반지름의 길이는
$(2+4)+(2+4)+ \cdots +(2+4)+2 = 50$(cm)
8번
따라서 지름의 길이는 $50 \times 2 = 100$(cm)입니다.

3 $(3+4) \times 4 = 28$(cm)

4

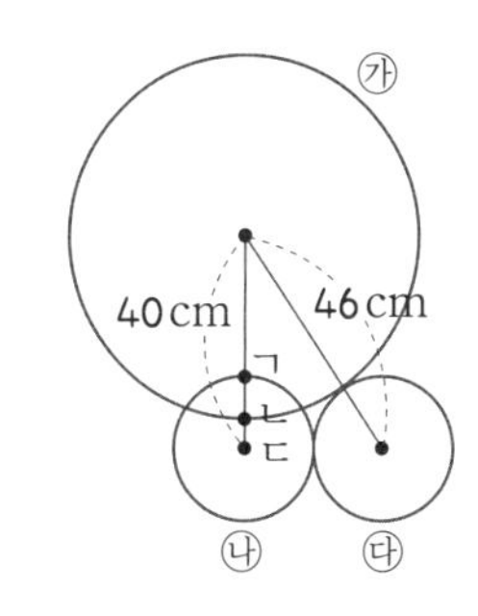

원 ㉮의 반지름의 길이가 34 cm이므로 원 ㉰의 반지름의 길이는 $46 - 34 = 12$(cm)입니다.
작은 두 원의 크기가 같으므로 원 ㉯의 반지름의 길이도 12 cm입니다.
선분 ㄴㄷ의 길이는 $40 - 34 = 6$(cm)이므로
선분 ㄱㄴ의 길이는 $12 - 6 = 6$(cm)입니다.

5 $8 \times \{(\text{원의 개수}) + 1\} = 144$이므로 원의 개수는 17개입니다.

6 원이 55개이면 10층으로 쌓인 것이고, 10층인 경우 삼각형의 한 변의 길이는 원의 지름의 9배이므로 $20 \times 9 = 180$(cm)입니다.
따라서 삼각형의 둘레는 $180 \times 3 = 540$(cm)입니다.

7 둘레의 길이가 64 cm이므로 정사각형의 한 변의 길이는 $64 \div 4 = 16$(cm)가 됩니다.
따라서 선분 ㄱㄴ의 길이는 $16 \div 2 = 8$(cm)이고
(선분 ㄱㄷ) + (선분 ㄴㄷ) $= 18 - 8 = 10$(cm)이므로 (선분 ㄴㄷ) $= 10 \div 2 = 5$(cm)입니다.

8 색칠한 부분의 둘레의 길이는
(큰 원의 둘레의 2배) + (작은 원의 둘레)
+ (직선 부분 2개)입니다.
(큰 원의 둘레) $= 12 \times 3 = 36$(cm)이고
(작은 원의 둘레) $= 9 \times 3 = 27$(cm)이므로
색칠한 부분의 둘레는
$(36 \times 2) + 27 + (12 \times 2)$
$= 72 + 27 + 24 = 123$(cm)입니다.

9 육각형의 한 변의 길이는 원의 반지름과 같은 10 cm이므로 둘레의 길이는 $10 \times 6 = 60$(cm)이고, 정사각형의 한 변의 길이는 원의 지름과 같은 20 cm이므로 둘레의 길이는 80 cm입니다.
따라서 두 도형의 둘레의 길이의 차는
$80 - 60 = 20$(cm)입니다.

10 끈의 길이는 반지름이 10 cm인 원의 둘레와 원의 지름과 길이가 같은 직선 부분 3개를 합한 것과 같습니다.
$(10\times2\times3)+(20\times3)=60+60=120$(cm)

11 (선분 ㄱㄴ)+(선분 ㄱㄹ)$=78\div2=39$(cm)
(선분 ㄱㄴ)−(선분 ㄱㄹ)$=5$cm
(선분 ㄱㄹ)$=(39-5)\div2=17$(cm)
(선분 ㄱㄴ)$=39-17=22$(cm)
(선분 ㄱㄹ)=(선분 ㄱㅁ)$=17$cm
(선분 ㅁㄴ)=(선분 ㄴㅂ)$=22-17=5$(cm)
(선분 ㅂㄷ)=(선분 ㄷㅅ)$=17-5=12$(cm)
(선분 ㅅㄹ)=(선분 ㅇㄹ)$=22-12=10$(cm)

12 오른쪽 그림과 같이 11조각이 됩니다.

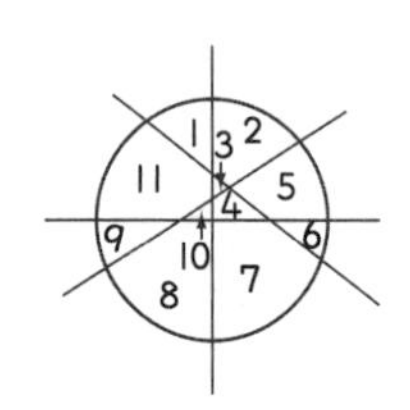

13

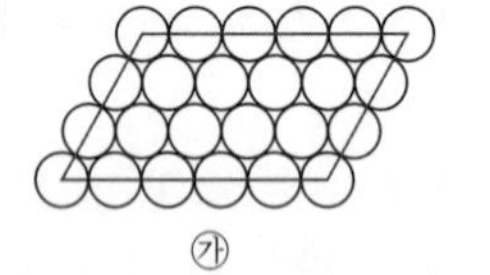
㉮

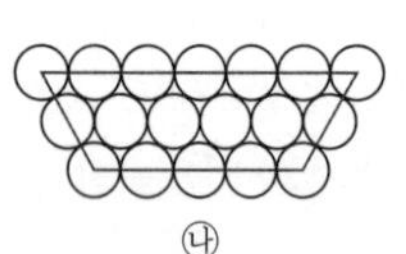
㉯

㉮에서 만든 사각형의 둘레는 원의 지름의 $(3+5)\times2=16$(배)이고 ㉯에서 만든 사각형의 둘레는 원의 지름의 $6+2+2+4=14$(배)입니다.
따라서 원의 지름은 $42\div(16-14)=21$(cm)이므로 ㉮에서 만든 가장 큰 사각형의 네 변의 길이의 합은 $21\times16=336$(cm)입니다.

14

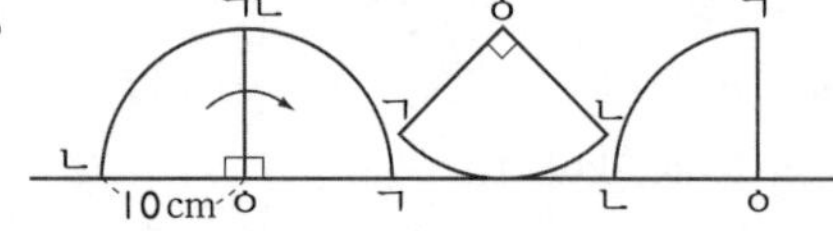

중심인 점 ㅇ이 이동한 거리만 그려 보면 다음과 같습니다.

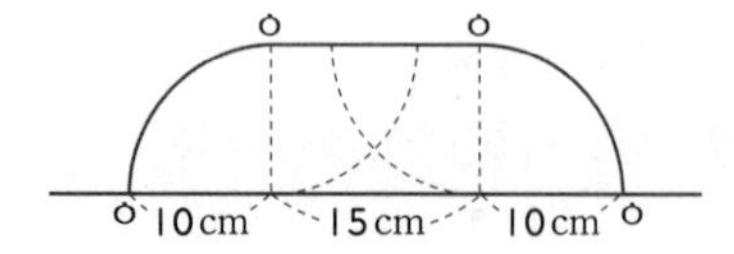

따라서 $15\times3=45$(cm)입니다.

15 선분 ㄱㄹ이 선분 ㅁㅂ의 5배이므로
선분 ㅁㅂ은 $48\div6=8$(cm)이고, 선분 ㄱㄹ은 $8\times5=40$(cm)가 됩니다. 또한 반지름의 길이가 선분 ㄷㄹ의 길이와 같으므로 반지름의 길이를 □라 하면, □+□$-8=40$(cm)이므로
□$\times2=48$(cm)입니다.
따라서 □$=24$(cm)입니다.

16 (원 ㉯의 반지름의 길이)
$=15$ cm
(선분 ㄱㄹ의 길이)
=(원 ㉯의 반지름의 길이)
$=15$ cm
(원 ㉰의 반지름의 길이)$=15-8=7$(cm)
(원 ㉮의 반지름의 길이)
=(원 ㉯의 반지름의 길이)
+(원 ㉰의 반지름의 길이)
$=15+7=22$(cm)

17 정사각형 ㄱㄴㄷㄹ 안에 똑같은 원 144개가 들어가려면 한 줄에 12개씩 들어가야 합니다. 변 ㄱㄹ의 길이는 $6\times8=48$(cm)이고, 원 12개의 지름의 길이의 합과 같아야 하므로 원 1개의 지름의 길이는 $48\div12=4$(cm)입니다.
따라서 원의 반지름은 2 cm입니다.

18 꼭짓점 ㄱ을 중심으로 하는 $\frac{1}{4}$원의 반지름 : 2 cm
꼭짓점 ㄴ을 중심으로 하는 $\frac{1}{4}$원의 반지름 :
$2+2=4$(cm)
꼭짓점 ㄷ을 중심으로 하는 $\frac{1}{4}$원의 반지름 :
$4+2=6$(cm)
꼭짓점 ㄹ을 중심으로 하는 $\frac{1}{4}$원의 반지름 :
$6+2=8$(cm)
따라서 선분 ㄹㅁ의 길이는 8 cm입니다.

19 원을 35개 늘어놓으면 ⊙에 ⦶ 모양이 17번 반복됩니다.
ㄱ ㄴ 선분 ㄱㄴ의 길이는 $4\times2=8$(cm),
ㄷ ㄹ 선분 ㄷㄹ의 길이는 $4\times3=12$(cm)
이므로 직사각형의 가로는
$8+12\times17=212$(cm)입니다.

20 삼각형 ㄱㄴㄷ의 둘레는 3개의 원의 반지름의 2배와 8 cm의 합입니다.

3개의 원의 반지름의 합은 (80−8)÷2=36(cm)이므로 선분 ㄴㄷ의 길이는 36−16=20(cm)입니다.
따라서 선분 ㄴㅁ의 길이는
(80−20)÷2−16−8=6(cm)입니다.

III 측정

1. 길이와 시간

search 탐구 111

풀이
200, 5, 19, 5, 19, 95, 9, 5, 200, 9, 5, 190, 5

답 190, 5

EXERCISE 1

1 2183 2 400 m 3 54 cm

[풀이]

1 km를 m로 고쳐서 계산합니다.
3007+□+840=6030
□=6030−840−3007
=2183

2 (가장 가까운 길)
=1500m+2km 300m
=1km 500m+2km 300m
=3km 800m
(가장 먼 길)
=1700m+2km 500m
=1700m+2500m
=4200m
=4km 200m
따라서 두 길의 차는
4km 200m−3km 800m=400m입니다.

3 굵은 선의 길이는 직사각형의 둘레의 길이와 같습니다.
185×2+85×2=540 mm=54 cm

search 탐구 112

풀이
4, 35, 5, 25, 5, 25, 4, 35, 50

답 50

EXERCISE 2

1 (1) 4, 25, 4, 25, 9, 10 (2) 9, 10
2 오후 10시 10분 3 9시 53분

[풀이]

1 (1)

	11 12시	60
−	7시	35분
	4시간	25분

→

	4시간	25분
+	4시간	45분
	8시간	70분
	1시간 ←	60분
	9시간	10분

(2)

	16시	45분
−	7시	35분
	9시간	10분

2 430분=7시간 10분
오후 3시+7시간 10분=오후 10시 10분

3 40+10=50(분) 전에 집에서 출발해야 합니다.
따라서 10시 43분−50분=9시 53분에 출발해야 합니다.

왕문제 113~118

1 7시 17분 57초
2 (1) 1, 1, 5, 9 (2) 1, 35, 32
3 1시간 13분 4 9km
5 2km 640m 6 1434mm
7 51분 8 오후 1시 40분
9 400m 10 9시
11 은행 12 22cm 4mm
13 1km 350m 14 1km 350m
15 12km 870m 16 11시 42분
17 24cm 2mm 18 오전 7시 20분
19 3km 151m 20 다 열차

[풀이]

1 3시 52분 24초+3시간 25분 33초
=7시 17분 57초

2 (1)

	8시간	29분	43초
+	16시간	35분	26초
	24시간	64분	69초
		1분	←60초
	24시간	65분	9초
	1시간	←60분	
	25시간	5분	9초
1일	←24시간		
1일	1시간	5분	9초

(2)

	47분	46초
+	47분	46초
	94분	92초
	1분	←60초
	95분	32초
1시간	←60분	
1시간	35분	32초

3 3시간 15분−1시간 5분−57분=1시간 13분

4 20분 동안 1km를 걸을 수 있으므로 한 시간(=60분) 동안에는 3 km를 걸을 수 있습니다. 따라서 3시간 동안에는 3×3=9(km)를 걸을 수 있습니다.

5 60×(45−1)=2640(m) ➔ 2 km 640 m

6 216×7−13×6=1434(mm)

7 오후 1시 20분은 13시 20분입니다.
13시 20분−10시 18분−(77분+5분+4분+45분)
=51분

8 8시 40분+2시간 20분=10시 60분=11시
11시+2시간 40분=13시 40분
=오후 1시 40분

9 (집~은행~약국)=800m+1km 300m
=800m+1300m
=2100m
따라서 2100−1700=400(m) 더 멉니다.

10

40분 40분 40분 40분
1교시 2교시 3교시 4교시
10분 쉼 10분 쉼 10분 쉼
12시 10분

12시 10분−40분×4−10분×3
=12시 10분−160분−30분=9시

11 (집~학교~역) : 750+1800=2550(m)
(집~은행~역) : 450+2000=2450(m)
(집~도서관~역) : 1900+600=2500(m)
따라서 은행을 거쳐가는 것이 가장 가깝습니다.

12 정사각형의 한 변의 길이
: 14×4=56(mm)
56×4=224(mm)
➔ 22 cm 4 mm

84÷6=14(mm)

13 ㉮ 버스가 9분 동안 간 거리 :
950×9=8550(m)
㉯ 버스가 9분 동안 간 거리 :
800×9=7200(m)
8550−7200=1350(m) ➔ 1 km 350 m

14 890+1020−560=1350(m) ➔ 1 km 350 m

15 (4436+1999)×2
=12870(m) ➔ 12 km 870 m

16 12시간 동안 12÷2=6(분) 늦어집니다.
오늘 낮 12시에서 내일 밤 12시까지는 36시간이 지나가므로 6×3=18(분)이 늦어집니다.
12시−18분=11시 42분

17 삼각형이 1개일 때 ➔ 22×3=66(mm)
삼각형이 2개일 때 ➔ 22×4=88(mm)
삼각형이 3개일 때 ➔ 22×5=110(mm)
⋮
삼각형이 9개일 때 ➔ 22×11=242(mm)
따라서 삼각형 9개를 붙여 놓으면 둘레의 길이는 24cm 2mm입니다.

18

1시간 40분 30분 50분 1시간 50분
오르는 데 걸린 시간 휴식 내려오는 데 걸린 시간 책 읽은 시간
12시 10분

12시 10분
−(1시간 40분+30분+50분+1시간 50분)
=12시 10분−4시간 50분=7시 20분

19 (64+73)×23=3151(m) ➔ 3km 151m

20 (가 열차가 걸린 시간) :
24시−22시 20분=1시간 40분
1시간 40분+7시간 10분=8시간 50분
(나 열차가 걸린 시간) :

24시−20시 15분=3시간 45분
3시간 45분+5시간 24분=8시간 69분
=9시간 9분
(다 열차가 걸린 시간) :
15시 32분−6시 43분=8시간 49분
(라 열차가 걸린 시간) :
23시 7분−13시 25분=9시간 42분
따라서 가장 가까운 곳에 가는 열차는 걸린 시간이 가장 적은 다 열차입니다.

왕중왕 문제 119~124

1 8km 800m	2 4km
3 12시 39분	4 50분
5 1300m	6 5일 오후 4시 35분
7 오후 12시 5분	8 20번
9 오후 2시 10분	10 65분 23초
11 4cm	12 164cm
13 46시간 55분	14 96cm 2mm
15 12시 7분 15초	16 9시 7분 57초
17 10시 17분	18 73 cm 5 mm
19 2분 12초	20 10 cm 2 mm

[풀이]

1 30분에 2400m(=2km 400m)를 걸으므로 10분 동안에는 800m를 걸을 수 있습니다.
따라서 1시간 50분(=110분) 동안에는
800×11=8800(m) ➔ 8km 800m를 걸을 수 있습니다.

2 1시간에 30km의 빠르기로 가므로 20분에 10km를 갑니다. 따라서 길 ㄱㄴ의 길이는
10−3−3=4(km)입니다.

3 14번 자르면 15도막이 되고 14번째 자른 후에는 휴식 시간을 계산할 필요가 없으므로 13번의 휴식 시간을 더합니다.
(자르기만 하는 데 걸린 시간)=12×14=168(분)
(휴식 시간)=3×13=39(분)
15도막으로 자르는 데 걸리는 시간은
168+39=207(분)이므로 3시간 27분입니다.
따라서 시작한 시각이 9시 12분이므로 끝나는 시각은 9시 12분+3시간 27분=12시 39분입니다.

4 1시간 40분, 1시간 20분, 3시 45분, 쉰 시간, 숙제한 시간, 7시 35분, 동화책 읽은 시간
7시 35분−3시45분−1시간 40분−1시간 20분
=50분

5 (신영이네 집~학교)=1700+900=2600(m)
2600÷2=1300(m)

6 5시간, 9시간, 8월 2일 오후 7시, 8월 3일 0시, 8월 3일 오전 9시
서울이 뉴욕보다 5+9=14(시간) 더 빠릅니다.
8월 5일 오전 2시 35분+14시간
=8월 5일 16시 35분
=8월 5일 오후 4시 35분

7 한 사람이 35분 동안 4개의 장난감을 만들 수 있으므로 10사람이 35분 동안 4×10=40(개)를 만들 수 있습니다.
10사람이 120개의 장난감을 만드는 데 걸리는 시간은 35×3=105(분)이므로 끝나는 시각은
10시 20분+105분=오후12시 5분입니다.

8 10시~11시 ➔ 01, 10 (2번)
11시~12시 ➔ 02, 11, 20 (3번)
12시~13시 ➔ 03, 12, 21, 30 (4번)
13시~14시 ➔ 04, 13, 22, 31, 40 (5번)
14시~15시 ➔ 05, 14, 23, 32, 41, 50 (6번)
➔ 2+3+4+5+6=20(번)

9 공원에 갈 때는 1분에 80m를 걸으므로 30분이 걸리고, 집으로 돌아올 때는 1분에 60 m를 걸으므로 40분이 걸립니다.
따라서 집에 돌아온 시각은
10시+30분+3시간+40분
=14시 10분=오후 2시 10분입니다.

10 123층을 올라가는 데 쉰 횟수는
123=5×24+3에서 24번이므로 쉰 시간은
24×2=48(분)입니다.
처음 30층까지 오른 층수는 29층이고 걸린 시간은 7×29=203(초)입니다.
60층까지 오르는데 걸린 시간은
30×8=240(초)
90층까지 오르는데 걸린 시간은
30×9=270(초)
123층까지 오르는데 걸린 시간은

33×10=330(초)
따라서 203+240+270+330=1043(초)
=17분 23초이므로 1층부터 123층까지 올라가는 데 걸린 시간은 모두
48분+17분 23초=65분 23초입니다.

11 $\frac{1}{6}$씩 잘라내고 남은 길이는 각각
30 cm, 35 cm, 40 cm입니다.
겹쳐진 부분은 2군데이고, 겹쳐진 부분의 길이의 합은 30+35+40−97=8(cm)이므로
겹쳐진 부분의 길이는 8÷2=4(cm)입니다.

12 가로 : 100×7−8×6=652(mm)
세로 : 40×5−8×4=168(mm)
652×2+168×2=1640(mm)=164(cm)

13 10월은 31일까지 있으므로 31=7×4+3에서
토요일은 4번, 일요일은 5번 있습니다.
일주일 동안의 독서 시간은
(1시간 25분)×5+(1시간 45분)×2
=10시간 35분이므로 4주 동안의 독서 시간은
(10시간 35분)×4=40시간 140분
=42시간 20분입니다.
나머지 3일 동안에는
(1시간 25분)×3+20분
=3시간 95분=4시간 35분이므로
한 달 동안 독서한 시간은
42시간 20분+4시간 35분=46시간 55분입니다.

14 (동민이의 키)=190 cm−53 cm 7 mm
=136 cm 3 mm
(책상 높이)=232 cm 5 mm−136 cm 3 mm
=96 cm 2 mm

15

월	화	수	목
12시	12시 2분 25초	12시 4분 50초	12시 7분 15초

따라서 목요일 정오에는 12시 7분 15초를 가리킵니다.

16 96시간 : 4일
4일 동안에는 42초×4=168초=2분 48초가 늦어지므로
9시 10분 45초−2분 48초=9시 7분 57초가 됩니다.

17 한초는 1분에 80 m를 걸으므로 집에서 역까지 가는 데는 40분이 걸립니다.
따라서 집에서 나와야 하는 시각은
11시 12분−15분−40분=10시 17분입니다.

18 정사각형 둘레에 닿을 때까지 선을 그어 보면 다음과 같습니다.

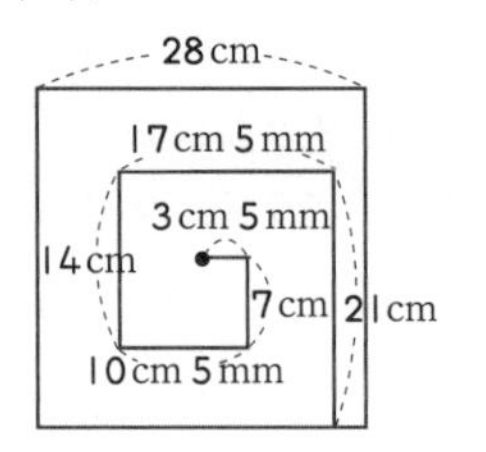

3 cm 5 mm+7 cm+10 cm 5 mm+14 cm
+17 cm 5 mm+21 cm
=73 cm 5 mm

19 각 역마다 가는데 걸리는 시간은
(57−3×3)÷4=12(초)입니다.
따라서 ①번 역을 출발하여 ⑩번 역까지 가는 데 걸린 시간은
12×9+3×8=132(초) ➔ 2분 12초입니다.

20 위인전 3권과 동화책 12권의 두께가
20 cm 4 mm=204 mm이므로
위인전 17권의 두께가 204 mm입니다.
204=17×12에서 위인전 한 권의 두께는 12 mm이고 12×7=6×14에서 동화책 한 권의 두께는 14 mm입니다.
따라서 위인전 5권과 동화책 3권의 두께는
12×5+14×3=102(mm)이므로
10 cm 2 mm입니다.

2. 들이와 무게

search 탐구 126

풀이

12, 1, 6, 2, 1500, 1, 500, 1200, 1, 200, ㉮, ㉱, ㉰, ㉯

답 1, 2, 1, 500, 1, 200, ㉮, ㉱, ㉰, ㉯

EXERCISE 1

1 (1) 60L 400mL (2) 10L 180mL
2 2L 900mL
3 13번

[풀이]

2 5L 300mL−2L 400mL=2L 900mL

3 15000−7200=7800(mL)이고
7800=600×13이므로 최소한 13번을 부어야 합니다.

search 탐구 127

풀이

85, 350, 85, 350, 78, 650

답 78, 650

EXERCISE 2

1 (1) 10, 7 (2) 38, 860
2 4kg 450g
3 60kg 950g

[풀이]

2 현재 바늘이 가리키는 눈금은 3kg 700g이므로
3kg 700g+750g=4kg 450g입니다.

3 용희의 몸무게 : 35500−1750=33750(g)
(용희+동생)의 몸무게 :
33750+27200=60950(g)
따라서 60kg 950g입니다.

왕문제 128~133

1 4번
2 29L 400mL
3 12L 800mL
4 10L 400mL
5 3번
6 250mL
7 석기 : 1150mL, 지혜 : 950mL
8 45개
9 60L 50mL
10 720mL
11 56kg 950g
12 접시 : 125g, 사과 : 395g, 복숭아 : 325g
13 통, 260g
14 200g
15 205g
16 12kg 800g
17 168t
18 ㉮ 90kg, ㉯ 30kg
19 2910개
20 15000원

[풀이]

1 9000−1400×5=2000(mL)이고
2000=500×4이므로 최소한 4번을 부어야 합니다.

2 석기와 아버지를 제외한 식구들이 하루 동안 마시는 물의 양은
3L 200mL−1L 100mL=2L 100mL입니다.
따라서 2주일 동안 마시는 양은
2100mL×14=29400mL ➔ 29L 400mL입니다.

3 250×20+600×13
=12800(mL) ➔ 12L 800mL

4 가 물통 ├─┼─┤
나 물통 ├─┤
다 물통 ├─┼─┼─┼─┼─┼─┼─┼─┤
57200=11×5200이므로 나 물통의 들이는 5L 200mL이고 가 물통의 들이는
5L 200mL+5L 200mL=10L 400mL입니다.

5 (1L 250mL들이의 그릇으로 덜어낸 양)
=10000−1500×3−1750=3750(mL)
따라서 1250×3=3750이므로 1L 250mL들이의 그릇으로 3번 덜어냈습니다.

6 B물통에 들어 있는 물의 $\frac{3}{4}$은 200mL의 $\frac{3}{4}$이므로 150mL입니다. 즉, A물통에 들어 있는 물의 $\frac{3}{5}$이 150mL이므로 A물통에 들어 있는 물의 양은 150÷3×5=250(mL)입니다.

7 (지혜)=(2100−200)÷2=950(mL)
(석기)=950+200=1150(mL)

8 A×7=B×3 → (×3) A×21=B×9 (×3)
B×1=C×5 → (×9) B×9=C×45 (×9)

따라서 A병 21개의 들이는 C병 45개의 들이와 같습니다.

9 (A물탱크)=29L
(B물탱크)=29L−2L 700mL=26L 300mL
(C물탱크)=29L+26L 300mL+4L 750mL
=60L 50mL

10 아버지 / 어머니 / 효근 / 120mL

따라서 처음에 냉장고에 있었던 주스의 양은 $120 \times 6 = 720$(mL)입니다.

11 (영수+강아지)+(가영+강아지)−(강아지)
=31000+27350−1400
=56950(g) ➔ 56kg 950g

12 접시의 무게 : (520+450)−845=125(g)
사과의 무게 : 520−125=395(g)
복숭아의 무게 : 450−125=325(g)

13 상자에 든 모래만의 무게 :
1780−250=1530(g)
통에 든 모래만의 무게 : 2250−460=1790(g)
따라서 통에 든 모래가 1790−1530=260(g) 더 무겁습니다.

14 빈 상자 10개의 무게는
$500 \times 10 = 5000$(g)=5(kg)이므로
10상자에 들어 있는 귤만의 무게는
65−5=60(kg)입니다.
귤의 수는 $30 \times 10 = 300$(개)이므로
귤 1개의 무게는 $60 \times 1000 \div 300 = 200$(g)입니다.

15 사과 6개가 담긴 작은 상자 1개의 무게 :
$(13300-250) \div 9 = 1450$(g)
사과 1개의 무게 : $(1450-220) \div 6 = 205$(g)

16 전체 캔의 개수는 $4 \times 5 \times 2 = 40$(개)
캔들만의 무게 : $(220+70) \times 40 = 11600$(g)
전체 상자의 무게 : 11600+1200=12800(g)
➔ 12kg 800g

17 1개의 수도관으로 1시간 동안 받는 물의 양은
$27000 \div (3 \times 3) = 3000$(kg) ➔ 3t이므로
3+5=8(개)의 수도관으로 7시간 동안 받는 물의 양은 $8 \times 7 \times 3 = 168$(t)입니다.

18 ㉮ 바구니와 ㉯ 바구니의 무게의 차 :
$30 \times 2 = 60$(kg)
㉯ 바구니의 무게 : $60 \div (3-1) = 30$(kg)
㉮ 바구니의 무게 : $30 \times 3 = 90$(kg)

19 귤 30개의 무게 : 873−864=9(kg)
전체 귤의 개수 : $873 \div 9 \times 30 = 2910$(개)

20 오이 6−2=4(kg)의 값은
10500−6500=4000(원)이므로 오이 1kg의 값은 $4000 \div 4 = 1000$(원), 배추 1kg의 값은 $(6500-1000 \times 2) \div 3 = 1500$(원)입니다.
따라서 배추 10 kg의 값은
$1500 \times 10 = 15000$(원)입니다.

왕중왕 문제 134~139

1 2번
2 큰 병 : 7L 500mL, 작은 병 : 4L 900mL
3 17일
4 120mL
5 2L 400mL
6 40L 800mL
7 주스 : 1L 40mL, 우유 : 1L 720mL
8 갑 : 1200mL, 을 : 1000mL, 병 : 800mL
9 우유 : 480원, 주스 : 600원
10 ㉮ 컵 : 300mL, ㉯ 컵 : 200mL, ㉰ 컵 : 700mL
11 효근 : 41kg 300g, 석기 : 36kg 500g, 가영 : 28kg 800g
12 가지 : 2400원, 오이 : 3000원
13 6kg 500g
14 5kg
15 12주
16 660g
17 ㉮ 700g, ㉯ 300g
18 2kg 500g
19 700g
20 250kg

[풀이]

1 (양동이의 들이)=7200mL
(㉯ 컵으로 채워야 할 물의 양)
$=7200-800 \times 4-400 \times 7=1200$(mL)
따라서 ㉯ 컵으로 2번 부어야 합니다.

2 (큰 병)=$(12400+2600) \div 2$=7L 500mL
(작은 병)=12400−7500=4L 900mL

3 웅이가 신영이보다 하루에 100mL씩을 더 많이 마시게 되므로 남은 우유의 양이 같아지려면 (7300－5600)÷100＝17(일)이 걸립니다.

4 (작은 컵으로 8번 넣은 물의 양)
＝12×530－5400＝960(mL)
따라서 작은 컵의 들이는 960÷8＝120(mL) 입니다.

5 ㉮통과 ㉯통에 들어 있는 석유의 양은 20L이므로 두 통에 들어 있는 석유의 양이 같아지려면 10L가 되어야 합니다.
따라서 ㉮통에서는 ㉯통으로
12400－10000＝2400(mL) ➔ 2L 400mL
를 옮겨야 합니다.

6 ㉮＋㉯＝78600
㉯＋㉰＝69800
㉮＋㉯＋㉰＝107600
㉯＝(㉮＋㉯)＋(㉯＋㉰)－(㉮＋㉯＋㉰)
＝78600＋69800－107600
＝40800(mL) ➔ 40L 800mL

7
주스 700mL □
우유 700mL □ 680mL 2×□

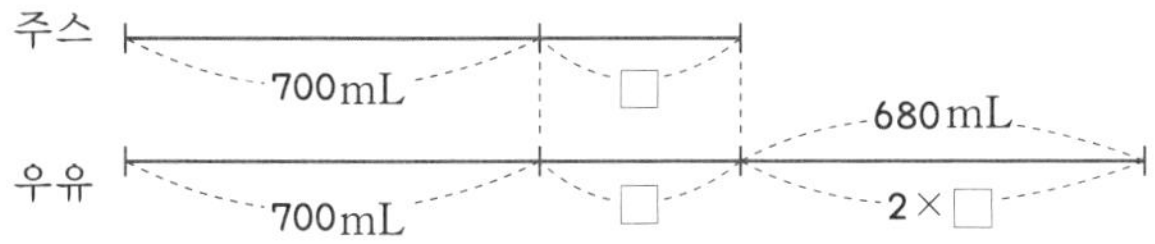

따라서 주스의 양은
700＋680÷2＝1040(mL) ➔ 1L 40mL
우유의 양은 1040＋680 ➔ 1720(mL)
➔ 1L 720 mL

8
갑 200mL
을 200mL 3L ＝3000mL
병

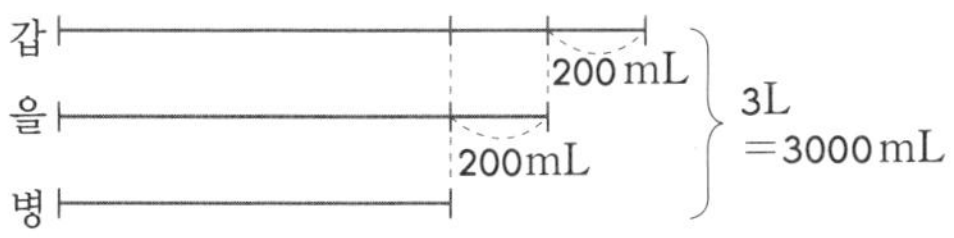

따라서 병에게 (3000－200－400)÷3＝800(mL)
을에게 800＋200＝1000(mL)
갑에게 1000＋200＝1200(mL)를 나누어 주어야 합니다.

9 (우유 500mL)＝(주스 400mL)
(주스 800mL)＋(우유 600mL)＝7680원
(주스 400mL)×2＋(우유 600mL)＝7680원
(우유 500mL)×2＋(우유 600mL)＝7680원
(우유 1000mL)＋(우유 600mL)＝7680원
(우유 1600mL)－7680원
(우유 100mL)＝480원
따라서 우유 100 mL의 가격은 480원, 주스 100 mL의 가격은 480×5÷4＝600(원)입니다.

10 세 컵에 담긴 물의 양이 같아졌을 때의 양은 1200÷3＝400(mL)입니다.
따라서 처음 담겨 있던 물의 양은
(㉮ 컵)＝400－100＝300(mL)
(㉯ 컵)＝400－200＝200(mL)
(㉰ 컵)＝400＋100＋200＝700(mL)입니다.

11
가영
석기 7700 g
효근 4800 g 106600 g

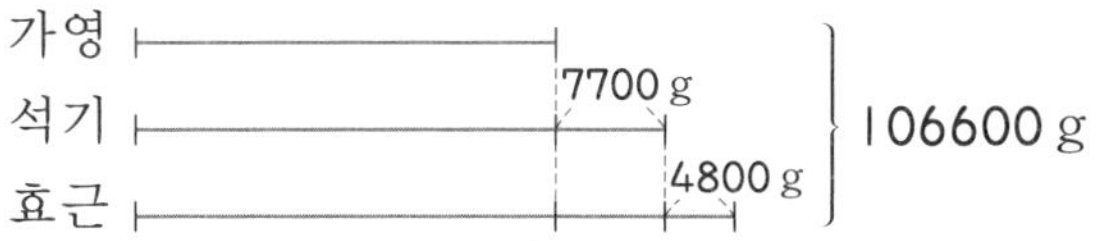

가영이의 몸무게 :
{106600－7700－(7700＋4800)}÷3
＝28800(g) ➔ 28 kg 800 g
석기의 몸무게 : 28800＋7700
＝36500(g) ➔ 36 kg 500 g
효근이의 몸무게 : 36500＋4800
＝41300(g) ➔ 41 kg 300 g

12 (가지 5 kg)＝(오이 4 kg)
(가지 15 kg)＝(오이 12 kg)
(오이 6 kg)＋(가지 8 kg)＝37200(원)
(오이 12 kg)＋(가지 16 kg)＝74400(원)
따라서 오이 12 kg과 가지 16 kg의 가격은 가지 15＋16＝31(kg)의 가격과 같습니다.
가지 1kg의 가격 : 74400÷31＝2400(원)
오이 1kg의 가격 : 2400×5÷4＝3000(원)

13 작은 물통 하나에 500 g씩 담으면 3000 g 남고 900 g씩 담으면 200 g 남으므로 남는 물의 양은 3000－200＝2800(g) 차이가 납니다.
따라서 작은 물통의 개수는
2800÷(900－500)＝7(개)이므로 큰 물통에 들어있는 물은 500×7＋3000＝6500(g)
즉, 6 kg 500 g입니다.

14 물건 A와 B를 구입한 값은
5000÷4×3＝3750(원)입니다.
물건 A의 1kg의 가격은 200원, 물건 B의 1kg의 가격은 200÷4×7＝350(원)입니다.
모두 물건 A만 구입했다면 그 값이
15×200＝3000(원)이겠지만 실제 구입한 값이 3750원이므로 물건 B는

$(3750-3000)\div(350-200)=5$(kg) 구입했습니다.

15 예슬이와 가영이의 찰흙의 무게의 차는 $15000-9000=6000$(g)이고 이것은 몇 주 후에도 변함이 없습니다.
따라서 몇 주 후의 상황을 선분도로 나타내면,

6000 g
예슬이의 남은 찰흙
가영이의 남은 찰흙

가영이의 남은 찰흙이 $6000\div(3-1)=3000$(g)일 때 예슬이의 남은 찰흙이 가영이의 남은 찰흙의 3배가 되므로
$(9000-3000)\div500=12$(주) 후입니다.

16 선분도를 이용하여 생각해 봅니다.

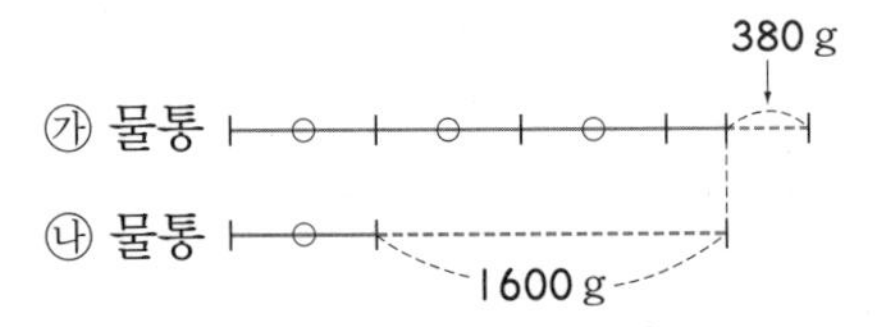

그림에서 $1600+380=1980$(g)이 ㉯ 물통의 물의 무게의 3배에 해당하므로 ㉯ 물통의 물의 무게는 $1980\div3=660$(g)입니다.

17 처음에 ㉮의 물이 400 g 더 많았으나 그중 500 g을 ㉯로 옮겼으므로 ㉯는 ㉮보다
$500\times2-400=600$(g) 더 많아졌습니다.
따라서 물을 옮긴 뒤
㉮의 물은 $600\div(4-1)=200$(g),
㉯의 물은 $200\times4=800$(g)이므로
처음에 ㉮에는 $200+500=700$(g),
㉯에는 $800-500=300$(g)의 물이 들어 있었습니다.

18 거꾸로 풀기로 문제를 해결합니다.
어제 쓰고 남은 식용유의 $\frac{1}{2}$은
$800-200=600$(g)이므로 어제 쓰고 남은 식용유는 $600\times2=1200$(g)입니다.
$300+1200=1500$(g)은 어제 있던 식용유의 $\frac{3}{5}$이므로 어제 있던 식용유는
$1500\div3\times5=2500$(g)입니다.
따라서 어제 집에 있던 식용유는 2 kg 500 g입니다.

19 선분도를 이용하여 보면

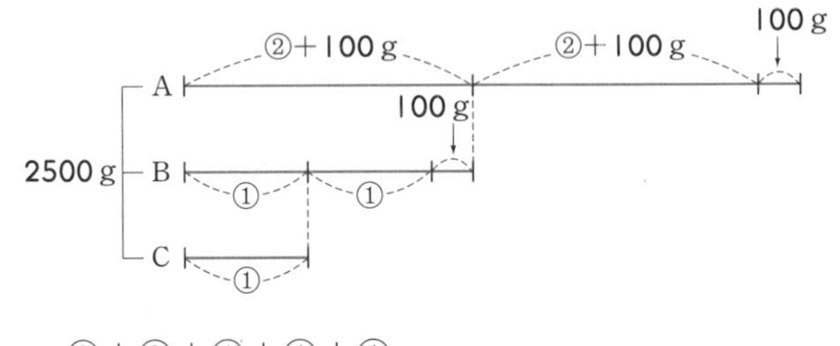

②+②+①+①+①
$=2500-400=2100$(g)이므로
①$=2100\div7=300$(g)입니다.
따라서 B는 $300\times2+100=700$(g)을 먹었습니다.

20 거꾸로 해결하여 봅니다.
둘째 주에 팔고 남은 쌀의 $\frac{3}{8}$이 75 kg이므로
둘째 주에 팔고 남은 쌀의 무게는
$75\div3\times8=200$(kg), 첫 주에 팔고 남은 쌀의 $\frac{2}{5}$가 200 kg이므로 첫 주에 팔고 남은 쌀의 무게는 $200\div2\times5=500$(kg)
따라서 첫 주에 판 쌀은 $750-500=250$(kg)입니다.

IV 자료와 가능성

1. 자료 정리하기

search 탐구 143

풀이

(1) 300, 250, 350, 200, 1100

(2) 350, 200, 150

답 (1) 1100 (2) 150

EXERCISE

1 하늘 마을, 푸른 마을, 햇살 마을, 호수 마을, 사랑 마을

2 70명

[풀이]

2 (북쪽에 살고 있는 학생 수)
$=120+90=210$(명)
(남쪽에 살고 있는 학생 수)
$=180+60+40=280$(명)
따라서 학생 수의 차는 $280-210=70$(명)입니다.

왕 문제 144~149

1 6명
2 빨간색, 보라색, 노란색
3 ㉤ 마을
4 ㉠ : 20, ㉡ : 45, ㉢ : 41, ㉣ : 86
5 풀이 참조
6 $\frac{9}{18}\left(=\frac{3}{6}=\frac{1}{2}\right)$
7 5명
8 풀이 참조
9 15300원
10 1000원
11 풀이 참조
12 56, 32, 28, 34
13 25명
14 17개
15 56명
16 10명
17 $\frac{18}{56}\left(=\frac{9}{28}\right)$
18 28 kg, 42 kg, 36 kg
19 풀이 참조
20 풀이 참조

[풀이]

1 (노란색)+(파란색)
$=42-10-5-5-3-8=11$(명)
(노란색)$=(11+1)\div2=6$(명)

3 (㉤ 마을)$=210-40-35-30-49=56$(마리)
따라서 돼지를 가장 많이 키우는 마을은 ㉤ 마을입니다.

4 ㉠ : $42-22=20$(명)
㉡ : $22+23=45$(명)
㉢ : $20+21=41$(명)
㉣ : $42+44=86$(명)

5

점수(점)	0~20	30~40	50~60	70~80	90~100
국어(명)	1	3	5	5	4
수학(명)	1	3	7	5	2

7 (국어 점수가 70점보다 낮은 학생 수)
$=1+3+5=9$(명)
(수학 점수가 50점보다 낮은 학생 수)
$=1+3=4$(명)
➔ $9-4=5$(명)

8 국어 성적이 더 좋습니다.
이유 : 조사한 표에서 50~60점은 수학이 2명 더 많고 90~100점은 국어가 2명이 더 많기 때문입니다.

9 지혜는 4300원, 웅이는 3800원, 효근이는 3900원, 신영이는 3300원을 저금하였으므로 네 사람이 저금한 돈은 모두 15300원입니다.

10 $4300-3300=1000$(원)

11 (나 마을의 학생 수)$=32$명
(라 마을의 학생 수)$=34$명
(가와 다 마을의 학생 수)$=150-32-34$
$=84$(명)
가 마을의 학생 수가 다 마을의 학생 수의 2배이므로 가 마을 학생 수는 56명, 다 마을의 학생 수는 28명입니다. 따라서 그림그래프를 완성하면 다음과 같습니다.

13 빵을 좋아하는 학생은 20명, 햄버거를 좋아하는 학생은 24명, 김밥을 좋아하는 학생은 18명이므로 피자와 치킨을 좋아하는 학생은
$100-20-24-18=38$(명)입니다.
(피자를 좋아하는 학생 수)
$=(38-12)\div2=13$(명)

(치킨을 좋아하는 학생 수)
$=(38+12)\div2=25$(명)

14 상연 : $25-9=16$(개)
예슬 : 25개
석기 : $(25+19)\div4\times3=33$(개)
가영 : 19개
➔ $33-16=17$(개)

15 그림그래프에서 ●는 10명, ▲는 5명, ★은 1명을 나타냅니다. 따라서 조사에 참여한 학생은 $14+18+8+16=56$(명)입니다.

16 $18-8=10$(명)

17 전체 학생 수 : 56명
노란색을 가장 좋아하는 학생 수 : 18명
따라서 $\frac{18}{56}$입니다.

18 (유승이의 몸무게)$=20\div5\times7=28$(kg)
(한솔이의 몸무게)$=(28\div4\times3)\times2=42$(kg)
(예슬이의 몸무게)$=(42\div3\times2)\div7\times9$
$=36$(kg)

19

학생별 몸무게

이름	몸무게
유승	
한솔	
예슬	

10kg
1kg

20 혈액형이 A형인 학생은 33명이고 B형인 학생은 25명입니다.
➔ (O형인 학생 수)$=25\times2-19=31$(명)
따라서 혈액형이 AB형인 학생은
$106-33-25-31=17$(명)입니다.

혈액형별 학생 수

혈액형	학생 수
A	
B	
O	
AB	

10명
1명

왕중왕문제 150~154

1 화요일	**2** 4학년
3 525, 용희네 학교에서 일주일 동안 지각한 학생 수	
4 18명	**5** 15명
6 8명	**7** 81점
8 70점	**9** 11명
10 176점	**11** ㉮ : 2명, ㉯ : 2명
12 4, 2, 4	**13** 400개
14 1800개	**15** 57명
16 최소 득점 : 56점, 최대 득점 : 59점	
17 지혜, 상연, 한별	**18** 10명

[풀이]

1~3

학년＼요일	월	화	수	목	금	합계
1	20	25	18	20	18	101
2	11	22	18	27	17	95
3	17	6	24	16	19	82
4	22	18	24	28	18	110
5	15	12	15	14	13	69
6	9	8	14	21	16	68
합계	94	91	113	126	101	525

4 ●$-$▲$=7$, ■$+$▲$\times2+$●$=14$에서 각각의 모양에 알맞은 수를 찾습니다.
▲$=1$일 때 ■$=4$, ●$=8$입니다.
➔ (전체 학생 수)$=8\times4+4\times2+1\times5=45$(○)
▲$=2$일 때 ■$=1$, ●$=9$입니다.
➔ (전체 학생 수)$=9\times4+1\times2+2\times5=48$(×)
따라서 ●$=8$, ▲$=1$이므로 매화 마을에 사는 학생은 $8+8+1+1=18$(명)입니다.

5 $1+2+6+5+1=15$(명)

6 $2+4+2=8$(명)

7 (총점)
$=60\times3+70\times9+80\times12+90\times13+100\times3$
$=3240$(점)
(평균 점수)$=3240\div40=81$(점)

8 가장 높은 점수를 얻은 사람은 유승이이고
$10\times8-4\times2=72$(점)입니다.
가장 낮은 점수를 얻은 사람은 예슬이이고
$10\times3-4\times7=2$(점)입니다.
따라서 두 사람의 점수의 차는
$72-2=70$(점)입니다.

9 $20-(2+1+1+3+1+1)=11$(명)

10 $10\times3+9\times11+8\times5+7\times1=176$(점)

11 $170-(10\times8+9\times1+7\times5+6\times2)=34$(점)
㉮$\times9+$㉯$\times8=34$(점)이 성립하는 수는
㉮ : 2, ㉯ : 2입니다.

12 반 학생 수는 모두 23명이므로
㉠+㉡+㉢=10입니다.
- 보이는 곳에서 노랑을 좋아하는 학생이 3명이므로 빨강을 좋아하는 학생도 3명이라 하면 파랑을 좋아하는 학생은 4명이 되어 맞지 않습니다.
- 노랑을 좋아하는 학생이 4명이면 빨강을 좋아하는 학생도 4명이 되고 파랑을 좋아하는 학생은 2명입니다.
- 노랑을 좋아하는 학생이 5명이면 빨강을 좋아하는 학생도 5명이 되어 파랑을 좋아하는 학생이 없으므로 맞지 않습니다.

➔ ㉠=4, ㉡=2, ㉢=4

13 사용한 밀가루의 양은 달콤 제과점이 또와 제과점보다 $350-250=100$(kg) 더 많으므로 만든 식빵의 수는 $100\times4=400$(개) 더 많습니다.

14 식빵 5000개를 만드는 데 사용한 밀가루의 양은 $5000\div4=1250$(kg)이므로 대박과 맛나 제과점에서 사용한 밀가루의 양은
$1250-250-350=650$(kg)입니다.
따라서 대박 제과점에서 사용한 밀가루의 양은 $(650+250)\div2=450$(kg)이므로 대박 제과점에서 일주일 동안 만든 식빵은
$450\times4=1800$(개)입니다.

15 (2반의 안경을 쓴 학생 수)$=15\div5\times3=9$(명)
(4반의 안경을 쓴 학생 수)$=(10+11)\div7\times4$
$=12$(명)
따라서 안경을 쓴 전체 학생 수는
$15+9+10+12+11=57$(명)입니다.

16 5번째 심사위원의 점수가 가장 낮을 때의 점수의 합 : $7+9+8+9+8+7+8=56$(점)
➔ 최소득점
5번째 심사위원의 점수가 가장 높을 때의 점수의 합 : $7+10+9+8+9+8+8=59$(점)
➔ 최대득점

17 상연이가 얻을 수 있는 최대 점수 :
$9+9+9+9+9+8+8=61$(점)
지혜가 얻을 수 있는 최대 점수 :
$10+8+9+9+10+8+9=63$(점)
➔ $63>61>59$이므로 지혜>상연>한별입니다.

18 학생 수는 동물을 기르는 수에 따라 중복되어 조사됩니다.
한 가지 동물을 기르는 학생 수 : 13명
두 가지 동물을 기르는 학생 수 : $10\times2=20$(명)
세 가지 동물을 기르는 학생 수 : $4\times3=12$(명)
네 가지 동물을 기르는 학생 수 : $3\times4=12$(명)
따라서 동물을 기르는 학생은 모두
$13+20+12+12=57$(명)입니다. 고양이를 기르는 학생 수는 전체 학생 수에서 개, 금붕어, 새를 기르는 학생 수를 빼면 되므로
$57-24-16-7=10$(명)입니다.

V 규칙성과 대응

1. 합과 차의 관계를 이용해 해결하는 문제(합차산)

search 탐구 156

풀이

2, 19, 19, 22

답 22, 19

EXERCISE

1 52, 16　　2 34

3 18

[풀이]

2 (52+16)÷2=34

3 (52−16)÷2=18

왕문제 157~160

1 6명	2 48개
3 6500원	4 67 cm
5 400원	6 138개
7 19개	8 70명
9 78명	10 44장
11 563명	12 42 kg

[풀이]

1

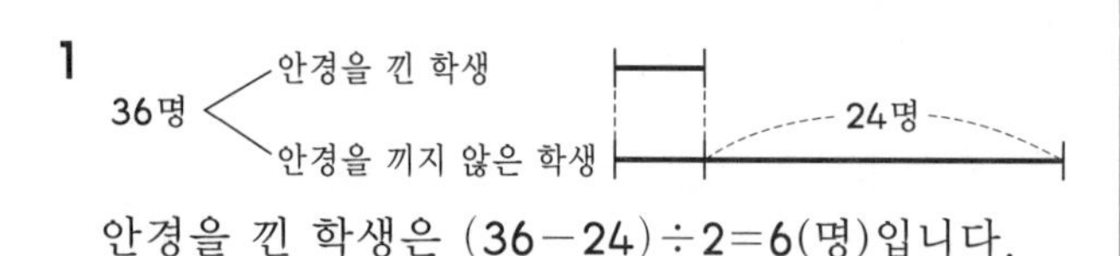

안경을 낀 학생은 (36−24)÷2=6(명)입니다.

2

85개 / 지혜 / 용희 / 11개

지혜는 (85+11)÷2=48(개)를 가졌습니다.

3

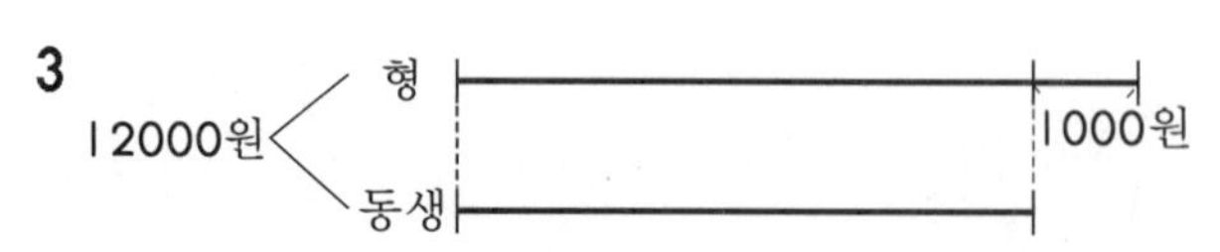

형은 (12000+1000)÷2=6500(원)을 받았습니다.

4

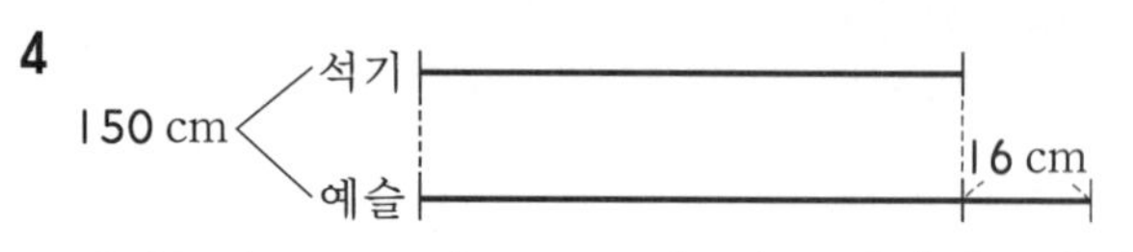

석기는 (150−16)÷2=67(cm)를 가지면 됩니다.

5

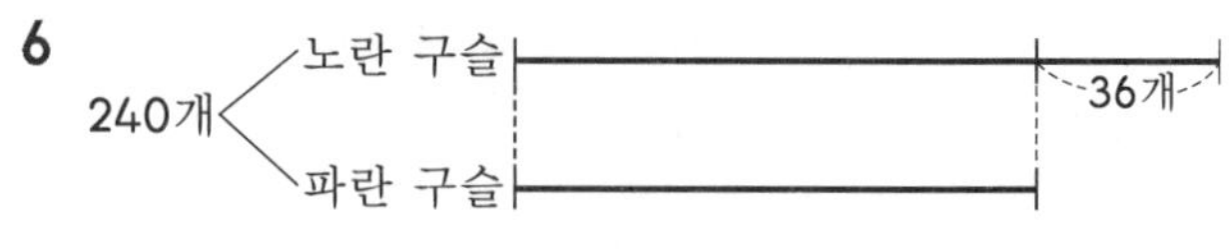

연필은 (950−150)÷2=400(원)입니다.

6

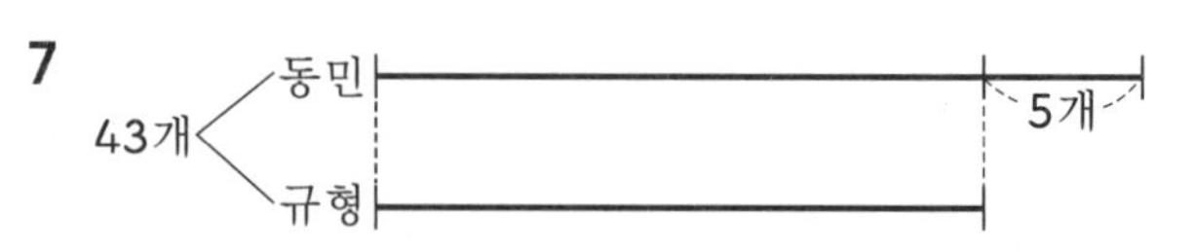

노란 구슬은 (240+36)÷2=138(개)입니다.

7

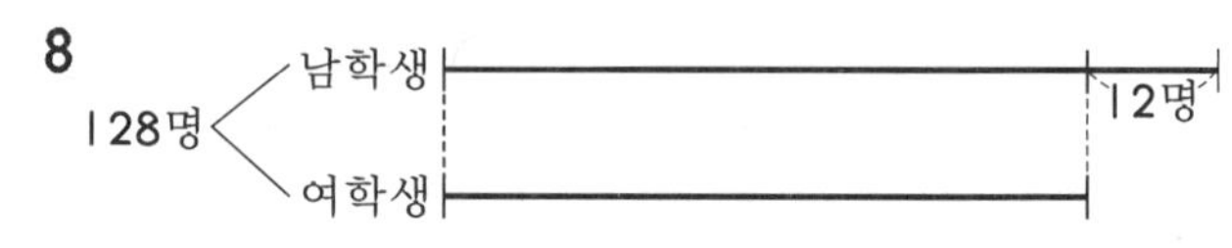

규형이는 (43−5)÷2=19(개)를 가지고 있습니다.

8

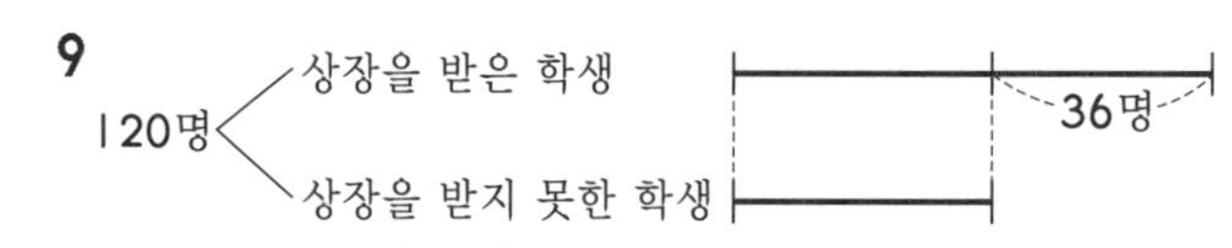

남학생은 (128+12)÷2=70(명)입니다.

9

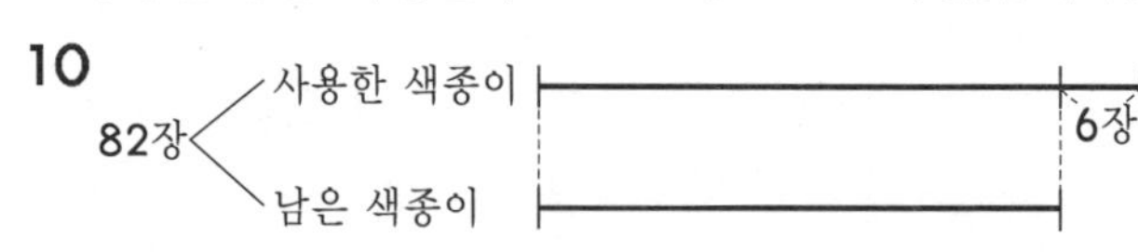

상장을 받은 학생은 (120+36)÷2=78(명)입니다.

10

사용한 색종이는 (82+6)÷2=44(장)입니다.

11

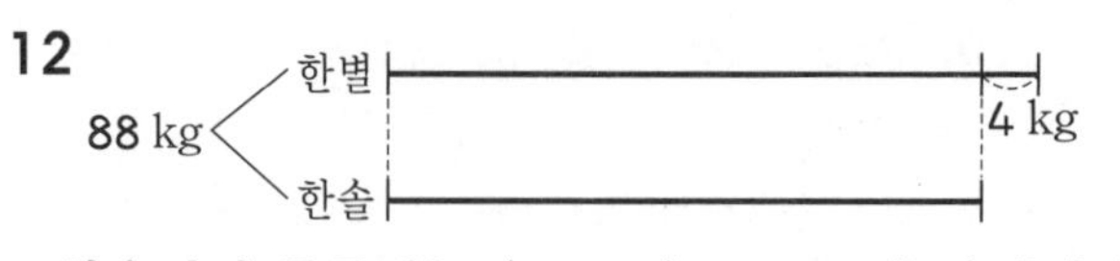

완주한 사람은 (1250−124)÷2=563(명)입니다.

12

88 kg / 한별 / 한솔 / 4 kg

한솔이의 몸무게는 (88−4)÷2=42(kg)입니다.

왕중왕문제 161~164

1 6300원	2 424명
3 280 cm^2	4 3350원
5 13시간 40분	6 3600원
7 3.2 km	8 15
9 2900원	
10 형 : 5500원, 동생 : 3500원	
11 32, 20	12 470원

[풀이]

1

규형이는 (15000−2400)÷2=6300(원)을 가졌습니다.

2

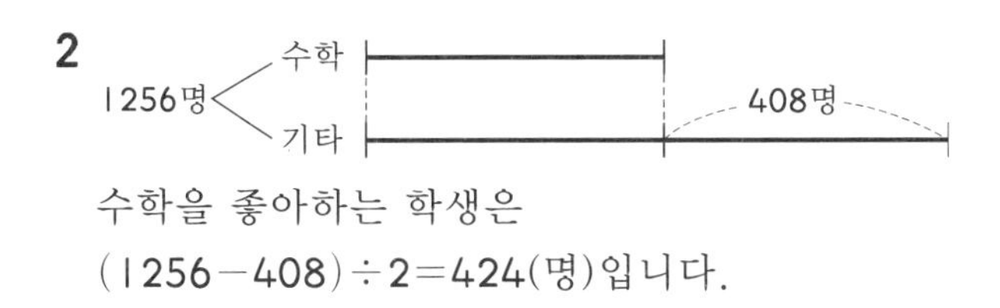

수학을 좋아하는 학생은
(1256−408)÷2=424(명)입니다.

3 가로와 세로의 길이의 합은 68÷2=34(cm)입니다.

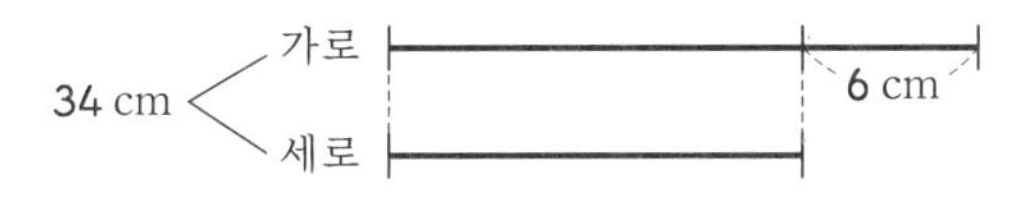

가로는 (34+6)÷2=20(cm),
세로는 34−20=14(cm)이므로
직사각형의 넓이는 20×14=280(cm^2)입니다.

4 한 세트의 값은 21000÷3=7000(원)입니다.

하권 한 권의 값은 (7000−300)÷2=3350(원)입니다.

5 하루는 24시간이므로

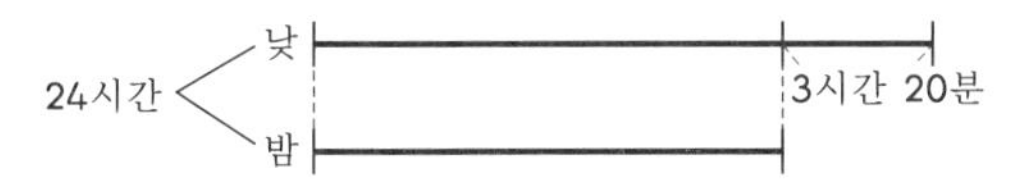

낮 시간은 (24시간+3시간 20분)÷2
=13시간 40분입니다.

6 (용돈의 합)−(용돈의 차)=4800(원)이므로
(용돈의 차)=(용돈의 합)−4800
=6000−4800=1200(원)입니다.

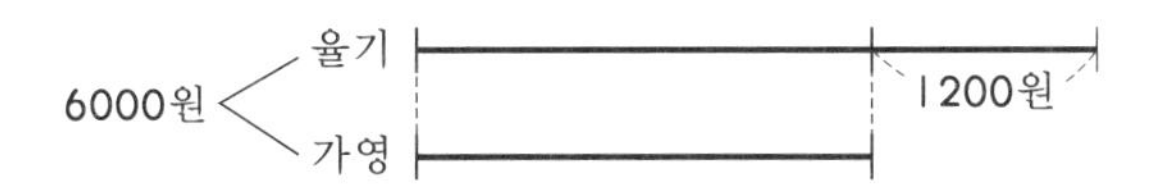

율기는 (6000+1200)÷2=3600(원)을 가지고 있습니다.

7 두 사람의 빠르기의 합은 1시간당 24÷4=6(km)이고, 빠르기의 차는 1시간당 0.4 km이므로

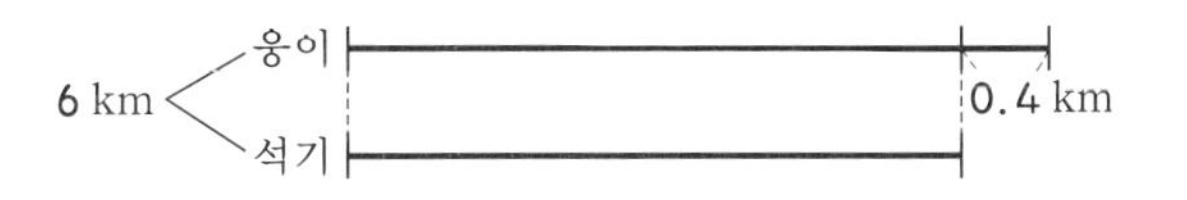

웅이는 1시간에 (6+0.4)÷2=3.2(km)를 갑니다.

8

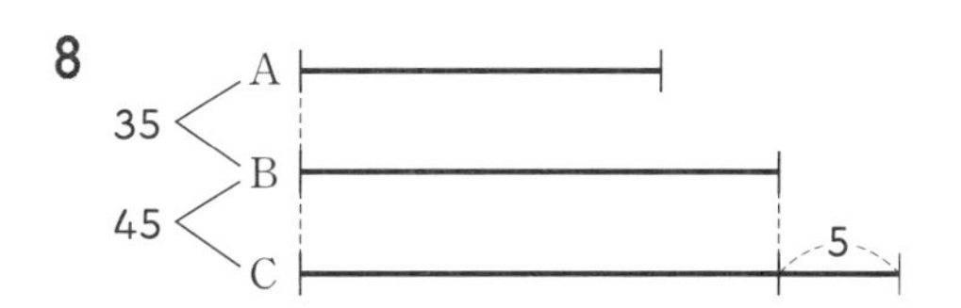

B는 (45−5)÷2=20이므로 A는 35−20=15입니다.

9 동민이와 율기가 낸 돈의 합은 4500원, 차는 300원이므로

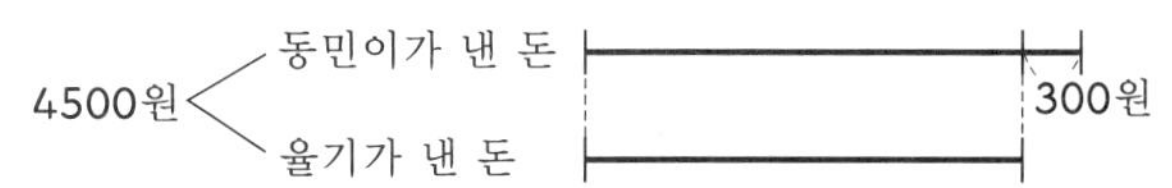

율기가 낸 돈은 (4500−300)÷2=2100(원)입니다.
따라서 동민이가 처음에 가지고 있던 돈은
5000−2100=2900(원)입니다.

10 형과 동생이 처음에 가지고 있던 돈의 차는
3500−1500=2000(원)이므로

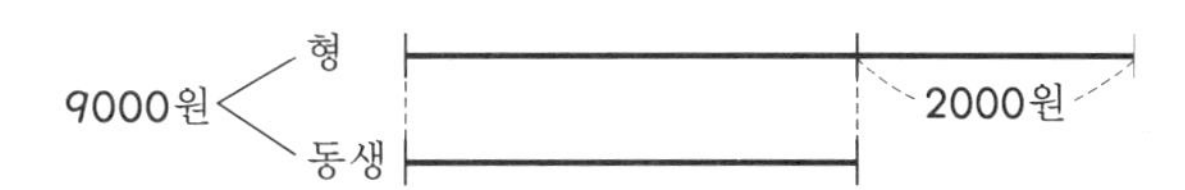

형은 (9000+2000)÷2=5500(원),
동생은 9000−5500=3500(원)을 가지고 있었습니다.

11 어떤 두 수를 각각 A, B라 하면, A−B=12,
A+B=40+12=52입니다.

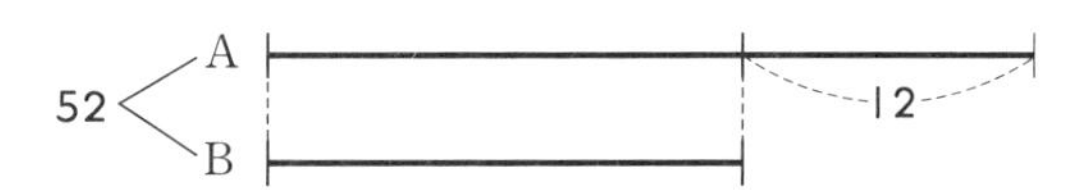

따라서 B는 (52−12)÷2=20,
A는 20+12=32입니다.

12 형과 동생이 가진 돈의 합은
2800+1500=4300(원)이고, 형이 동생에게 얼마를 주면 돈의 차는 360원이므로

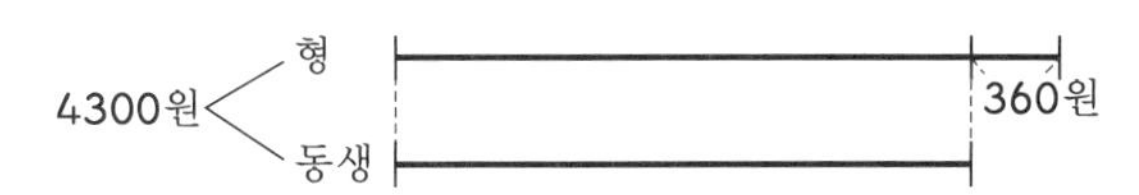

형이 동생에게 얼마를 주면 남는 돈은
(4300+360)÷2=2330(원)입니다.
따라서 형이 동생에게 2800−2330=470(원)을 주면 됩니다.

2. 거꾸로 계산하여 해결하는 문제(환원산)

search 탐구 165

풀이

8, 72, 72, 60, 60, 30, 30, 5

답 5

EXERCISE

1 25, 100, 74	2 23

[풀이]

1 ㉰$=37\times2=74$

㉯$=74+26=100$

㉮$=100\div4=25$

2 $48-25=23$

왕문제 166~169

1 442	2 1200
3 88	4 12
5 39	6 100
7 3000원	8 500
9 247	10 15
11 8	12 115

[풀이]

1 어떤 수를 □로 놓으면

$(555\div5-40)\times7-\square=55$

$497-\square=55$

$\square=442$

2 $\{(159+45)\div3+32\}\times12=1200$

3 $\{(58-16)\times5\div15\}+74=88$

4 어떤 수를 □로 놓으면

$(4\times5-10)\times3-\square=18$

$\square=12$

5 $(4\times12+3)-12=39$

6 $(150\div3-25)\times4=100$

7

1/2 200 학용품 1/2 300 350 저축

따라서 지혜가 처음에 가지고 있던 돈은

$\{(350+300)\times2+200\}\times2=3000$(원)입니다.

8 $(320\div4+220)\times5\div3=500$

9 $(8\times156+2)\div5-3=247$

10 (어떤 수)$=45\div15=3$이므로

바르게 계산한 답은 $3\times5=15$입니다.

11 어떤 수를 □로 놓으면,

52 →(+□)→ ㉮ →(×3)→ ㉯ →(−60)→ ㉰ →(÷8)→ 15

52 ←(−□)← ㉮ ←(÷3)← ㉯ ←(+60)← ㉰ ←(×8)← 15

㉰는 120, ㉯는 180, ㉮는 60이므로 어떤 수는

$60-52=8$입니다.

12 어떤 수는 $(85-45)\times2=80$이므로

바르게 계산한 값은 $80\times2-45=115$입니다.

왕중왕문제 170~173

1 500	2 36개
3 7 m 50 cm	4 4000원
5 영수 : 1200원, 효근 : 2300원, 웅이 : 2500원	
6 2500원	7 30개
8 80장	9 1440 cm
10 180개	11 250개
12 웅이 : 18개, 영수 : 25개, 효근 : 17개	

[풀이]

1 $(100-50)\times7+25=375$는 어떤 수의 $\frac{3}{4}$에 해당하므로 어떤 수는 $375\div3\times4=500$입니다.

2

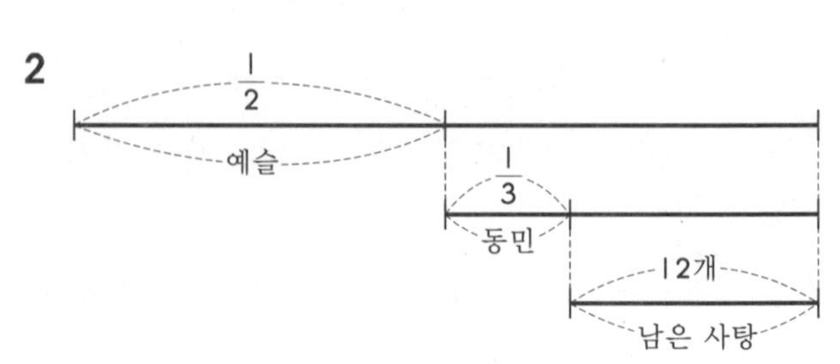

따라서 석기는 $(12\div2\times3)\times2=36$(개)의 사탕을 가지고 있었습니다.

3

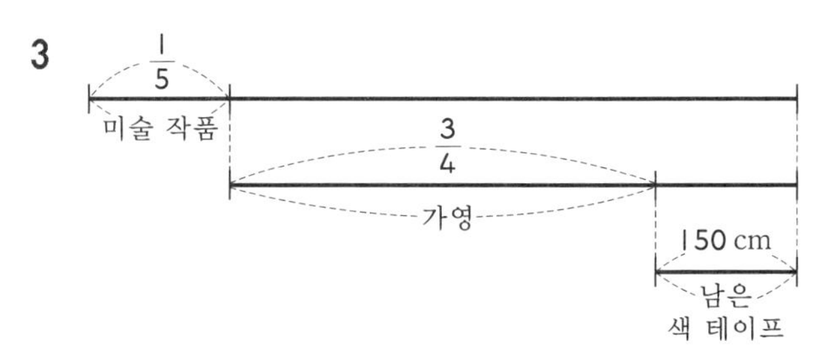

$150 \times 4 \div 4 \times 5 = 750$(cm)
따라서 7 m 50 cm입니다.

4

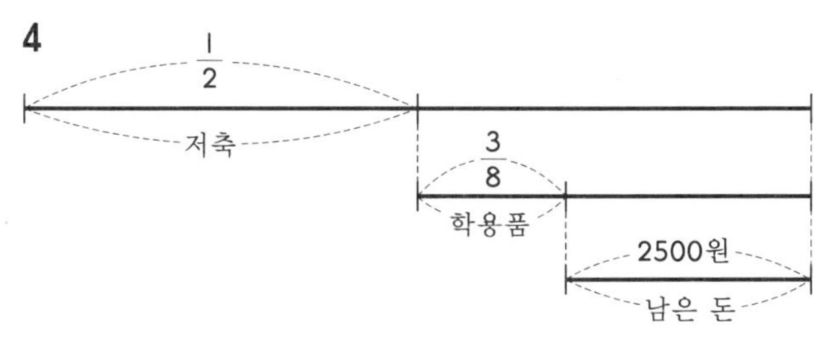

따라서 저축한 돈은
$2500 \div 5 \times 8 = 4000$(원)입니다.

5

	영수	효근	웅이
마지막에 갖게 된 돈	2000	2000	2000
웅이가 영수에게 주기 전의 돈	1000	2000	3000
효근이가 웅이에게 주기 전의 돈	1000	2500	2500
처음에 가지고 있던 돈	1200	2300	2500

6

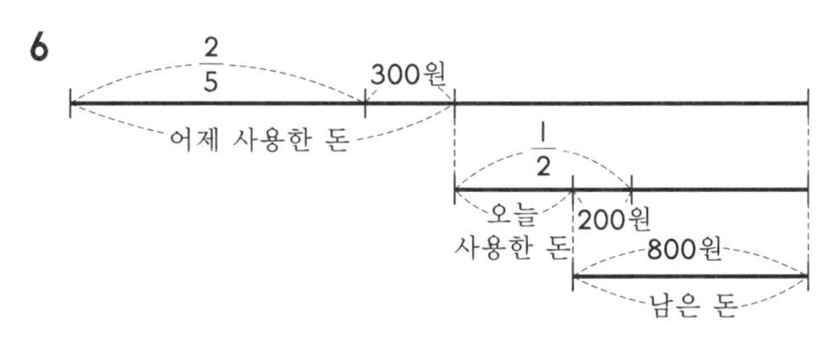

$\{(800-200) \times 2 + 300\} \div 3 \times 5 = 2500$(원)

7

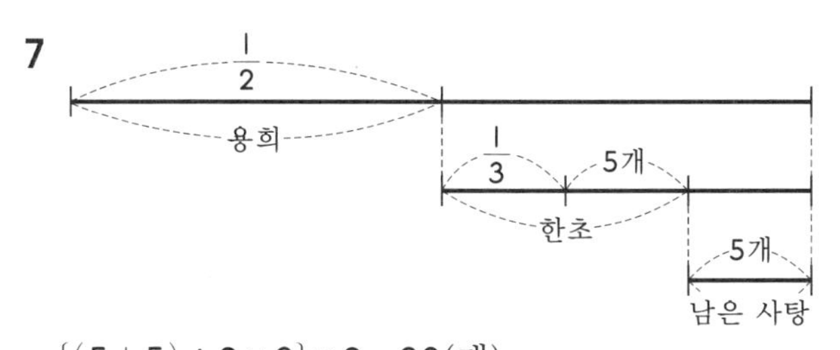

$\{(5+5) \div 2 \times 3\} \times 2 = 30$(개)

8

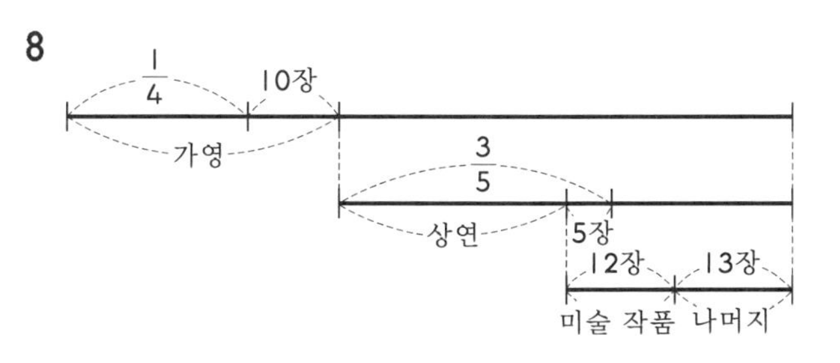

$\{(13+12-5) \div 2 \times 5 + 10\} \div 3 \times 4 = 80$(장)

9

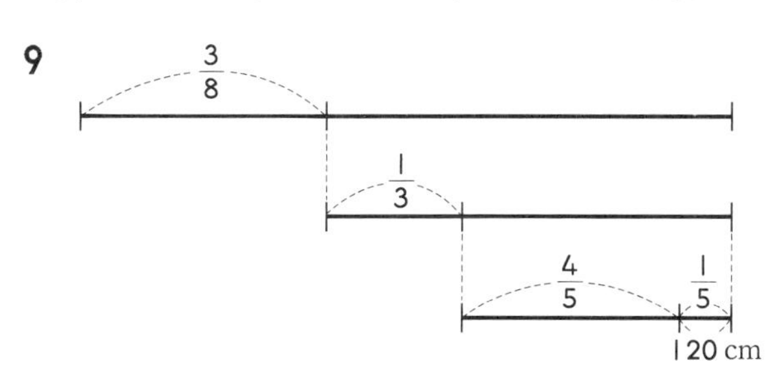

$\{(120 \times 5) \div 2 \times 3\} \div 5 \times 8 = 1440$(cm)

10

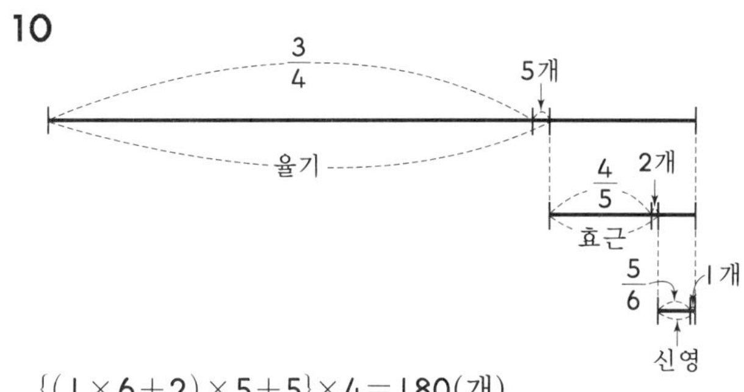

$\{(1 \times 6 + 2) \times 5 + 5\} \times 4 = 180$(개)

11

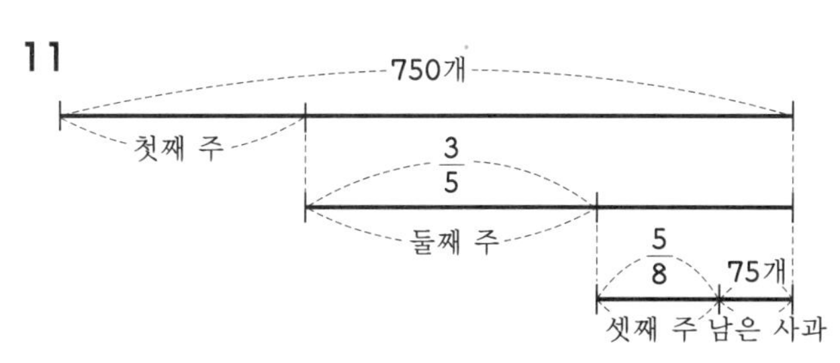

$750 - (75 \div 3 \times 8) \div 2 \times 5 = 250$(개)

12

	웅이	영수	효근
최종 결과(개)	20	20	20
효근이가 웅이에게 주기 전(개)	13	20	27
영수가 효근이에게 주기 전(개)	13	30	17
처음 가지고 있던 구슬의 수(개)	18	25	17

3. 간격의 수와 크기를 고려하여 해결하는 문제 (식목산)

search 탐구 174

풀이

(1) 10, 10, 10, 1, 11 (2) 11, 2, 22

답 (1) 11 (2) 22

EXERCISE

1 104그루 **2** 208그루

[풀이]

1 (간격의 수)$=2575\div25=103$(개)이므로 필요한 나무의 수는 104그루입니다.

2 $104\times2=208$(그루)

왕 문제 175~178

1 41그루	2 9번
3 5번	4 2개 남습니다.
5 68개	6 625 m
7 87 m	8 525 m
9 40그루	10 140 m
11 61그루	12 62개

[풀이]

1 $800\div20+1=41$(그루)

2 $250\div25-1=9$(번)

3 $30\div5-1=5$(번)

4 (간격의 수)$=200\div20=10$(개)이므로 깃발은 $12-10=2$(개) 남습니다.

5 $(1650\div50+1)\times2=68$(개)

6 $5\times125=625$(m)

7 간격의 수는 $30-1=29$(개)이므로 $3\times29=87$(m)입니다.

8 간격의 수는 $20+1=21$(개)이므로 $25\times21=525$(m)입니다.

9 $1200\div30=40$(그루)

10 $4\times35=140$(m)

11 $1500\div25+1=61$(그루)

12 $(960\div30-1)\times2=62$(개)

왕중왕 문제 179~182

1 6번	2 250000원
3 20 cm	4 14개
5 3 m	6 422 cm
7 20 m	8 5 mm
9 13개	10 2 cm
11 152 cm	
12 빨강 : 50개, 파랑 : 25개, 노랑 : 25개	

[풀이]

1 $280\div40-1=6$(번)

2 $1500\div30\times5000=250000$(원)

3 간격의 수는 $6+1=7$(개)이므로
$(320-30\times6)\div7=20$(cm)입니다.

4 18과 24를 나누어떨어지게 하는 수 중 가장 큰 수는 6이므로 말뚝과 말뚝 사이의 거리가 최대일 때는 6 m입니다.
따라서 말뚝은 최소한
$\{(18+24)\times2\}\div6=14$(개)가 필요합니다.

5 처음 진달래와 마지막 진달래 사이의 간격의 수는 $7-1=6$(개)이므로
$(20-1\times2)\div6=3$(m)입니다.

6 겹쳐지는 부분은 $15-1=14$(군데)이므로
$30\times15-2\times14=422$(cm)입니다.

7 간격의 수는 $52-15=37$(개)이므로
$74\div37=2$(초)마다 40 m씩 움직인 셈입니다.
따라서 빠르기는 매초 $40\div2=20$(m)입니다.

8 겹쳐진 부분은 모두 12군데이므로
$(18\times12-210)\div12=\frac{1}{2}$(cm)입니다.
$\frac{1}{2}$ cm$=\frac{5}{10}$ cm$=5$ mm

9 2 m 간격으로 꽂은 후 3 m 간격으로 꽂으면 6 m 간격으로 깃발이 중복되므로 $72\div6+1=13$(개)입니다.

10 $24\times8-0.5\times7=188.5$(cm)
$16\times12-0.5\times11=186.5$(cm)
따라서 $188.5-186.5=2$(cm) 차이입니다.
별해 가로 방향으로 자른 것이나 세로 방향으로 자른 것이나 종이 테이프를 잇기 전에는 총 길이가 서로 같으므로 겹쳐진 부분의 개수 차이만 비교합니다.
즉, $11-7=4$(군데)이므로
$4\times0.5=2$(cm) 차이가 납니다.

11 다음과 같이 안쪽의 지름끼리 연속으로 연결된 모습이 됩니다.

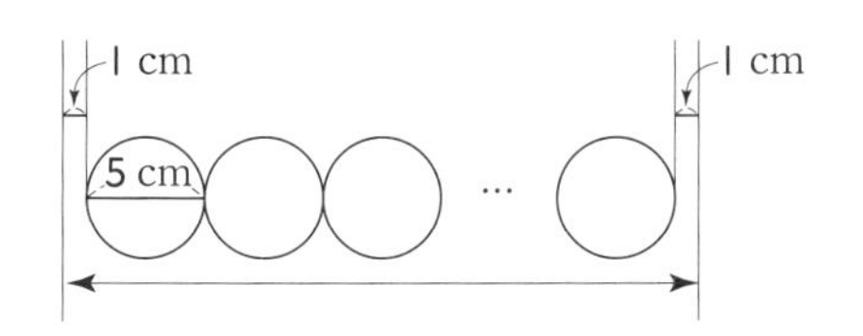

따라서 $5\times30+1\times2=152$(cm)입니다.

12 $400\div4=100$(개)의 깃발이 꽂히며, ㉥, ㉧, ㉥, ㉨의 순서로 $100\div4=25$(번)이므로
빨강은 $25\times2=50$(개), 파랑은 $25\times1=25$(개), 노랑은 $25\times1=25$(개)입니다.

4. 물체를 규칙적으로 늘어놓고 부분 또는 전체를 생각하는 문제(방진산)

search 탐구 183

풀이
1, 4, 16

답 16

EXERCISE

1 12개	2 11개
3 44개	

[풀이]

3 $(12-1)\times4=44$(개)

왕문제 184~187

1 20개	2 36장
3 10개	4 22개
5 625개	6 3721개
7 36개	8 4400원
9 1600원	10 20개
11 64장	12 14개

[풀이]

1 $(6-1)\times4=20$(개)

2 $(10-1)\times4=36$(장)

3 $36\div4+1=10$(개)

4 $84\div4+1=22$(개)

5 한 변의 개수는 $96\div4+1=25$(개)이므로
$25\times25=625$(개)입니다.

6 한 변의 개수는 $240\div4+1=61$(개)이므로
$61\times61=3721$(개)입니다.

7 한 변이 10개인 정사각형이 되므로
$(10-1)\times4=36$(개)입니다.
별해 한 번 에워쌀 때마다 8개씩 증가하므로
$(8-1)\times4+8=36$(개)입니다.

8 한 변이 12개인 정사각형이 되므로
$(12-1)\times4\times100=4400$(원)입니다.
별해 한 번 에워쌀 때마다 8개씩 증가하므로
$\{(10-1)\times4+8\}\times100=4400$(원)입니다.

9 둘레에 놓인 동전의 개수는
$(6+4-2)\times2=16$(개)이므로
$16\times100=1600$(원)입니다.
별해 $6\times4-4\times2=16$(개)이므로
$16\times100=1600$(원)입니다.

10 $(4+8-2)\times2=20$(개)
별해 $4\times8-2\times6=20$(개)

11 $(10-2)\times(10-2)=64$(장)
별해 $(10\times10)-\{(10-1)\times4\}=64$(장)

12 $52\div4+1=14$(개)

왕중왕문제 188~191

1 25600원	2 52개
3 292장	4 93개
5 216개	6 12000원
7 196명	8 10명
9 23개	10 20명
11 84개	12 124장

[풀이]

1 둘레에 놓인 동전의 개수는 $6000\div100=60$(개)이므로 한 변에 놓인 동전의 개수는
$60\div4+1=16$(개)입니다.
따라서 $16\times16\times100=25600$(원)입니다.

2 한 변이 14개인 정사각형이 되므로
$(14-1)\times4=52$(개)입니다.

3 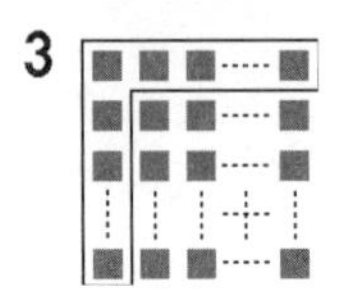

가로 한 변, 세로 한 변을 늘리는데 $36-3=33$(장)이 쓰였습니다.
따라서 늘어난 뒤의 한 변에 놓이는 카드의 개수는
$(33+1)\div 2=17$(장)이므로
카드는 모두 $17\times 17+3=292$(장)입니다.

4 왼쪽 그림과 같이 $12+7=19$(개)의 바둑돌은 가로와 세로의 합이 될 것이므로
한 변의 개수는 $(19+1)\div 2=10$(개)입니다.
따라서 처음 정사각형의 한 변의 개수는
$10-1=9$(개)이므로
바둑돌 수는 $9\times 9+12=93$(개)입니다.

5 가로 한 변과 세로 한 변을 1열씩 늘리는데 필요한 타일 수가 $20+9=29$(개)이므로
한 변의 타일 수는 $(29+1)\div 2=15$(개)입니다.
따라서 $15\times 15-9=216$(개)입니다.

6 사용된 동전의 개수는
$(13-3)\times 3\times 4=120$(개)이므로
총 금액은 $120\times 100=12000$(원)입니다.

7 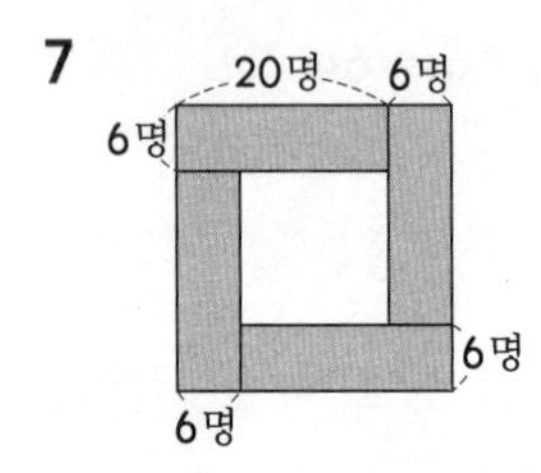

$480\div 4=120$(명)에서
$120\div 6=20$(명)이므로
가장 바깥쪽 한 변의 학생 수는 $20+6=26$(명)입니다.
따라서 비어 있는 속에 들어갈 수 있는 학생 수는
$(26-12)\times(26-12)=196$(명)입니다.

8 나중의 정사각형 대열의 한 변에 서게 되는 학생 수는 $(6+11+1)\div 2=9$(명)이므로
전체 학생 수는 $9\times 9-11=70$(명)입니다.
따라서 학생들을 7열로 세우면
$70\div 7=10$(명)씩 서게 됩니다.

9 정삼각형과 정사각형의 변의 수의 합은
$3+4=7$(개)이므로 한 변에 놓아야 할 개수는
$154\div 7+1=23$(개)입니다.

10 속이 찬 정사각형 모양의 한 변의 학생 수는
$60\div 4+1=16$(명)이므로 전체 학생 수는
$16\times 16=256$(명)입니다.
따라서 속이 빈 정사각형 모양의 가장 바깥쪽 한 변의 학생 수는 $256\div 4\div 4+4=20$(명)입니다.

11 가로 한 변과 세로 한 변의 개수의 합은
$(34+4)\div 2=19$(개)이므로
가로 한 변의 개수는 $(19+5)\div 2=12$(개),
세로 한 변의 개수는 $19-12=7$(개)입니다.
따라서 바둑돌 수는 $12\times 7=84$(개)입니다.

12 모자라는 카드를 보충하여 만든 정사각형의 ㉮ 부분의 장수는
$(48+2)\div 2=25$(장)이므로
한 변의 장수는
$(25+1)\div 2=13$(장)입니다.
따라서 처음에 만든 정사각형의 한 변의 장수는
$13-2=11$(장)이므로
카드는 $11\times 11+3=124$(장)입니다.

5. 전체를 한쪽으로 가정하여 해결하는 문제(학거북산)

search 탐구 192

풀이

2, 16, 16, 6, 2, 2, 6, 2, 3, 2, 2, 3, 3, 5

답 3, 5

EXERCISE

1 24개　　2 14개
3 7마리

[풀이]

1 $12\times 2=24$(개)

2 $38-24=14$(개)

3 $(38-24)\div(4-2)=7$(마리)

왕 문제 193~196

1 5마리　　2 21마리
3 8대　　4 3개
5 7개　　6 5일

7 6개
8 7상자
9 19일
10 8개월
11 17개
12 6상자

[풀이]

1 10마리 모두 강아지라고 가정하면 다리 수는 10×4=40(개), 실제 다리 수는 30개이므로 병아리는 (40−30)÷(4−2)=5(마리)입니다.

2 30마리 모두 거위라고 가정하면 다리 수는 30×2=60(개), 실제 다리 수는 102개이므로 사슴은 (102−60)÷(4−2)=21(마리)입니다.

3 24대 모두 승용차로 가정하면 바퀴 수는 24×4=96(개), 실제 바퀴 수는 80개이므로 오토바이는 (96−80)÷(4−2)=8(대)입니다.

4 8개 모두 300원인 과자를 산 것으로 가정하면 가격은 8×300=2400(원), 실제 낸 돈은 3000원이므로 500원인 과자는 (3000−2400)÷(500−300)=3(개) 샀습니다.

5 15개 모두 10원짜리 동전이라고 가정하면 금액은 15×10=150(원), 실제는 780원이므로 100원짜리 동전은 (780−150)÷(100−10)=7(개)입니다.

6 일주일 동안 하루에 45분씩 공부했다고 가정하면 공부한 시간은 45×7=315(분), 실제는 4×60=240(분)이므로 30분씩 공부한 날은 (315−240)÷(45−30)=5(일)입니다.

7 14개 모두 물건 B를 샀다면 14×3500=49000(원), 실제는 43000원이므로 A는 (49000−43000)÷(3500−2500)=6(개) 샀습니다.

8 12상자 모두 20개짜리로 샀다면 12×20=240(개), 실제는 310개이므로 30개짜리 상자는 (310−240)÷(30−20)=7(상자) 샀습니다.

9 6월 한 달 동안 1600원씩 먹었다면 30×1600=48000(원), 실제는 46200원이므로 1500원씩 먹은 날수는 (48000−46200)÷(1600−1500)=18(일)입니다. 따라서 18+1=19(일)부터 값이 올랐습니다.

10 12달 모두 4200원씩 저금했다면 12×4200=50400(원), 실제는 44800원이므로 3500원씩 저금한 달 수는 (50400−44800)÷(4200−3500)=8(개월)입니다.

11 20개 모두 100원짜리 동전이라고 가정하면 금액은 20×100=2000(원), 실제 금액은 8800원이므로 500원짜리 동전은 (8800−2000)÷(500−100)=17(개) 가지고 있습니다.

12 18상자 모두 50개짜리 상자로 샀다면 18×50=900(개), 실제 낱개 수는 1020개이므로 70개짜리 상자는 (1020−900)÷(70−50)=6(상자)를 샀습니다.

왕중왕문제 197~200

1 5600원
2 21일
3 4개
4 960 m
5 15개
6 2개
7 10일
8 7상자
9 8분
10 6봉지
11 22분
12 소 : 15마리, 돼지 : 45마리, 닭 : 60마리

[풀이]

1 바나나와 키위를 사는 데 든 돈은 16000÷5×4−2800=10000(원)입니다.
18개 모두 키위를 산 것으로 가정하면 400×18=7200(원)이지만 실제는 10000원이므로 바나나의 개수는 (10000−7200)÷(800−400)=7(개)입니다.
따라서 800×7=5600(원)입니다.

2 3월 한 달 동안 500원씩 먹었다면 31×500=15500(원), 실제로 낸 우유값은 14500원이므로 450원짜리 우유를 먹은 날 수는 (15500−14500)÷(500−450)=20(일)입니다.

따라서 우유는 3월 $20+1=21$(일)부터 값이 올랐습니다.

3 문방구점에서 사용한 돈은 $4000-800=3200$(원)이고 12개 모두 공책을 샀다면 $12\times300=3600$(원)입니다.
실제 문방구점에서 3200원 사용하였으므로 지우개는 $(3600-3200)\div(300-200)=4$(개) 샀습니다.

4 18분 동안 보통 걸음으로 걸었다면
$18\times80=1440$(m), 실제로 걸은 총 거리는 1760 m이므로
빠른 걸음으로 걸은 시간은
$(1760-1440)\div(120-80)=8$(분)입니다.
따라서 빠른 걸음으로 걸은 거리는
$8\times120=960$(m)입니다.

5 500개 모두 불량품이 아니라면 이익금은
$500\times900=450000$(원), 실제 총 이익금은 399000원이므로 불량품은
$(450000-399000)\div(900+2500)=15$(개)입니다.
[참고] 불량품이 하나 발생할 때마다 이익금은 $900+2500=3400$(원)씩 감소한다.

6 12개 모두 100원짜리라면 $12\times100=1200$(원), 실제 조사한 금액은 500원이므로 10원짜리와 50원짜리 동전 개수의 합은
$(1200-500)\div(100-\frac{10+50}{2})=10$(개)입니다.
따라서 100원짜리는 $12-10=2$(개)입니다.

7 15일 동안 하루에 1시간 20분씩 독서한 것으로 가정하면, 독서한 시간은 $15\times80=1200$(분), 실제는 16시간 40분(1000분)이므로
1시간씩 공부한 날은
$(1200-1000)\div(80-60)=10$(일)입니다.

8 상자에 들어간 귤은 $2180-30=2150$(개)입니다.
12상자 모두 150개씩 넣은 것으로 가정하면
$12\times150=1800$(개), 실제로 상자에 들어간 귤은 2150개이므로 200개짜리 상자는
$(2150-1800)\div(200-150)=7$(상자)입니다.

9 30분 동안 A만 가동시킨 것으로 가정하면
$30\times7=210$(개), 실제는 226개이므로
B를 가동시킨 시간은
$(226-210)\div(9-7)=8$(분)입니다.

10 봉지에 넣은 사탕은 $500\div250\times233=466$(개)입니다.
16봉지 모두 25개씩 담은 것으로 가정하면
$16\times25=400$(개),
실제는 466개이므로 36개들이 봉지는
$(466-400)\div(36-25)=6$(봉지)입니다.

11 40분 내내 신형 기계를 가동시킨 것으로 가정하면 제품은 $30\times40=1200$(개)이지만 실제는 980개이므로 구형 기계를 가동시킨 시간은
$(1200-980)\div(30-20)=22$(분)입니다.

12 120마리 모두 닭이라고 가정하면 다리 수는
$120\times2=240$(개), 실제는 360개이므로 소와 돼지의 합은
$(360-240)\div(4-2)=60$(마리)입니다.
따라서 닭은 $120-60=60$(마리),
소는 $60\div4=15$(마리),
돼지는 $60-15=45$(마리)입니다.

응용 왕수학

정답과 풀이

3 학년

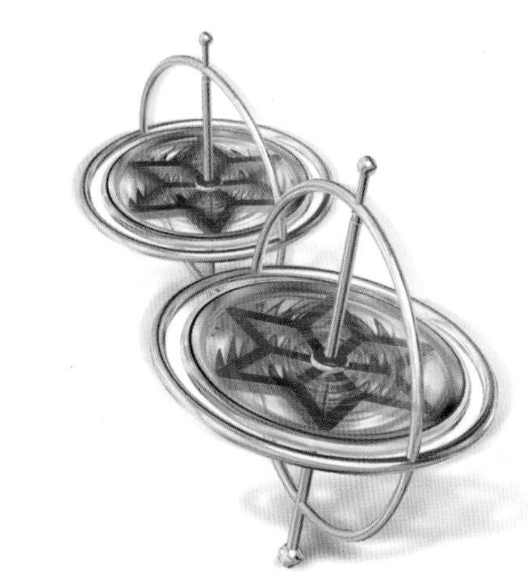
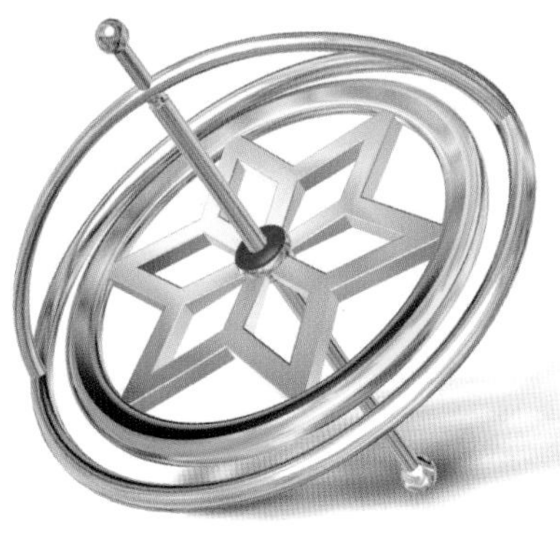

초등
왕수학